Jacques Berndorf
Eifel-Krieg

Jacques Berndorf ist das Pseudonym des 1936 in Duisburg geborenen Journalisten, Sachbuch- und Romanautors Michael Preute.

Sein erster Eifel-Krimi, *Eifel-Blues*, erschien 1989. In den Folgejahren entwickelte sich daraus eine deutschlandweit überaus populäre Romanserie mit Berndorfs Hauptfigur, dem Journalisten Siggi Baumeister. Dessen bislang jüngster Fall, *Eifel-Bullen*, erschien 2012 als Originalausgabe bei KBV.

Berndorf setzte mit seinen Romanen nicht nur die Eifel auf die bundesweite Krimi-Landkarte, er avancierte auch zum erfolgreichsten deutschen Kriminalschriftsteller mit mehrfacher Millionen-Auflage. Sein Roman *Eifel-Schnee* wurde im Jahr 2000 für das ZDF verfilmt. Drei Jahre später erhielt er vom »Syndikat«, der Vereinigung deutschsprachiger Krimi-Autoren, den »Ehren-Glauser« für sein Lebenswerk.

Jacques Berndorf

Eifel-Krieg

Originalausgabe
© 2013 KBV Verlags- und Mediengesellschaft mbH, Hillesheim
www.kbv-verlag.de
E-Mail: info@kbv-verlag.de
Telefon: 0 65 93 - 998 96-0
Fax: 0 65 93 - 998 96-20
Umschlagillustration: Ralf Kramp
Redaktion: Volker Maria Neumann, Köln
Druck: Aalexx Buchproduktion GmbH, Großburgwedel
Printed in Germany
ISBN 978-3-942446-97-6

für meine geliebte Frau Geli
für Susanne und Alfred Dietrich in Kelberg

»Grüßen Sie Detective Inspector Ruiz. Richten Sie ihm aus,
dass altgewordene Polizisten nie sterben.
Sie setzen höchstens mal einen Takt aus.«

Michael Robotham, *Todeskampf*, München 2012

1. Kapitel

Mein Kater Satchmo ist tot. Er war achtzehn Jahre lang ein sehr guter Kumpel, und er bestand achtzehn Jahre lang auf seiner Unabhängigkeit, er war nicht käuflich. Er war eine echte Eifeler Scheunenkatze.

Mein Freund Tom Ewertz, Bauer in Niederehe, hatte ihn mir geschenkt, als er nicht mehr war als eine Handvoll. Anfangs lebte er zusammen mit seinem Bruder Paul bei mir, bis der an einem nebligen Tag stracks in ein Auto rannte. Satchmo mochte Autos seitdem nicht und schaute durchaus aufmerksam, ob er die Dorfstraße gefahrlos queren konnte.

Es war kein Auto, es war das Alter. Satchmo baute rapide ab, die Nieren machten ihm Schwierigkeiten, er lag desinteressiert herum, er ging immer weniger hinaus in den Garten, er wurde hager wie ein alter Mann ohne Mut und Hunger. Er sprach auch nicht mehr mit mir, was er sein ganzes Leben lang getan hatte. Immer wenn wir aufeinandertrafen, jaulte er in allen erdenklichen Tonlagen, und ich hatte den Eindruck, er wollte mir mitteilen, was er den Tag über im Dorf erlebt hatte. »Stell dir vor, wen ich getroffen habe. Die alte Lisbeth. Auf dem Weg zum Friedhof ...«

In den letzten Tagen des vergangenen Jahres war es ganz schlimm. Er fraß nicht mehr. An Silvester verlor er jede Kontrolle, da begann er zu sterben, das machte mir Angst. Er konnte nicht mehr stehen. Und wenn er sich mühsam auf die Beine zu stellen versuchte, begann er, sekundenlang wild zu schwanken, und schoss dann mit zwei, drei Trippelschritten vollkommen haltlos gegen irgendein Hindernis. Gegen einen Heizkörper zum Beispiel oder einfach in eine Zimmerecke oder gegen einen Plastikeimer. Er fiel um und blieb an dem Platz, an dem er scheiterte. Es war so, als würde er nichts mehr sehen, als wäre er blind. Und wenn ich ihn rief, hob er nicht einmal mehr den Kopf.

Ich konnte nicht mehr zusehen und rief in der Praxis von Susanne Fügen in Daun an. Ich sagte, was zu sagen war. Satchmo kam in seinen Plastikbehälter, er wehrte sich nicht, und wir fuhren nach Daun. Gewöhnlich hatte mein Kater mit wilder Hysterie auf diese Praxis reagiert und mit noch größerer Hysterie auf den blanken Stahltisch. Das schien ihn nicht mehr zu berühren, wahrscheinlich begriff er das alles nicht mehr.

Er bekam eine Winzigkeit intravenös gespritzt, er zuckte nicht, er blieb ganz ruhig, zu Tode erschöpft. Dann war er fort, und Susanne Fügen fragte mich freundlich und sanft, ob ich noch eine Weile lang mit ihm allein sein wolle. Das wollte ich nicht.

Immer wieder, wenn ich im EDEKA in Kelberg einkaufen gehe, finde ich mich in der Abteilung Tierfutter wieder und überlege, ob ich Katzenstreu oder Katzenmilch mitnehmen muss. Das wird seine Zeit brauchen, auch mein alter Satchmo geht nie so ganz.

Aber eigentlich will ich die Geschichte von Blue erzählen, die in diesem sommerlichen Juni so hinterhältig, brutal und traurig begann und schlussendlich in einem Chaos endete, mit dem niemand hatte rechnen können.

Es fing an, als Rodenstock mich gegen Abend beiläufig anrief und damit lockte, dass Emma gerade Melonen mit rohem Schinken von Otten in Strohn auf den Tisch brachte – »handgeschnitzt«, wie er mir versicherte. Ob ich denn in Heyroth aufschlagen könne, um Schinken und Melone zu zerstören? Ich sagte natürlich zu, weil ich immer zusage, wenn es irgendetwas Kostenloses gibt, da bin ich sehr konsequent. Ich fuhr also die lächerlichen zwei Kilometer zu ihrem Haus und freute mich auf ein munteres Geplauder bei Schinken und Melone unter einer abendlichen, immer noch warmen Sonne.

Rodenstock stand in der Tür, empfing mich mit einer hastig geflüsterten Information, von der ich kein Wort verstand, drehte sich um und stapfte vor mir her.

Emma kam auf mich zu, umarmte mich kurz, wies hinter sich und brüllte erschreckend laut: »Das ist Tante Liene aus Sydney. Sie will noch mal Europa sehen.«

Besagte Tante Liene hockte auf einem Kissenberg in einem alten Ledersessel und sah aus wie ein Wesen aus einer anderen Welt, ein klassischer Alien. Ihr Gesicht war ein kleines, ovales, rissiges Stück altes Leder, nicht einmal die Nase war ohne Falten. Ihr Haar war ein verwirrendes, helles Gespinst in äußerst lockerer Bebauung, das in einer einzelnen Strähne quer über ihren ansonsten vollkommen kahlen Schädel gelegt war. Sie konnte auf keinen Fall mehr als vierzig Kilo wiegen, und ihre Figur war tropfenförmig. Sie trug irgendetwas Dunkelbraunes und Sackartiges, das mich an die Naturbegeisterten meiner Jugend erinnerte. Sie konnte höchstens eins vierzig groß sein, und nur ihre Augen lebten. Diese Augen waren zwei winzige, tiefschwarze, leuchtende Punkte.

Ich musste mich räuspern, dann sagte ich brav etwas lauter: »Ich bin der Siggi«, und reichte ihr eine Hand.

»Sie hört nicht mehr richtig«, dröhnte Emma. »Aber sie ist immerhin auch schon dreiundneunzig.«

Tante Liene griff nicht nach meiner Hand, wahrscheinlich sah sie gar nichts mehr.

»Mit dem Sehen ist das auch so eine Sache«, schrie Emma.

Ich wiederholte lauter: »Ich bin der Siggi« und legte der Zwergin flüchtig eine Hand auf die Schulter.

»Und nun wollen wir essen!«, schrie Rodenstock.

Die Zwergin fragte krächzend: »Is er a Jidd?«

»Neeh!«, brüllte Emma. Sie stand an der Arbeitsplatte und matschte eine Scheibe der Melone mit einer Gabel klein, dann schnitt sie eine Scheibe des Schinkens in winzige Bestandteile, kam mit dem Teller zu der Zwergin, setzte sich auf die Sessellehne und schrie: »Dann wollen wir mal!«

»Du lieber mein Vater!«, flüsterte Rodenstock mit geschlossenen Augen.

»Wie ist sie denn hergekommen?«, hauchte ich. »Mit einem Segelschiff?«

»Verwöhnkomfort, Singapore Airlines, erste Klasse«, antwortete er. »Den Rest von Frankfurt mit dem Taxi. Vorgestern waren wir noch völlig ahnungslos. Sie will vier oder sechs Wochen bleiben. Ich fange an, meine Frau zu hassen. Wir hatten es hier so schön.«

Einen Augenblick lang dachte ich, Rodenstock wäre ein hervorragender Bauchredner, seine Lippen bewegten sich kaum. »Wieso seid ihr nicht gewarnt worden?«

»Das hätte doch keinen Sinn gehabt, sie wäre sowieso gekommen. Und wahrscheinlich waren die in Sydney froh, sie mal loszuwerden.«

»Das hast du gut gemacht«, stellte Emma laut fest. »Willst du jetzt ein Schläfchen machen?«

»Yep!«, nickte Tante Liene. Dann sackte ihr Kopf zur Seite, und sie tat einen tiefen Atemzug. Sie atmete leicht rasselnd, sie schlief.

»Setzen wir uns in den Garten?«, fragte Emma lächelnd.

Wir nahmen das Geschirr und setzten uns in den Garten an den Holztisch. Emma brachte die Eifeler Köstlichkeiten.

»Das wird eine Katastrophe«, murmelte Rodenstock düster.

»Es ist schwer! Ja!«, pflichtete Emma mit schneidender Stimme bei. »Aber du wirst den Mund halten, verdammt noch mal.« Sie machte eine Pause und nahm einen neuen Anlauf. »Liene hat Auschwitz überlebt. Da war sie fünfundzwanzig. Sie hatte zwei kleine Kinder, sie hatte einen Ehemann. Alle drei wurden getötet.« Sie machte wieder eine Pause. »Es ist gesagt worden, dass sie nur überlebte, weil sie mit ein paar Männern der KZ-Aufsicht schlief. Wann immer die es wollten. Sie war bei einem dieser furchtbaren Todesmärsche dabei. Sie hat bis heute nie mehr darüber geredet. Es war also ein Scheißleben, Rodenstock! Und sie ist einfach zu uns gekommen, weil sie den Schlussstein ihres Lebens sucht.«

»Ist ja gut, es tut mir leid«, murmelte Rodenstock. Dann stand er auf, beugte sich zu seiner Frau hinunter und umarmte sie.

Weil Emma plötzlich weinte, schwiegen wir.

»Verdammte Kacke!«, explodierte sie heftig. »Es muss doch endlich mal Schluss sein damit.«

Natürlich war das Essen vergessen, natürlich schwiegen wir, natürlich wirkte das sehr gequält, bis Rodenstock mich fragte: »Kennst du einen jungen Mann, der Blue genannt wird? Hier aus der Gegend? Ungefähr zwanzig Jahre alt?«

»Nie gehört. Wer ist das?«

»Angeblich lebt er seit drei Jahren auf dem Eulenhof. Aber so ganz genau scheint das niemand zu wissen.«

»Eulenhof? Diese Leute, von denen es heißt, sie seien Neonazis?«

»Genau«, sagte er und nickte knapp. »Neonazis und Zuhälter und Rassisten und was weiß der Teufel noch alles.«

»Keine Ahnung«, sagte ich.

»Der Junge ist seit gestern spurlos verschwunden. Er wollte frühmorgens zu seinen Eltern nach Trier. Er kam aber nicht dort an. Dann riefen seine Eltern die Polizei, und die fuhr ein bisschen herum und erkundigte sich. Bisher ohne Erfolg. Die vom Eulenhof haben gesagt, sie hätten keine Ahnung, wohin der Junge verschwunden sein könnte.«

»Warum fragst du ausgerechnet mich? Hätte er bei mir klingeln sollen?«

»Nein, aber der Vater hat mir gesagt, dass der Junge oft hier bei uns im Ahbachtal war. Immer, wenn er allein sein wollte. Er streunte herum. Lag im Gras und so, meistens allein. Beobachtete Vögel, hatte wohl auch eine Gruppe Wildkatzen im Blick. Deshalb frage ich dich.«

»Keine Ahnung«, wiederholte ich. »Ich habe keinen jungen Mann gesehen. Wie sieht er denn aus?«

»Eins achtzig, blondes Haar, sehr schlank«, antwortete Rodenstock. »Ich bin mittags mal das Tal abgefahren, aber gesehen habe ich nichts. Man kann von der Straße aus nicht alles einsehen.«

»Nun esst doch mal was«, nörgelte Emma.

»Wieso rufen diese Eltern denn gleich die Polizei, wenn der zwanzigjährige Junior nicht wie verabredet eintrudelt? Ist das nicht etwas übertrieben?«, fragte ich.

»Kann man so sehen«, brummelte Rodenstock. »Aber der Vater klang sehr ängstlich, hysterisch sogar. Und jetzt will ich etwas essen.«

Also machten wir uns an die Nahrungsaufnahme und blickten alle drei von Zeit zu Zeit auf Tante Liene, die im Hintergrund mit offenem Mund auf ihrem Kissenberg saß und vor sich hinrasselte.

»Wie kam sie denn nach Australien?«, fragte ich.

»Das wissen wir nicht genau, sie wird es uns sagen«, antwortete Emma. »Sie heiratete nach dem Krieg in Australien noch einmal, bekam drei oder vier Kinder. Sie hatte zwei oder drei depressive Zusammenbrüche, kam in die Psychiatrie, wurde jedes Mal gerettet und zog sich mit ungefähr fünfundsiebzig Jahren aufs Altenteil zurück.«

»Und wie bist du mit ihr verwandt?«, fragte ich Emma.

»Das weiß ich noch nicht genau«, lächelte sie. »Ich glaube, sie war eine entfernte Großcousine von einem Mann, der im Europa des Zweiten Weltkriegs Großonkel Bonni genannt wurde. Der lebte in Paris. Bonni ist natürlich längst tot. Aber das ist ja auch wurscht, sie gehört halt dazu. Ich muss in meinen Papieren nachschauen.«

»Aber sie muss eure Adresse gehabt haben«, sagte ich.

»Hatte sie«, sagte Rodenstock und grinste. »Man kriegt's mit der Angst zu tun, wenn man sich vorstellt, wer alles in den äußersten Winkeln dieses Planeten unsere Adresse in Heyroth hat, nur weil Emma sich seit vielen Jahren um die Überlebenden kümmert.«

»Rodenstock!«, mahnte Emma. Dann wandte sie sich mir zu und fragte süßlich: »Unsere Staatsanwältin hat mich angerufen und erzählt, dass du zwei Tage in Trier gewesen bist. Ihre Kinder sind ganz begeistert von dir, hat sie mir erzählt.«

»Es war sehr schön«, bestätigte ich. »Ich werde allerdings nicht samt Haushalt nach Trier verschwinden, um deine nächste Frage zu beantworten.«

»Du weißt doch, Emma ist der Meinung, niemand sollte allein leben«, murmelte Rodenstock. »Du schon gar nicht!«

»Er hockt da mutterseelenallein in seinem Haus!«, stellte Emma vorwurfsvoll fest. »Da muss man sich doch kümmern dürfen!«

»Ach, Emma!«, sagte ich.

In diesem Moment tat Tante Liene einen sehr lauten Schnaufer und räkelte sich. Sie bekam tatsächlich beide Arme in Höhe ihrer Schultern gehoben und schlug die Augen auf. Sie sagte: »Humpf.«

Emma rannte zu ihr ins Wohnzimmer, und Rodenstock murmelte: »Ich erwarte tatsächlich das totale Chaos.«

Rodenstock und ich blieben auf der Terrasse. Emma blieb drinnen mit Tante Liene zugange.

»Wie kommt sie eigentlich hoch ins Gästezimmer?«, fragte ich.

»Ganz einfach«, antwortete Rodenstock. »Ich nehme sie auf den Arm und trage sie hoch. Das hatten wir gestern Abend schon einmal. Und sie benutzt reichlich irgendetwas von *Dior.* Riecht angenehm.« Er grinste diabolisch.

»Und wie lebt sie in Sydney?«

»Allein in einem großen Haus mit allen möglichen Bediensteten. Jedenfalls ist das unser Kenntnisstand. Emma wird heute Nacht mit irgendjemandem aus der Familie in Sydney sprechen, um das herauszufinden.«

»Tante Liene kann doch nicht hierher reisen, ohne vorher festzustellen, ob es diese Adresse überhaupt gibt.« Mir schien das rätselhaft.

»Tatsache ist, dass sie hier vor acht Tagen persönlich anrief und nach Emma fragte. Emma bestätigte das: ›Ja, ich lebe hier.‹ Dann legte Tante Liene auf. Emma ist in der ganzen Sippschaft weltweit als äußerst solide bekannt. Also konnte Tante Liene herkommen, das Risiko war gleich Null.« Er sah eine lange Zeit zum Waldrand hinüber, dann fragte er: »Rauchst du eine Pfeife? Ich hole mir eine Zigarre.«

»Das können wir tun«, sagte ich und stopfte mir bedächtig eine Gotha 58 von *design berlin.* Ich benutzte die neue Mischung Nr. 1 von Wilhelm Friederichs in Düren und schaute dann Rodenstock zu, wie er seine Montecristo schnuppernd unter der Nase durchzog, um sie dann feierlich zu beschneiden und anzuzünden.

Rauchopfer einer verfolgten Minderheit.

»Was halten wir vom Rücktritt des Papstes?«, eröffnete er dann.

Ich mochte das Thema nicht, ich antwortete: »Der Mann war ein sicher sehr kluger Religionslehrer, aber Begeisterungsstürme hat er weltweit nicht ausgelöst. Er war schlapp und gebrechlich, und er wollte das Amt nicht.«

»Moment, er hat aber kluge Dinge gesagt«, widersprach er.

»Ja, ja, und alle brennenden Probleme ließ er folgerichtig links liegen, die Lesben, die Schwulen, die Frauen, den Zölibat, die gründliche Aufarbeitung der Missbrauchsfälle, das erschreckende Fehlen an jungen Priestern. Nur dass er kündigte, zeugt von sehr viel Mut.« Ich hatte das Thema nicht gewollt, jetzt war ich mittendrin. Rodenstock schaffte es immer wieder. Ich fuhr fort: »Die katholische Kirche hat seit 1990 in Deutschland fast vier Millionen Gläubige verloren. Das ist nichts für uns, Rodenstock, nicht in dieser katholischen Eifel, in der Gläubige in den Kirchen nur noch wie die Versammlung eines Altenheims aussehen. Der Verein liegt in Europa am Boden und gibt das nicht einmal zu. Für mich ist er kein Thema mehr.«

Er lächelte und fragte: »Und wie ist es mit der Windkraft im Wald?«

»Ein paar Ortsbürgermeister machen den Wald kaputt, sonst nichts«, entgegnete ich. »Wer das ernsthaft will, zerstört das Waldland Eifel. Auch kein Thema.«

»Pferdefleisch?«, fragte er gemütlich. »Bio-Eier?«

»Das muss man reparieren, sonst nichts. Ein paar gierige Firmen dichtmachen, nichts weiter. Aber das wird sowieso nicht passieren.«

»Und der neue Heino? Ist er nicht wunderbar?«

»Ja, durchaus, da stimme ich dir zu. Das hat einsame Klasse. Aber ein Thema ist es auch nicht.«

»Und wie bewerten Eure Heiligkeit die Abartigkeiten des neuen Kapitalismus?«

»Wunderbar. Ich rede grundsätzlich gerne über Obszönes.«

»Was ist mit Zypern und Griechenland?«, fragte er weiter.

»Was soll damit sein? Euro ist Krise, Zypern ist Krise, Griechenland ist Krise, Italien auch. Man sagt uns ständig, dass wir in einer Krise leben. Und wir fallen drauf rein. Wir haben Angst um unser Erspartes, nächste Krise. Ich denke, da wird systematisch übertrieben. Wir sind Europa, wir haben den Euro, wir erleben Fehler und Schwächen, wir müssen reparieren. Aber wir haben ja auch die Mutter aller Krisen, diese Merkel. Die wird es richten.«

Dann lachten wir beide und ließen jede Diskussion sein.

Nur einmal blies er eine gewaltige Qualmwolke in den langsam dunkler werdenden Himmel und murmelte: »Ich wette, Tante Liene wird uns alle schaffen.«

Ich machte mich vom Acker und ließ Rodenstock mit seiner Montecristo allein. Es ist ein schönes Gefühl, miteinander schweigen zu können.

* * *

Auf meinem Anrufbeantworter war die Staatsanwältin und murmelte: »Du scheinst eine geheime Geliebte zu haben. Ich werde das Weib brutal fertigmachen und dich langsam über Holzkohle grillen. Ruf mich doch mal an, bitte.«

Also rief ich sie an, und im Hintergrund war ein Riesenlärm, ein grelles Lachen.

»Ich bin es. Läuft da eine Orgie?«

»So etwas Ähnliches. Stell dir vor, da sind zwei Mädchen vorbeigekommen, mit denen ich mal Abitur gemacht habe. Und jetzt sind wir längst über die Martinis hinaus.«

»Das freut mich. Dann lass ich euch mal allein.«

»Ich ruf dich morgen an, ja?«

Ich hockte noch eine halbe Stunde auf meiner Terrasse und sah zu, wie die Nacht anbrach. Eine der wilden, grauen Scheunenkatzen aus dem Dorf lief durch meinen Garten und starrte mich erst sachlich und dann feindselig an, ehe sie um die Hausecke verschwand.

Dann ging ich ins Büro und arbeitete eine Weile an einem Text, der ziemlich schwierig war, weil das Thema mich wütend machte. Es ging um die geradezu lächerlichen Renten einiger alter Bauersfrauen, deren Männer schon verstorben waren. War irgendjemandem klar, was es hieß, von 318 Euro im Monat zu leben?

Gegen Mitternacht gab ich auf und verschwand ins Schlafzimmer. Ein wütender Journalist ist selten ein guter.

Ich wachte früh auf, es war erst kurz nach sechs. Mein Heimatsender *SWR1* teilte mit, es sei nichts Besonderes zu vermelden, der geneigte Hörer könne bedenkenlos guter Laune sein. Das befolgte ich weitgehend, schrieb den Text über die Rentnerinnen ohne jede Schwierigkeit zu Ende und schickte ihn ab. Ich aß ein Stück trockenes Brot mit zwei Mandarinen und fühlte mich gut. Ich setzte mich in mein Auto und fuhr hinüber nach Heyroth.

An der Stelle, an der links der erste Bauernhof lag, nahm ich die scharfe Kehre nach rechts in einen schmalen Wirtschaftsweg und fuhr am Ahbachtal entlang. Ich kann nicht einmal genau sagen, warum ich das tat, wahrscheinlich war ich nur gründlich. Ich erinnerte mich an das, was Rodenstock gesagt hatte. Daran, dass der Junge namens Blue einen ängstlichen Vater hatte, der ihn hysterisch vermisste. Dass der Junge eigentlich bei seinen Eltern in Trier sein müsste, dort aber nicht angekommen war.

Das Tal des Ahbachs war ein Ort zum Träumen. Es schlängelte sich der schmale Bach in wilden Kehren und Schleifen durch das enge Wiesental, gluckerte besänftigend und schaffte eine beinahe vollkommene Stille. In großen Abständen standen Gruppen kleiner Erlen an seinem Ufer, und da, wo das Wasser ein wenig breiter einen kleinen, flachen Tümpel schuf, ging das Vieh auf die andere Seite – immer auf der Suche nach dem saftigsten Gras. Man sah Graureiher, die kleine Fische aus dem Wasser zogen, angeblich hatten Naturfreaks Schwarzstörche gesehen, Raubvögel horsteten an den Waldhängen, ganz früh am Morgen und am Abend trat Rotwild aus dem Wald. Es gab keine Störungen, keine Menschen, keine Maschinen. Und keine Straße, auf der irgendein Verkehr floss. Und jedes Mal, wenn man in den Wiesen Leute sah, dachte man erschreckt: Jetzt haben die blöden Touristen das Tal entdeckt und machen es kaputt.

Ich hielt an einer Stelle, von der aus ich leicht in die Wiesen unter mir gelangen konnte. Es war vollkommen still. Der Bach lag unter der morgendlich grellen Sonne, Kohlweißlinge, Zitronenfalter und viele Kleine Füchse taumelten durch das Licht. Es gab Insekten in Hülle und Fülle, und auf vielen Gräsern saßen die Käfer, die man Blutstropfen nannte und auf deren Rücken eine intensive, rote Punktierung strahlte – Überschwang des Lebens.

* * *

Anfangs siehst du nicht genau, deine Augen können Hell und Dunkel noch nicht voneinander trennen, müssen sich erst an die Umgebung gewöhnen.

Also hockte ich mich an das munter plätschernde Wasser und stopfte mir eine Pfeife. Es war eine Mariner 10 von *design berlin*, eine sachliche, konservative Schöpfung mit edler, grüner Lackierung. Ich paffte vor mich hin, während meine Augen sich an dieses stille Tal gewöhnten und allmählich das Sehen lernten. Auf der rechten Seite trat ein dichter Mischwald unmittelbar und ohne Grenze bis an die Wiesen im Tal, linkerhand war der steile Hang mit Weißdorn und Schlehenbüschen, ein paar Kiefern und Haselnusssträuchern besetzt.

Ich suchte nach Auffälligkeiten, nach Farbflecken, die nicht in das Tal gehörten. Zuerst lief ich eine Zeit lang unschlüssig umher, mir war nicht klar, in welcher Richtung ich suchen sollte. Dann sah ich auf dem linken Hang irgendetwas unter einem Haselbusch, das blau war, konnte aber nicht erkennen, was es genau war. Ich schlenderte dorthin.

Er lag im Schatten unter einem sehr dichten Haselstrauch. Er lag auf der Seite, das linke Bein lang ausgestreckt, das rechte hoch an den Körper gezogen. Beide Hände lagen frei nach vorn ausgerichtet, als hätte er versucht, noch einmal aufzustehen. Er trug nur ein graues T-Shirt, darüber eine kurze, grüne Allwetterjacke, einfache, abgetragene Jeans, dazu braune Sneakers ohne Strümpfe.

Wahrscheinlich sagte ich irgendetwas, wahrscheinlich einfach »Hallo!« oder »Guten Tag«, ich erinnere mich nicht mehr. Ich weiß nur, dass die meisten Menschen unter diesen Umständen einfach irgendetwas sagen, weil sie hoffen, dadurch den Tod zu verscheuchen, und weil da die Erwartung ist, dass der Tote sich mit einem leichten Grinsen erhebt.

Ich kniete neben ihm nieder und sah zuerst seinen halb offenen Mund, der auf trockenen, welken Blättern aus dem Vorjahr lag. Neben seinem zur Hälfte geschlossenen rechten Auge saß eine Schmeißfliege, ich scheuchte sie fort. Die Gesichtshaut war totenblass.

Der Schuss hatte ihn genau in die Mitte der Stirn getroffen, es war ein vollkommenes, kleines Rund, umgeben von längst getrocknetem Blut. Keine dunklen Schmauchspuren, nichts deutete daraufhin, dass er selbst sich getötet hatte. Der Schusskanal verlief leicht von unten nach oben, das Projektil hatte ihm die hintere Schädeldecke zerschmettert. Eine Waffe gab es nicht.

Ich ging aus dem Schatten hinaus in die Sonne und rief Rodenstock an. Ich sagte: »Ich habe den Jungen gefunden. Jemand hat ihn erschossen. Wenn du auf die Straße kommst, fährst du in Richtung Brück und dann sofort den Wirtschaftsweg links hinunter. Da steht mein Auto.«

»Kann er sich selbst getötet haben?«

»Kaum. Dann müsste eine Waffe da sein. Aber ich habe hier keine entdeckt«, antwortete ich.

»Also das ganze Programm?«

»Das ganze Programm.« Ich beendete das Gespräch, Rodenstock wusste, was zu tun war. Ich nahm meine Nikon und fotografierte die Szenerie gründlich.

2. Kapitel

Es ist schwierig zu erklären, was du denkst, wenn so etwas geschehen ist. Du bist unsicher und erschreckt, und es entsteht ein massives Durcheinander im Kopf. Schnelle, wirbelnde Gedankenfolgen lassen nicht locker und erzeugen eine Art frustrierenden Stau, der sich nicht auflösen lässt, weil es keine Antworten gibt.

Wer erschoss aus welchem Grund einen so jungen Mann? Wer könnte einen Grund gehabt haben, zu einer solchen Brutalität zu greifen? Stritten sie sich um eine Frau? Lag es an den Banalitäten des Lebens, an plötzlich auftauchendem Hass? War ein weiblicher Täter denkbar? War der Tote mit seinem Mörder hier in diesem Tal verabredet? War der Tote ahnungslos? Waren sie zusammen in dieses Tal gegangen, um über irgendein Problem zu sprechen? War die Situation dann plötzlich eskaliert? Aber warum hatte einer von ihnen eine Waffe mitgebracht?

Das Tal war sehr still, irgendwo jubilierte eindeutig eine Feldlerche. Ich ging an den Bach und setzte mich ins Gras. Ich hatte plötzlich die irritierende Idee, es sei gut, sich auszuziehen und die Füße ins Wasser zu stellen. Ich zündete die Pfeife wieder an.

Es wurde eindeutig Zeit, dass Rodenstock auftauchte. Er verfügte über die seltene Gabe, seinem Umfeld selbst im Chaos die notwendige Ruhe zu verschaffen. In solchen Situationen wirkte er wie ein Zauberer.

Als er endlich kam, stieg er sehr selbstsicher über ein Stück verrotteten Stacheldrahtzaun, sah mich an, sah meinen Zeigefinger und ging stracks zu dem Toten unter der Haselnuss.

Er blieb stehen, sah die Leiche an, hockte sich neben ihr hin, betrachtete sie lange. Dann stand er wieder auf, sah sich das Tal in beide Richtungen aufmerksam an, betrachtete dann den Toten erneut, hockte sich wieder hin und schien mit ihm zu sprechen. Er nannte das »einen Tatort trinken«, und er würde noch über Monate hinweg wissen, wie weit entfernt von der rechten Hand der Leiche ein kleiner Zweig mit zwei Nüssen lag.

Rodenstock stellte sich hin und teilte mit: »Es kommen ein Streifenwagen und drei Leute von der Mordkommission. Mehr sind nicht verfügbar.«

»Er hat sehr gepflegte Hände«, sagte ich.

»Wie meinst du das?«

»Na ja, lange, elegante Hände mit gepflegten Fingernägeln, sauber geschnitten und gefeilt. Irgendwie intellektuell. Keine Schwielen. Er hat wohl niemals mit den Händen gearbeitet.«

»Ein Intellektueller unter Neonazis?«, spottete er.

»Ein stiller Typ. Warum nicht?«

»Baumeister«, mahnte er an, »du weißt ganz genau, dass Tote immer ein bisschen betrügen. Er war im richtigen Leben vielleicht ein Teufel.«

»Er sieht aber nicht aus wie ein Teufel«, wandte ich ein.

»Eben«, bemerkte er bissig.

»Du bist mir eindeutig zu negativ! Wie heißt er denn eigentlich?«

»Paul Henrici aus Trier, genannt Blue, zwanzig Jahre alt, kein Beruf. Ich hätte mir eine Zigarre mitnehmen sollen.«

»Wir können nicht sicher sein, dass er das wirklich ist. Ich habe den lebenden Blue jedenfalls nie gesehen.«

»Ja, sicher«, grummelte Rodenstock.

Ein Streifenwagen hielt hinter unseren Autos. Die beiden Beamten waren eine Frau und ein Mann, beide jung und offenbar hungrig. Wahrscheinlich war ihr Alltag monoton. Die Frau ging mit einem Pferdsprung über den Stacheldraht, ihr jüngerer Kollege versuchte es auch und scheiterte. Er fluchte wie ein Bierkutscher, und die Frau lachte unterdrückt.

Sie kam zu uns und sagte hell: »Mein Name ist Meinart, guten Tag. Herr Rodenstock, Sie haben uns informiert.« Dann wandte sie sich an mich. »Und Sie sind Siggi Baumeister, ich hätte nicht gedacht, dass ich Sie eines Tages mal in einer Situation wie dieser persönlich kennenlernen würde. Sie haben ihn gefunden, richtig?«

»Richtig«, antwortete Rodenstock, bevor ich etwas erwidern konnte. »Er liegt da unter der Haselnuss.« Er wies mit der Hand hinüber zum Fundort der Leiche.

»Dann habe ich noch auszurichten, dass Frau Doktor Tessa Brokmann von der Staatsanwaltschaft in Trier kommt. Sie ist schon unterwegs«, sagte die Beamtin. »Tja, dann gucke ich mir das jetzt mal an.« Sie trug einen sehr blonden, langen Pferdeschwanz, und sie bewegte sich ausgesprochen weiblich.

Ihr Begleiter verfiel der nächsten Lächerlichkeit und folgte ihr mit winzigen Trippelschritten, wobei er dauernd aus dem Tritt kam, weil er sich gleichzeitig von dem eindrucksvollen Riss am rechten Knie seiner Uniformhose ein Bild machen wollte. Wahrscheinlich war er unsterblich in sie verliebt, und wahrscheinlich war es ihm wurscht, wie er wirkte.

»Die Komik des deutschen Mannes liegt in seinem bloßen Dasein«, flüsterte Rodenstock.

»Haben Sie den Toten etwa berührt?«, fragte die Polizistin.

»Nein, natürlich nicht«, gab ich Auskunft. »Ich habe ihn aus allen erdenklichen Winkeln fotografiert, mehr nicht.«

»Absperren brauchen wir hier wohl nicht«, stellte sie fest.

»Das ist richtig«, sagte Rodenstock.

»Ist er mit einem Auto hergekommen?«, fragte sie.

»Wissen wir nicht. Wenn er mit einem Auto gekommen ist«, bemerkte ich, »dann muss der Wagen auf der anderen Seite des Baches im Wald stehen. Da münden zwei Waldwege, die man von hier aus nicht einsehen kann.«

»Gregor, geh mal gucken«, bestimmte sie.

Gregor hüpfte mit erstaunlicher Eleganz über den Bach und verschwand in den Wald.

Frau Meinart beugte sich hinunter zu dem jungen Mann, auch bei ihr sah das für einen kurzen Moment so aus, als wollte sie ihm etwas zuflüstern. Komm, steh auf, das wird schon wieder. Dann kam sie hoch und bestätigte: »Ja, das ist er, kein Zweifel. Das ist der Junge, der von seinen Eltern vermisst gemeldet wurde. Ein Foto des Vermissten war an uns alle rausgegangen.«

Gregors Stimme tönte zwischen den Bäumen zu uns herüber: »Hier steht ein uralter Polo. Schlüssel steckt.«

»Wenigstens etwas«, bemerkte die junge Beamtin. Dann, ein wenig lauter: »Nicht drangehen. Wegen der Spuren.« Sie wandte sich Rodenstock zu und fragte: »Können Sie sich vorstellen, was hier abgelaufen ist?«

»Das kann ich nicht«, antwortete er. »Was wissen wir denn über diesen Eulenhof? Man sagt, die Bewohner seien Neonazis. Und der Getötete war dort gemeldet.«

»Also, den Namen Paul Henrici kennen wir. Er hat auf dem Eulenhof seinen Wohnsitz gemeldet.« Sie schloss die Augen, als sie sich konzentrierte. »Wir sind angehalten, immer auf den Eulenhof zu achten. Wenn da etwas los ist, was aus dem Ruder läuft, dann sollen wir Meldung machen. Wir sollen auch darauf achten, wer dort zu Gast ist. Die Leute nennen den Hof ja auch die Reha. Es ist gesagt worden, dass Leute aus dem Osten dort Ferien machen. Aber auch Leute aus dem Ruhrgebiet. Manchmal wird dort wie irre gesoffen, haben wir gehört. Aber einen polizeilichen Einsatz gab es bislang noch nie. Und es ist bekannt geworden, dass die Leute einen Schießstand betreiben. Sie haben einen Verein für Schießsport gegründet, und sie schießen mit Kurz- und Langwaffen. Also, komisch ist das schon, wenn Sie mich fragen. Aber direkt verboten ist das ja auch nicht.«

»Wer prüft denn die Waffen?«, fragte ich schnell.

»Das weiß ich nicht«, antwortete sie. »Wir wissen eben nur von Experten, dass in der Eifel sehr viele schwarze Waffen vorhanden sind. Aber vielleicht sind die Waffen auf dem Eulenhof alle ordnungsgemäß gemeldet. Aber, ehrlich gestanden, glaube ich das nicht.«

»Wie viele Bewohner sind dort gemeldet?«, fragte ich.

»Ständig sechzehn oder achtzehn«, antwortete sie.

»Junge Frau«, murmelte Rodenstock nachdenklich, »was war denn Ihr erster Gedanke, als Sie hörten, da sei einer vom Eulenhof erschossen worden?«

Sie überlegte nicht lange. »Da habe ich gedacht: Vielleicht hat er geredet, vielleicht wollte er aussteigen.«

»Das ist eine sehr kluge Idee«, lobte Rodenstock. »Und wem könnte er etwas verraten haben?«

»Na ja, vielleicht irgendeinem Agenten des Verfassungsschutzes? Oder vielleicht jemandem von den Medien?«

»Sie sollten zur Kripo gehen«, bemerkte Rodenstock.

»Das habe ich auch vor«, erklärte das erstaunliche Wesen selbstsicher.

Gregor hüpfte zurück auf unsere Seite des Ahbachs. »Das Auto ist mindestens fünfzehn Jahre alt«, berichtete er. »Da drin herrscht eine Ordnung wie bei Hempels unterm Sofa.«

»Wobei uns die Ordnung unter Hempels Sofa unbekannt ist«, sagte ich.

Gregor errötete sanft.

Auf dem Wirtschaftsweg über uns kam das nächste Auto an. Es war Holger Patt von der Mordkommission, der sofort nach dem Aussteigen lauthals verkündete: »Die Hilfe ist nah!«

Er war ein großer, sehr dünner Mann um die Fünfzig, der so aussah wie ein neugieriger Vogel mit einer Hakennase. Und er ging auch so. Bei jedem Schritt ruckte sein Hals mit dem Kopf nach vorn. Er machte den Eindruck eines Gelehrten, den menschliche Angelegenheiten nicht im Geringsten interessieren. Er ging den vergammelten Zaun natürlich nicht mit einem Hechtsprung an, sondern bahnte sich einen Weg durch einen danebenstehenden Ginsterbusch, dessen Blütenpracht ihn nicht weiter kümmerte. Er schleppte zwei große Koffer mit sich.

Er grinste uns an und sagte: »Guten Tag die Dame, meine Herren! Ich muss zunächst den Toten dokumentieren. Ach, da ist er ja. Hat sich ein Plätzchen im Schatten ausgesucht. Sehr klug.« Patt war für derartige Bemerkungen bekannt, es war seine Art, der Realität eines gewaltsamen Todes auszuweichen.

Er bückte sich und öffnete einen der Koffer. Er nahm eine Kamera heraus, dann verschiedene Objektive, legte sie nebeneinander auf ein schwarzes Samttuch, starrte die Leiche an und seufzte tief. »So ein junges Leben«, stellte er sachlich fest und schüttelte den Kopf. Er setzte eines der Objektive auf die Kamera und ging die zwanzig Schritte zu dem Toten. »Muss ich auf irgendetwas besonders achten?«, fragte er.

»Nein«, entschied Rodenstock. »Es sei denn, du entdeckst irgendetwas, was wir übersehen haben.«

»Ich mache mich vom Acker«, sagte ich.

»Wir brauchen aber ein Protokoll, Ihre Aussage zum Auffinden der Leiche«, wandte die Polizeibeamtin schnell ein.

»Natürlich«, nickte ich. »Wollen Sie das in Papierform oder an Ihre Mail-Adresse?«

»Auf Papier wäre mir lieber«, sagte sie. »Ich käme dann bei Ihnen in Brück vorbei.«

»Okay, ich mache es sofort.«

»Willst du nicht auf Tessa warten?«, fragte Rodenstock leicht erstaunt.

»Ich sehe sie bestimmt bei dir, oder auch bei mir«, sagte ich. »Ich will ein wenig telefonieren.«

»Du denkst an Lippmann, nicht wahr?«, fragte er.

Bodo Lippmann war ein Bauer, der die Felder und Weiden um den Eulenhof herum bewirtschaftete. Er lieferte Kälber für die menschliche Ernährung, und er verfügte über einen trockenen, beißenden Humor.

»Natürlich«, stimmte ich zu. »Bis gleich.«

* * *

Zu Hause angekommen erledigte ich zuerst den Fund des toten Paul Henrici für die Polizei. Ich schrieb eine Dreiviertelseite voll, schilderte, warum ich nach Blue gesucht hatte, wann genau am Tag das gewesen war, dass ich Rodenstock um Hilfe gebeten hatte, der seinerseits alle notwendigen Schritte unternommen hatte. Ich druckte das Protokoll aus und speicherte es zusätzlich auf einem Stick, sodass die Polizeibeamten es leichter haben würden.

Dann war Lippmann an der Reihe. Seine Frau sagte mir, dass sie ihn erst suchen müsse. Es dauerte einen Moment, aber sie hatte Erfolg.

Bodo Lippmann fragte mit dröhnender Stimme: »Wat willste denn, Jung?«

»Alles, was du über den Eulenhof weißt. Da gibt es seit heute einen Toten, einen jungen Mann namens Paul Henrici, der Blue genannt wurde. Erschossen hier bei uns im Ahbachtal. Weißt du etwas über ihn?«

Lippmann schien es für einen Moment die Sprache verschlagen zu haben. Aber er fing sich, schnaufte, dann antwortete er: »Nichts. Da muss ich dich enttäuschen. Ich kenne die einzelnen Leute nicht, also, ich weiß ihren Namen nicht. Nicht bei den Frauen, nicht bei den Männern. Nur den Chef kenne ich. Der heißt Ulrich Hahn, ist so knapp an die dreißig Jahre alt und hat ein Maulwerk, dass Gott erbarm. Ich habe seine Wiesen in Pacht. Der sagt mir in aller Gemütsruhe, ich soll seinen Betrieb nicht stören und auch nicht drüber reden. Falls ich drüber rede, hat er gesagt, werde ich meines Lebens nicht mehr froh. Hoppla, denke ich, was redet der für einen Scheiß? Kommt daher und droht mir. Aber dann lief alles ruhig, und ich hatte keinen Grund zur Klage. Du weißt ja, es ist eine Siedlung. Praktisch läuft da alles hinterm Zaun, du erfährst nichts.«

»Was heißt das genau?«

»Na ja, in den Sechzigern und Siebzigern des vorigen Jahrhunderts war es möglich, aus den viel zu engen Verhältnissen in der Dorfmitte auszuziehen und am Dorfrand zu siedeln. Also ein großes Wohnhaus, einen großen Stall, eine große Scheune, eine große Futterscheune, eine große Halle für die Maschinen, sodass man viel Platz hatte und vernünftig wirtschaften konnte. Das nannte man dann eine Siedlung. Das wurde vom Staat mitfinanziert. So wie bei mir, das kennst du doch.«

»Das ist jetzt klar. Wann hat denn diese Familie Hahn den Hof übernommen?«

»Das ist fast fünfzehn Jahre her. Die kamen aus dem Ruhrgebiet, und sie sagten, sie würden Autos umbauen für Rallyes und auch für Rennen auf dem Nürburgring. Na ja, dachte ich, dann macht mal. Aber daraus wurde nichts, weil der Chef der Familie gerne einen gepichelt hat, also, der Udo hat alles versoffen. Und dann ist er auf seinem Quad mit vierkommanochwas Promille und Vollgas geradeaus gegen die Betonumrandung seines Mistplatzes gedonnert. Schluss aus. Seine Frau lebt ja immer noch auf dem Hof, die alte Tilly, ein Schlachtross so breit wie hoch. Der möchte ich nicht gegen Abend auf einem Waldweg begegnen, das kann ich dir versichern.«

»Und wer macht jetzt den Betrieb da oben?«

»Der Sohn, Ulrich Hahn. Er muss so an die dreißig sein. Und seitdem er den Betrieb da regelt, seitdem ist da immer Remmidemmi. Die Mutter hat nichts mehr zu sagen, Sohn Ulrich soll ihr ein paar gescheuert haben, als sie sich einmischen wollte. Der Mann ist eindeutig rechts außen, der ist gefährlich, sage ich dir. Da kommen Autos aus Sachsen und Thüringen, und da kommen Autos aus Düsseldorf und aus dem Münsterland. Die Leute machen da richtig Ferien, und sie machen immer einen drauf. Lustige Leute.«

»Und sind die alle rechts außen? Bodo, pass mal auf: Ich kann nichts anfangen mit dem Gerücht, es reicht mir nicht, wenn dauernd die Bemerkung kommt, das wären Neonazis, ich brauche handfeste Tatsachen.« Ich merkte, dass ich wütend wurde, und das war kein guter Zustand.

Er schwieg sehr lange. Dann erklärte er: »Ja, okay. Kapiert. Reicht es dir, wenn ich sage, dass sie mit ungefähr dreißig Mann und ein paar Frauen um ein Lagerfeuer gesessen haben und einer las aus Hitlers *Mein Kampf* vor? Reicht dir das?«

»Wie kannst du denn so etwas behaupten? Kannst du das Buch auswendig zitieren?«

»Kann ich nicht!«, erwiderte er wütend. »Aber ich habe immer noch ein Exemplar von meinen Großeltern, und ich habe es aufmerksam gelesen. Schließlich muss ich meinen Kindern die Wahrheit sagen. Da drin steht der berühmte Satz: *Ich aber beschloss, Politiker zu werden!* Das kennst du doch, oder? Jeder kennt das. Jedenfalls standen an der Stelle einige von denen auf, hoben die Hand zum Hitlergruß und riefen: ›Heil! Heil! Heil!‹ Aber zitieren kannst du mich nicht, sonst habe ich kaum Zukunft.«

»Ich würde dich gerne in den kommenden Tagen besuchen. Geht das?«

»Ruf aber vorher an, damit ich da bin.«

Artig bedankte ich mich für das Gespräch und verabschiedete mich mit dem Versprechen, mich wieder melden zu wollen.

»Mach et joot, Jung«, sagte Bodo Lippmann zum Schluss.

Ich setzte mich eine Weile auf die Terrasse und trank einen Becher Kaffee. Ich musste Hitler und seine Bewunderer wahrnehmen, ich konnte nicht mehr ausweichen, ich fiel augenblicklich in eine strenge Art des Fremdschämens.

Du denkst empört: Das kann doch nicht sein! Nicht in meiner Eifel! Gleichzeitig weißt du, dass das ab jetzt Realität ist, dass es nicht erlaubt ist wegzuschauen, dass es höchste Zeit ist, darüber zu reden.

Und jetzt dieser Tote, der dort drei Jahre lang zu Hause gewesen sein soll, wie Rodenstock berichtet hatte.

Der Streifenwagen kam durch die Kurve auf meinen Hof gerollt. Ich nahm das Protokoll und den Stick und brachte es ihnen an den Wagen. Sie bedankten sich und fuhren weiter.

Ich rief Hansemann in der Redaktion in Hamburg an und fragte: »Hättet ihr Interesse am Wachsen und Blühen einer jungen Neonazigruppe in tiefster Provinz?«

»Das kommt darauf an«, antwortete er. »Wenn es typisch ist. Wenn etwas Besonderes damit ist.«

»Da ist ein Mord passiert.«

»Okay, ich notiere das. Und du rufst wieder an?«

»Ich rufe wieder an.«

* * *

Danach saß ich mit dem nächsten Becher Kaffee wieder auf der Terrasse und dachte darüber nach, dass wir über diesen Eulenhof nichts wussten. Nichts über die Verhältnisse dort, nichts über die Menschen. Seit wann war es eigentlich die Regel, dass wir knapp, kommentarlos und selbstverständlich die Meinung äußerten, die Leute dort seien Neonazis? Seit Jahren. Ich dachte erschreckt: Da muss ich sofort fragen gehen.

Ich setzte mich also in mein Auto und fuhr nach Bongard hinüber. In der engen Straßenkehre unten am Ahbach hielt ich an und dachte: Du baust Blödsinn, mein Freund. Du baust Blödsinn, weil wahrscheinlich jemand von der Mordkommission auf dem Hof ist und herauszufinden versucht, wie die Stellung des toten Blue zu beschreiben ist.

Ich bremste mich selbst und meinen Eifer, indem ich Rodenstock anrief. »Hat die Mordkommission den Eulenhof besucht?«, fragte ich. »Und was sagen die Leute dort?«

»Das ist merkwürdig«, antwortete er. »Sie sagen, dass der junge Mann dort gemeldet sei, aber eigentlich mit den Leuten auf dem Hof nichts mehr zu tun habe. Ursprünglich habe er dort auch hin und wieder ausgeholfen. Zum Beispiel in der Küche, zum Beispiel beim Saubermachen der Gästezimmer. Dann seien diese Arbeiten immer seltener geworden, jetzt sei das schon Jahre her. Sie hätten keine Ahnung, weshalb der

Junge im Ahbachtal war, und weshalb er dort erschossen wurde. Das tue ihnen bitter leid, denn er sei ein netter Kerl gewesen. Aber eben nur ein Untermieter, mit dem sie gar nichts mehr zu tun gehabt hätten. Und ehe du mich fragst: Nein! Ich glaube davon kein Wort. Du willst doch nicht etwa auf den Hof?«

Ich wollte ihn nicht direkt belügen und antwortete: »Wie kommst du denn darauf?«

»Ach, so was denkt man als alter Mann schon mal. Wir müssen übrigens nicht zu seinen Eltern nach Trier. Die sind beide schon hier und verlangen Auskunft. Tapfere Leute, aber in einem elenden Zustand. Ach so, ich soll dich von Tessa fragen, ob du ein Bett für die Nacht hast.«

»Sag ihr: selbstverständlich. Bis später.«

Ich fuhr weiter nach Bongard, dann auf die Dorfstraße nach rechts in Richtung Kelberg. Nach einem halben Kilometer lag rechterhand der Eulenhof vor einem Mischwald, eine ziemlich große Ansammlung verschiedener, strahlend weißer Gebäude.

Die Anfahrt war ein etwa dreihundert Meter langes, asphaltiertes, schmales Band, an dem große, weiß gestrichene Felsbrocken lagen. Das wirkte dekorativ. Aber dass die Holzzäune ebenfalls weiß gestrichen waren, kam mir übertrieben vor, erinnerte mich an große Pferdehöfe im Münsterland.

Kein Mensch hatte beim Eulenhof je etwas von Pferden gesagt. Mir fielen die vielen Blumen auf, die in großen Trögen aus rotem Sandstein gepflanzt waren. Große Büsche Vergissmeinnicht, Geranien in allen Rottönen. Alles in allem war das ein höchst gepflegtes Anwesen. Passte das zu Neonazis? Warum nicht. Vielleicht passten Geranien in Rotsandsteintrögen besonders gut zu überzeugten Rassisten. Blumen sind bekanntlich geduldig.

Es gab einen Parkplatz außerhalb des großen Gevierts, das die Häuser bildeten. *Für unsere Gäste. Herzlich willkommen!* stand da auf einem weißen Plastikschild. Der Parkplatz reichte für zwanzig Autos, acht parkten jetzt dort. Die Kennzeichen waren Dresden, Erfurt, Gotha, Köln, Oberhausen. Ich parkte und stieg aus.

Ein Mann bog um die Ecke des Hauptgebäudes, kam stracks auf mich zu, reichte mir seine Hand und sagte mit einem Lächeln: »Guten Tag, Herr Baumeister. Das freut mich, dass wir Sie hier sehen, wenn auch aus einem traurigen Anlass. Mein Name ist Ulrich Hahn.«

»Hallo«, murmelte ich etwas lahm und versuchte, meine Überraschung zu verbergen. »Nun, ich habe ein paar Fragen zu Paul Henrici.«

»Kommen Sie, wir gehen in die Küche«, erklärte er freundlich. »Die Herren der Mordkommission waren auch schon da. Aber leider konnte ich ihnen nur wenig helfen.«

Er war unüberhörbar ein Freund höflicher, sanfter Töne, und er sah auch so aus. Das schwarze Haar kurzgeschnitten, leicht gegelt. Das Gesicht wurde von den Augen beherrscht, die graubraun gesprenkelt waren und sehr eindringlich wirkten. Das Gesicht schmal geschnitten, durchaus elegant. Er war etwas größer als ich, vielleicht eins fünfundsiebzig, und er trug die teure Freizeitkleidung gut betuchter Leute. Einen Kaschmirpullover in Beige über einem dunkelroten Hemd, dazu eine braune Cordhose und braune Sneakers. Ich hatte mir etwas ganz anderes vorgestellt, einen aggressiven Rabauken vielleicht, nicht so einen sanften Typen.

Der Hof war sehr groß und sehr gepflegt. In umstehenden Gebäuden waren auffällig viele Türen angebracht, über denen Nummern an die Wände geklebt waren. Über jeder Tür eine Bogenlampe. Das war offensichtlich so etwas wie ein Hotel.

»Hier, bitte«, sagte Hahn, öffnete eine Tür und ließ mich eintreten.

Der riesige Raum, den wir betraten, lag in einem Dämmerlicht. Der Kamin war ausladend, rechts und links waren Holzkloben aufgeschichtet, ein großer Kupferkessel hing über der Feuerstelle. Vor dem Kamin zwei braune Ledersessel. Dann ein Tisch, dessen Platte aus einem einzigen Stamm geschnitten war, Esche. Dazu etwa zwölf hohe Eichen-Stühle. Über dem Tisch an der Decke ein riesiges Wagenrad aus schwarzem Metall mit aufgesetzten, elektrischen Kerzen.

Ich dachte sofort: Das ist übertrieben, das glaube ich nicht, das taugt nicht. Ich sagte: »Du lieber Gott, ist das hier Wotans Halle?«

»Unsere Gäste lieben das«, erwiderte er einfach und ging nicht weiter auf meine Bemerkung ein. »Kaffee?« Er stand vor einer italienischen Kaffeemaschine, lächelte mich an und dachte wahrscheinlich: Du kannst mich mal.

»Mit viel Milch, bitte.«

»Nehmen wir die Sessel?«, fragte er und trug zwei Tassen auf ein kleines Tischchen zwischen den Sesseln. Dann nahm er ein Handy aus der Hosentasche und sagte: »Veit, kommst du mal bitte.« An mich gewandt sagte er: »Ich hole gern einen Zeugen dazu, wenn Sie nichts dagegen haben.«

»Nicht im Geringsten«, erwiderte ich. »Das ist in Ordnung.« Ich setzte mich in einen der Sessel.

Der Mann, der durch eine schmale Tür in den Raum trat, war an die zwei Meter groß, hatte eine spiegelnde Glatze, zwei Augen, die wie nutzlose Murmeln in einem feisten Gesicht saßen, und er lächelte töricht.

»Das ist Veit Glaubrecht«, erklärte Hahn. »Er leitet meine Marketingabteilung, und er macht die Pressearbeit. Veit, das ist Siggi Baumeister. Er arbeitet als Journalist in der Eifel und ist für Magazine tätig. Du weißt schon, *Spiegel* und Konsorten. Setz dich.«

Der ganz in Schwarz gekleidete Veit nickte mir freundlich zu, setzte sich an den großen Tisch und legte ein kleines, schwarzes Kästchen vor sich hin. Ein Aufnahmegerät, dachte ich. Es war ein ausgesprochen unhöfliches Arrangement: Ich hatte Veit Glaubrecht im Rücken und konnte ihn nicht sehen. Ich fühlte mich sofort unbehaglich.

»Herr Baumeister, Ihre Fragen bitte«, sagte Hahn und setzte sich in den zweiten Sessel.

»Meine erste Frage betrifft den Toten«, sagte ich. »Soweit ich informiert bin, wohnte er hier seit drei Jahren. Ist das richtig?«

»Das ist richtig«, bestätigte Hahn. »Im ersten Jahr hat er geholfen, das war sehr gut. Er hat Arbeiten in der Küche erledigt, schon mal Kaminholz geschlagen, Autos der Gäste gewaschen und poliert, unsere Putzfrauen eingeteilt, eingekauft bei der Metro in Köln. Dann hatte er kein Interesse mehr. Wir haben ihn aber weiter hier wohnen lassen, warum auch nicht, er war schließlich ein netter Kerl. Wir trauern.«

»Und Sie haben nicht die geringste Vorstellung, wer ihn erschossen haben könnte?«

»Ich gebe zu, das hat mich geradezu geschockt. Aber wer so etwas getan haben könnte, ist mir vollkommen schleierhaft. Hier auf dem Hof sind alle erschreckt, und keiner von ihnen konnte einen möglichen Grund nennen. Blue hatte keine Feinde.«

»Haben Sie mit seinen Eltern gesprochen?«

»Die sind jetzt in der Eifel, ich weiß. Aber wir konnten ihnen nicht helfen, wir wissen einfach nichts. Sie wollen kommen und Blues Zimmer ausräumen. Morgen, haben sie gesagt.«

»Kann ich das Zimmer sehen?«

»Natürlich, wann immer Sie wollen.«

»Dann will ich das jetzt«, sagte ich und stand auf.

Hahn war einen Augenblick lang irritiert, stand dann aber auf und sagte: »Gehen wir.«

»Sie haben hier einen Schützenclub?«, fragte ich weiter. »Wie viele Mitglieder hat der?«

»Zurzeit achtunddreißig«, antwortete er rasch. »Wir bieten unseren Gästen das an, weil die meisten von ihnen ständig unterwegs sind und gerne die Möglichkeit in Anspruch nehmen, etwas zu trainieren. Sie wissen ja: Kühler Kopf, gutes Geschäft.«

»So habe ich das noch nie gehört«, bemerkte ich. »Vielleicht hat das Zukunft.«

Wir gingen nacheinander durch die Tür auf den Hof, Veit Glaubrecht voran.

»Wer sind denn Ihre Gäste?«

»In der Mehrheit Manager, die viel unterwegs sind. Kaufleute, Techniker, aber auch Jäger, die hier in der Eifel Jagden haben oder an einer beteiligt sind.«

Ich blieb stehen und zwang ihn, auch stehen zu bleiben. »Wie kommt es denn, dass die Eifel geschlossen der Meinung ist, dass diese Gebäude hier eine große Ansammlung von Neonazis beherbergen?«

Veit Glaubrecht, der neben uns herging, räusperte sich scharf.

Hahn sah mich an und schüttelte langsam den Kopf. Immerhin lächelte er noch. »Wir verstehen das nicht«, beteuerte er. »Nazis? Niemals! Wir halten Traditionen hoch, das stimmt. Wir erinnern uns gern an Zeiten, in denen die Deutschen in der ganzen Welt geachtet und auch gefürchtet waren. Und wir wollen auch nicht vergessen, dass schon unter Karl dem Großen die deutschen Stämme sich ausformten und zu geschichtlichen Vorbildern wurden.«

Wir standen immer noch.

»Unter Karl dem Großen?«, fragte ich verblüfft. »Da gab es in dieser Richtung nur die Sachsen, die er sein Leben lang in blutigen Kriegszügen niedermetzeln ließ. Und selbst die Sachsen waren in viele Stämme geteilt, und kein Mensch wäre auf die Idee gekommen, das alles deutsch zu nennen.«

»Aber das deutsche Wesen formte sich damals«, sagte Veit Glaubrecht neben uns. Seine Stimme war ungewöhnlich hoch.

»Das ist Kokolores, mein Lieber«, sagte ich. »Dann haben Sie hier wohl auch einen Thingplatz, auf dem sich die Ältesten versammeln, Recht sprechen und ab und zu eine Jungfrau testen.«

»Das ist eine Beleidigung!«, stellte Ulrich Hahn scharf fest. »Ich habe nicht gedacht, dass Sie so ausfällig und unsachlich sein würden.«

»Lassen Sie mich das Zimmer sehen, in dem er gelebt hat. Anschließend können Sie richtig beleidigt sein. Dann haben Sie auch länger davon.«

»Es ist um die Ecke«, murmelte Veit Glaubrecht.

»Sie haben die ehemaligen Gebäude völlig neu ausgebaut«, sagte ich. »Wie viele Zimmer bieten Sie an?«

»Zweiundvierzig«, antwortete Ulrich Hahn, nun einige Grade kälter als zuvor.

»Wer sind diese Gäste?«, fragte ich.

»Das sagte ich schon«, erwiderte Hahn. »Manager, die hier Erholung finden.«

»Und schießen«, ergänzte ich.

Vor uns schloss Veit Glaubrecht eine schmale, braune Tür auf. Rechts davon waren zwei kleine Fenster zu sehen. Der Blick musste weit in die Hügel gehen. Irgendwie passte das zu dem Toten.

»Bitte sehr«, sagte Hahn und ließ mich vorangehen.

Wir betraten ein überschaubares Appartement mit Kochecke und einem kleinen Bad. Es wirkte bunt und aufgeräumt. Auf einem großen, hellblauen Kissen saß ein Plüschhase, uralt und zottelig. An der rechten Wand stand ein übervolles Bücherregal, davor gab es einen kleinen Tisch mit einem Bildschirm und einer Tastatur.

»Was zahlte er denn?«, fragte ich.

»Zweihundert«, sagte Glaubrecht. »Das war natürlich ein Freundschaftspreis, wir mochten ihn ja schließlich.«

»Und was trieb er hier den ganzen Tag?«

»Das wissen wir nicht«, antwortete Ulrich Hahn. »Keine Ahnung.«

»Das glaube ich Ihnen auf keinen Fall«, sagte ich freundlich. »Aber bemühen Sie sich nicht um weitere Lügen, ich glaube Ihnen sowieso nicht.« Ich stand an dem Tischchen. »Ich habe eine letzte Frage: Das hier ist ein Bildschirm mit einer Tastatur. Soweit, so gut. Aber wo ist sein Rechner?«

Es war sehr still.

Dann kam der Schlag.

3. Kapitel

Ich hörte irgendetwas, aber ich konnte nichts verstehen, es war wie ein Rauschen, in dem sich viele Geräusche vermengten. Es klang wie das statische Knistern in Funkgeräten. Irgendjemand redete mit mir, aber ich sah niemanden, weil ich in einem trüben Dunkel steckte. Und ich ging, aber ich wusste nicht, auf was ich zuging. Und wieder sagte jemand irgendetwas, und ich konnte nicht sprechen. Ich bewegte mich aber, das spürte ich deutlich, ich bewegte meine Beine. Dann hielt mich jemand fest, und zwar am rechten Arm. Ich spürte eine andere Hand, die mich am linken Arm packte.

Dann eine Stimme dicht an meinem Ohr: »So. Und jetzt setzen Sie sich!«

Also setzte ich mich.

Ich erkannte die Stimme von Ulrich Hahn, der dicht neben mir war und sagte: »Sie machen aber auch Geschichten!« Das klang einwandfrei vorwurfsvoll.

»Was ist denn passiert?«, fragte ich. Ich saß in meinem Auto. Sehen konnte ich nichts, aber ich spürte den Autositz, es war mein Autositz.

»Sie sind von oben herunter auf den Bildschirm geschlagen«, sagte er. »Kommen Sie gut nach Hause, Sie Unglückswurm.« Das klang väterlich gutmütig. »Der Schlüssel steckt.« Dann entfernten sich Schritte.

Wie war das gemeint gewesen? Ich sollte von oben auf den Bildschirm von Blue geschlagen sein? Ich war doch kein Anfallskranker. Ich versuchte, die Augen zu öffnen, und das tat richtig weh. Dann konzentrierte sich der Schmerz hinter meinem rechten Auge. Aber ich konnte plötzlich wieder sehen.

Ich saß in meinem Auto auf dem Parkplatz des Eulenhofs, die Sonne schien, am Himmel trieben ein paar Schäfchenwolken vorüber, es war 17.24 Uhr, der Tag ging langsam zur Neige.

Ich fuhr mit der Hand über mein Gesicht, und die Hand war nass. Es war Blut. Ich erschrak nicht einmal.

Es war glasklar: Ich musste die Leute mit meinen Provokationen oder einfach mit meinem Erscheinen sehr stark verunsichert haben. Wahrscheinlich hatte der treue Veit Glaubrecht mich niedergeschlagen, als sie begriffen, dass ich nicht zu bestechen und auch nicht zu neutralisieren war.

Ich klappte die Sonnenblende herunter und besah mich im Spiegel. Das sah nicht gut aus, und die Wunde, die von der rechten Nasenwurzel bis dicht an die Oberlippe reichte, klaffte unschön und breit auseinander. Natürlich hatte ich kein Taschentuch bei mir, und natürlich wusste ich auch, dass das ein Arzt sehen sollte.

Ich rief Rodenstock an und berichtete knapp: »Ich war auf dem Eulenhof, ich habe auch den Besitzer getroffen. Dann wurde ich geschlagen. Ich fahre jetzt nach Hause.«

Er donnerte sofort los. »Wie oft habe ich dir gesagt, du sollst solche Recherchen niemals allein durchziehen? Wie oft? Herrgott noch mal, wann wirst du endlich erwachsen?«

»Deine Schreierei nutzt jetzt auch nichts«, giftete ich arrogant und unterbrach das Gespräch.

Mein ganzer Kopf schmerzte, und mir war zum Speien übel. Ganz plötzlich musste ich mich übergeben, bekam aber die Autotür so schnell nicht auf, und der ganze Segen ergoss sich über das Lenkrad. Baumeister ganz unten. Das wiederholte sich viermal, und ich hatte die ganze Zeit die Frage ans Schicksal, wann ich endlich mal eine Prügelei anfangen und gewinnen würde.

Ich fuhr wie auf Watte, ich fuhr sehr langsam und brauchte für die lächerliche Strecke deutlich mehr als eine halbe Stunde. Ich rollte mit der Gewissheit durch die Landschaft, dass niemand in diesem Zustand ein Auto fahren sollte. Aber das tröstete mich nicht.

Als ich auf meinem Hof ankam, standen da Rodenstock und die Staatsanwaltschaft und starrten mir finster entgegen.

Tessa machte mir die Autotür auf und konstatierte: »Du siehst aber scheiße aus.«

Rodenstock rückte mir ganz nah auf die Pelle und stellte nüchtern fest: »Das war ein Schlagring, diese Wunden kenne ich. Wer hat dich niedergeschlagen?«

»Das weiß ich nicht genau. Ich muss duschen, ich stinke wie ein Ferkel, und es ging mir schon besser.«

Sie bugsierten mich in mein Haus, und Tessa sagte ganz unaufgeregt: »Er muss liegen, er muss unbedingt liegen.«

»Nein, ich muss unbedingt duschen.«

»Lass ihn duschen«, entschied Rodenstock. »Ich rufe einen Arzt.«

Meine Erinnerung an diese Phase ist durchaus lückenhaft. Tessa zerrte an mir herum nach dem Motto: »Nicht so!« – »Nach rechts, und heb mal das Bein!« – »Die Arme hoch! Das blutet immer noch.« – »Jetzt den rechten Fuß. Was stellst du denn jetzt an?« Dann rauschte das Wasser. »Du hättest tot sein können, verdammt noch mal.« Sie rubbelte mich ab, sie ließ mich in eine Unterhose steigen, half mir bei einem T-Shirt und wickelte mich in meinen Bademantel.

Rodenstock empfing mich in meinem Wohnzimmer mit der Bemerkung: »Da hat man dich endlich groß, und du machst einen Affen aus dir.«

Ich legte mich auf mein Sofa und schloss die Augen. Das tat gut.

»Anzeigen kannst du sie nicht«, stellte Rodenstock böse fest. »Du hast keine Zeugen. Was ist denn passiert?«

»Ich habe das alles mitgeschnitten. Das Gerät ist irgendwo in meinen Drecksklamotten.«

»Und wie beurteilst du das alles?«

»Ein komischer Verein. Sie sagen, sie hatten mit Blue nichts mehr zu tun. Seit ein, zwei Jahren, sagen sie. Und sie haben seinen Rechner.«

»Tutto completo«, sagte er böse.

»Da ist der Notarzt«, sagte Tessa.

Der Arzt hielt sich nicht lange auf, er untersuchte den Schaden und bestimmte: »Davon will ich unbedingt Röntgenaufnahmen sehen. Ich spritze Ihnen was Beruhigendes, ein Schmerzmittel, und Sie sagen mir, was es war, das Ihnen diese Verletzung zugefügt hat.«

»Ein Schlagring«, antwortete Rodenstock. »Böse Männer.«

»Mit so was Hässlichem will ich nichts zu tun haben«, erklärte der Notarzt lakonisch. »Jetzt mache ich mal pieks, und dann geht es ab.«

Es kam die kleine weiße Wolke mit dem roten Kreuz und legte mich auf eine Trage. Rodenstock sagte: »Wenn sie dich fertig haben, ruf mich an.«

Tessa fragte: »Bleibt es bei dem Bett?«, und ich nickte nur.

* * *

Im Krankenhaus Maria-Hilf zu Daun verfuhr das medizinische Personal sehr schnell und konzentriert. Mir ging es glänzend, weil die Spritze des Notarztes sehr hilfreich war. Dem Vernehmen nach scherzte ich sogar. Sie durchleuchteten meinen Kopf, sagten, eine leichte Gehirnerschütterung sei unter diesen Umständen normal, und ich müsste viel liegen und mich ausruhen. Dann geriet ich unter chirurgische Betreuung, und ein freundlicher, dunkelhaariger Mann sagte, er komme mit drei Stichen aus. Sie wollten mich eine Nacht dabehalten, aber da protestierte ich mit der Bemerkung, ich sei Teil der arbeitenden Bevölkerung, ich hätte noch zu tun.

Ich ließ also ein Taxi kommen, das mich nach Hause fuhr. Ich erklärte dem Fahrer, weshalb ich im Bademantel unterwegs war. Er sah mich ganz merkwürdig an. Misstrauisch wurde er erst auf meinem Hof, als ich ihm sagte, ich hätte kein Geld bei mir. Aber zum Glück stand Tessa in der Tür und winkte schon mit einem Geldschein. Es war Mitternacht, und mir ging es gut, abgesehen von sehr strengen Kopfschmerzen. Aber da sie mir klugerweise ein paar Schmerztabletten mitgegeben hatten, legte sich das nach einer Weile, und ich konnte Tessa erklären, was mir durch den Kopf ging.

»Es ist mir eigentlich gleichgültig, ob sie reine Neonazis sind oder nur Rassisten oder hemmungslose Anbeter des Herrn Hitler oder ein Zusammenschluss heißblütiger Türkenhasser oder Vertreter des neuesten Zweiges der Anbetung nordischer Götter: Sie sind bereit, mörderische Gewalt auszuteilen. Damit meine ich nicht mich, sondern diesen jungen Kerl, den Blue, den sie im Ahbachtal erschossen haben. Ja, ich glaube, dass sie dahinterstecken.«

»Aber wir haben keine Beweise«, setzte sie entgegen.

»Wir müssen nichts anderes tun, als zu recherchieren. Wir werden ihnen zwangsläufig immer näher kommen. Ich weiß, das klingt wie ein Monopoly für Minderbemittelte, aber wir müssen es versuchen.«

»Du solltest dich aber zwischen den Gehirnerschütterungen wenigstens ausruhen«, sagte sie mit leichtem Spott. »Außerdem hast du eine ziemlich ausgeprägte Naht in der rechten Gesichtshälfte. Haben sie dir auch Verbandsmaterial mitgegeben?«

»Ja, eine Salbe und jede Menge Pflaster.«

»Dann solltest du dir eine Ruhepause gönnen, bevor du morgen das nächste Mal die Welt rettest. Wer ist denn eigentlich dieser Veit Glaubrecht?«

»Ich habe den Eindruck, er ist der Mann fürs Grobe, eine Glatze, ein schwarzer Tod. Ulrich Hahn ist sich viel zu fein, um Gewalt anzuwenden. Er delegiert sie. Habt ihr denn nicht mit Glaubrecht gesprochen?«

»Doch, haben wir«, antwortete sie. »Zwei meiner Leute hatten ihn anderthalb Stunden im verschärften Gespräch. Das Fazit ist: Er weiß von nichts. Und an genau dieser Stelle werde ich ebenso sauer wie du. Gehen wir jetzt endlich ins Bett?«

»Das könnte man ins Auge fassen.«

Ich war dann sehr froh, dass wir den totalen Verzicht auf Textiles übten und uns gegenseitig wärmten. Der Mensch ist wohl nicht dazu geschaffen, mit einer Gehirnerschütterung allein zu schlafen.

* * *

Ich wurde wach, weil ich Tessa nicht mehr spürte. Stattdessen hörte ich sie, wie sie im Treppenhaus mit ihren Kindern in Trier telefonierte. Es war sieben Uhr früh am Morgen. Ich schlief wieder ein und wurde später von drückenden Kopfschmerzen geweckt. Da war es elf. Ich stellte mich unter die Dusche und ließ mich von eiskaltem Wasser wecken. Es wirkte einigermaßen, und ich nahm eine Schmerztablette.

Rodenstock rief an. Er sagte, wir könnten jetzt mit den Eltern von Blue sprechen, sie seien bei Markus Schröder in Niederehe.

Ich brauchte ziemlich lange, um die Wunde im Gesicht so herzurichten und zu verpflastern, dass niemand bei meinem Anblick in Ohnmacht fallen würde. Dann fuhr ich nach Heyroth, gabelte Rodenstock auf, und gemeinsam fuhren wir weiter.

»Ich habe mit dem Verfassungsschutz telefoniert«, sagte er. »Es gibt da ein paar Leute, die ich noch kenne. Die sagen, sie seien an der Neonazigruppe hier in der Eifel nicht dran. Kein Interesse.«

»Das glaube ich nicht«, sagte ich.

»Ich auch nicht«, grummelte er. »Aber vielleicht ist das für uns auch nicht wichtig. Ich habe neulich im Radio gehört, dass beim Verfassungsschutz V-Leute ausgeschickt worden sind, um V-Leute zu kontrollieren und auszuhorchen. Das klingt ziemlich schleimig, für meinen Geschmack.«

»Das wird mit meinen Steuergeldern bezahlt, habe ich gehört. Und der Untersuchungsausschuss, der das Treiben und die zehn Morde der NSU untersuchen soll, hat nach einem Jahr Arbeit immer noch kein klares Bild. Angeblich hatten die drei Leute keine große Hilfe in ihrem Umfeld. Jetzt ist klar, sie hatten mindestens die Hilfe von 129 Leuten, und die vom Untersuchungsausschuss sind sehr verunsichert. Es ist sicher, dass die drei indirekt mit Geld des Verfassungsschutzes versorgt wurden, und sicher ist, dass die Verfassungsschützer und Landeskriminalämter in mindestens vier Bundesländern das wussten.«

Rodenstock kicherte unnatürlich hoch. »Da schwebt das Bild vor mir, dass ein Agent des Verfassungsschutzes bei strömendem Regen in einem Wald in der Eifel hockt und einen anderen beobachtet, der wiederum ihn zu beobachten hat. Völlig durchnässt einigen sie sich: Wir verziehen uns und machen weiter, wenn die Sonne scheint.«

»Gott sei Dank, dass ich wenigstens einen ehrbaren Beruf habe.«

»Na, hör mal: ehrbarer Beruf?«, protestierte er grinsend, ließ es dabei aber bewenden.

»Wie geht es Tante Liene?«, fragte ich.

»Emma hat mit Sydney telefoniert, und die haben gesagt, dass Tante Liene immer noch, die absolute Herrscherin des Clans ist. Kein Mensch traut sich, ohne ihren Segen ein Geschäft zu machen. Aber sie sagen auch, dass Tante Liene wahrscheinlich nicht mehr zwei und zwei zusammenzählen kann.«

»Und was sind das für Geschäfte?«

»Halt dich fest: Diamanten!«, antwortete er.

»Heiliges Kanonenrohr!«, sagte ich ehrfürchtig.

»Und sie ist mit Emma auf dem Weg nach Buchenwald und Auschwitz. Sie will es erleben. Und sie hat mir gesagt: Ich will es sehen, und dann will ich es ausspucken!«

»Tolles Weib!«, sagte ich gerührt.

Als wir die Kneipe betraten, kam Markus schnell auf mich zu und fragte leise: »Wer sind diese beiden?«

»Die Eltern von dem Jungen, der erschossen wurde«, antwortete ich.

»Das dachte ich mir. Die sitzen da und weinen zusammen. Ohne Pause. Das ist ganz furchtbar. Ich habe euch hinten einen Tisch gedeckt. Da ist es leise, und ich störe nicht.«

Sie standen beide auf, als wir näher kamen.

»Mein Name ist Rodenstock, das ist mein Freund Baumeister. Danke, dass wir kurz mit Ihnen sprechen können. Wenn Sie über irgendetwas nicht sprechen wollen, so ist das kein Problem. Bleiben Sie doch bitte sitzen.«

»Meine Frau heißt Walburga«, sagte der Mann schüchtern. »Mein Name ist Peter, unser Hausname ist Henrici. Wir sind hier, um die Wege unseres Sohnes zu gehen, der getötet wurde. Sie haben ihn gefunden, Herr Baumeister. Wir hörten, er lag in einer Wiese. Und noch etwas vielleicht: Sie müssen uns nicht schonen!« Sein Mund zitterte. Die Worte klangen mühselig geplant, sorgsam ausgesucht, gründlich vorbereitet.

Die Szene war ein wenig grotesk, weil wir unschlüssig und unsicher voreinander standen und nicht so recht wussten, was zu tun war.

Der Mann war klein und schmal mit einem kurzgehaltenen Bart, der silbern schimmerte. Seine Augen waren wässrig blau. Er trug über einem karierten Flanellhemd eine schwarze Strickjacke, die vorne einen durchgehenden Reißverschluss hatte. Er wirkte künstlich, er wirkte wie ein unwilliges, störrisches Mitglied einer schlechten Laienspielgruppe, er wirkte, als friere er.

»Wir setzen uns«, bestimmte Rodenstock resolut. »Sie sind selbstverständlich unsere Gäste. Ja, das stimmt, mein Freund Baumeister hat Ihren Sohn gefunden. Da habe ich eine Frage, die mich sehr beschäftigt. Sie haben mir am Telefon gesagt, Herr Henrici, dass Ihr Sohn häufig im Tal des Ahbachs gewesen ist. Liebte er die Natur?«

Es gab ein kurzes Stühlerücken. »Nein! Er ist ein Träumer!«, erklärte die Frau sehr resolut, fast wütend, und setzte sich. Sie war eine kleine, sehr pummelige Frau, die sich in ein kleines Schwarzes gezwängt hatte. Das Kleid passte ihr nicht, es warf unvorteilhafte Falten am Bauch. Sie wirkte unbeholfen.

»Das eine schließt das andere nicht aus, wie ich sagen möchte«, murmelte der Vater lächelnd. »Aber das ist letztlich richtig, unser Sohn war ein Träumer, sein Leben lang.«

»Die Leute, bei denen er wohnte, haben gestern mein Gesicht lädiert, als ich nach Ihrem Sohn fragte«, erklärte ich. »Wie kommt denn ein Träumer zu Leuten, die man Neonazis nennt?«

»Menschliche Denkweisen haben ihn immer interessiert«, gab der Vater mit einem Hauch von Stolz bekannt. »Der kantische Imperativ, wonach dein Leben und Streben zum Maßstab für alle werden sollte, hat ihn länger als ein Jahr beschäftigt.«

»Darf ich wissen, welchen Beruf Sie haben?«, fragte ich.

»Wir sind beide Deutschlehrer an verschiedenen Gymnasien in Trier«, antwortete der Mann. »Beide Deutsch und Geschichte. Wir kennen uns seit dem Studium.«

»Hat Ihr Sohn Geschwister?«, fragte Rodenstock.

»Er war der Einzige«, antwortete die Mutter knapp.

»Und wie kommt er zu dem Spitznamen Blue?«, fragte ich.

»Er selbst hat sich so genannt. Da war er fünfzehn«, antwortete der Vater. »Er sagte mir, dieser Name sei zukünftig sein Programm. Er war zuweilen erstaunlich erwachsen, und wir haben uns immer gewundert, woher er das wohl hatte.«

»Aber manches ist und bleibt künstlich!«, schnaubte die Mutter scharf. »Ich habe immer gesagt, dass so ein Name eine reine Träumerei ist und mit den Realitäten nicht das Geringste zu tun hat. Das ist jugendliche Schwärmerei, nichts anderes. Na ja, wir haben es leider durchgehen lassen. Und dann die Sache mit dieser … mit dieser Frau!«

»Nun lass doch«, murmelte Henrici sanft.

»Wie entdeckte er denn den Eulenhof? Wann war das? Und wie wirkte das auf ihn?« Rodenstock lächelte sie an, und ich sah, dass er sich nicht wohl fühlte. Er hielt sie für Schauspieler, und er suchte nach dem Loch in ihrer Panzerung.

»Wir wissen nicht genau, wann er mit diesen Leuten in Berührung kam«, antwortete der Vater. »Es muss vor etwa drei Jahren passiert sein, nehmen wir an. Er war nicht mehr zu erreichen, er sagte mir: ›Vater, du bist einfach zu stur, um das zu begreifen! Du hast keine Ahnung, wie Menschen heutzutage denken.‹ Na ja, vielleicht hatte er ja recht, vielleicht bin ich nicht mehr auf der Höhe der Zeit. Dicht vor der Fünfzig. Aber eigentlich glaube ich das nicht. Ich glaube, dass er einfach abdriftete, dass er rechtes Gedankengut plötzlich faszinierend fand. Vielleicht haben diese Leute ihm das angeboten, und er hat leichtfertig gesagt: ›Okay, dann versuche ich das mal.‹«

»Rechtes Gedankengut ist eine Verharmlosung«, bemerkte ich wütend. »Es handelt sich um Rassisten, ziemlich üble Leute. Leute, die Gewalt austeilen und an ein mythisches Germanentum glauben!«

»Deshalb wird der Bruder auch Wotan genannt«, behauptete die Mutter etwas schrill.

»Wer ist Wotan?«, fragte Rodenstock sofort.

»Der jüngere Bruder von Ulrich Hahn«, antwortete der Vater. »Unserer Kenntnis nach ist der fünfundzwanzig Jahre alt und heißt Gerhard Wotan Hahn. Wir haben das gegoogelt.«

»Sie haben die Gruppe also recherchiert«, stellte Rodenstock fest. »Können Sie uns sagen, was Sie herausgefunden haben? Alles, meine ich, nicht nur das mit dem Namen.«

»Und nicht die Frau vergessen!«, sagte die Mutter aufgebracht. Da war viel Wut, und der Zeigefinger ihrer rechten Hand ging hoch.

Rodenstock ging nicht darauf ein, und ich wusste, was er ansteuerte. Er hatte in Verhören die Erfahrung gemacht, dass Leute kraftvoll versuchen, etwas Bedrückendes loszuwerden. Man müsse das so lange wie möglich überhören, pflegte er zu sagen, irgendwann drohten sie zu platzen, und was sie dann sagten, komme der Wahrheit wahrscheinlich am nächsten.

»Also, ich habe nichts anderes getan, als im Internet herumzusuchen«, sagte der Vater seltsam tonlos. »Der Eulenhof ist eigentlich nichts anderes als ein Hotel, ein ganz normales Hotel. Nur kannst du kein Zimmer buchen. Das habe ich unter anderem Namen ein paar Mal versucht. Immer hieß es: ›Tut uns leid, wir sind ausgebucht.‹ Ich bin natürlich auf deren Facebookseite gegangen, aber erfolglos. Außer einmal. Da hat ihnen jemand geschrieben: Das mit dem ›Reine Rasse Eifel‹ gefalle ihm extrem gut! Ich habe gedacht, ich sehe nicht richtig. Als ich dann eine halbe Stunde später noch einmal nachschaute, war dieser Eintrag verschwunden. Na klar, das können die nicht dulden, das macht ein schlechtes Image heutzutage.«

»Moment!«, unterbrach ihn Rodenstock scharf. »Ich glaube, wir reden hier aneinander vorbei. Ich nehme doch an, dass Sie mit Ihrem Sohn telefoniert haben. Der muss Ihnen doch auf alle möglichen Fragen alles Mögliche geantwortet haben. Sie haben ihn doch sicher dort besucht. Oder? Oder irre ich mich?«

Eine seltsame, fast unmerkliche Veränderung ging mit dem Ehepaar vor. Sie bewegten sich beide ein wenig in den Schultern, sie machten sich klein, sie duckten sich. Sie wirkten plötzlich wie Kinder, die beim Schokoladenklau erwischt worden sind. Der Vater schwieg, die Mutter schwieg, beide pressten die Lippen fest zusammen. Der Vater starrte leblos auf das weiße Tischtuch vor ihm, die Mutter hielt die Augen geschlossen. An ihrem Hals erschienen große, rote Flecken, ihr Atem ging mühsam.

Ich dachte instinktiv: Denen muss man helfen! »Nun mal langsam«, sagte ich so betulich wie möglich. »Wir wissen ja alle, dass Jugendliche Kontakte abreißen lassen. Sogar Kontakte zu den Eltern, oder genauer: hauptsächlich die Kontakte zu den Eltern. Herr Rodenstock und ich haben da schon die verrücktesten Geschichten erlebt. Seit wann war denn Blue nicht mehr zu erreichen?«

»Also, die ganze letzte Zeit«, antwortete der Vater diffus.

»Und alles fing mit der Frau an, wirklich!« Die Stimme der Mutter war jetzt wieder schrill.

Rodenstock ging wieder nicht auf die unbekannte Frau ein. Stattdessen fragte er den Vater: »Wie hat er das denn formuliert? Wie hat er begründet, dass er nichts mehr mit Ihnen zu tun haben wollte?«

»Eigentlich nicht genau«, wich der Vater aus. Er sah uns nicht einmal an.

»Es waren überhaupt nicht diese Nazis, es war die Frau!«, zischte die Mutter mit mühsam unterdrücktem Hass.

»Also gut, wer ist die Frau?«, fragte Rodenstock.

»Sie nennt sich Ana von Kolff. Ana mit einem N. Ich nehme an, das ist der Künstlername von dieser Dame.« Da waren wieder die roten Flecken an ihrem Hals.

»Wieso Künstlername?«, fragte Rodenstock. »Was für eine Künstlerin?«

»Na ja, es gibt ja Frauen, die die Männer in jeder Hinsicht bedienen. Und solche legen sich dann einen Künstlernamen zu.« Da war eine abgrundtiefe Verachtung.

»Ich nehme an, die Frau war seine Freundin oder irgendetwas in der Art«, sagte Rodenstock.

»Also, so ist das nicht«, versuchte der Vater zurückzurudern. »Es ist schon ihr richtiger Name. Sie kann ja nichts für diesen Adelstitel.«

»Aber da war sie schon weit über vierzig!«, zischte die Mutter.

Rodenstock setzte nach: »Wo steht denn die Burg dieser Adelstochter, liebe Frau Henrici?«

»In Nettersheim. Aber es ist ein ganz gewöhnliches, kleines Haus aus den Sechzigern. Nicht mal gutbürgerlich. Und nur gemietet, nehme ich an. Und ich bleibe dabei: Sie ist beruflich!«

Rodenstock schüttelte kurz den Kopf, dann fragte er: »Wenn ich das alles richtig verstehe, dann hatten Sie zu Ihrem Sohn drei Jahre lang überhaupt keine Verbindung mehr. Warum sollte er Sie dann vor drei Tagen morgens in Trier besuchen?«

»Das war eine Abmachung zwischen meinem Sohn und mir. Ich habe ihm geschrieben, wenn er nicht kommt, könne er bleiben, wo der Pfeffer wächst. Und ich habe ihm auch geschrieben, dass wir ihm unser Haus überschreiben wollten.«

»Sie haben also gar nicht mit ihm telefoniert?«

»Wir haben ja nicht einmal mehr seine Handynummer«, klagte die Mutter weinerlich. »Wir wussten ja nichts mehr von ihm. Jahrelang. Und wir haben so sehr für ihn gebetet. Und wenn wir das Hotel, also diese Nazitruppe angerufen haben, sagten die, sie würden den Namen nicht mal kennen. Keine Ahnung.«

»Also hatten Sie auch keine Abmachung mit ihm, Herr Henrici. Da existierte nur dieser Brief, von dem Sie aber nicht einmal wissen, ob Ihr Sohn den überhaupt gelesen hat.« Rodenstock war jetzt richtig sauer, und ich konnte ihn gut verstehen. Und er war noch nicht am Ende, er fuhr metallisch hart fort: »Und Sie, Frau Henrici, können das Haus der Ana von Kolff so gut beschreiben, weil Sie dorthin gefahren sind. Aber Sie haben sich nicht getraut zu klingeln und zu sagen: Wir müssen reden! Wir sind seine Eltern! Ist das so? Warum waren Sie denn so feige?«

Der Vater senkte den Kopf, die Mutter senkte den Kopf. Dann weinten sie lautlos und bitterlich.

»Der Herrgott will uns prüfen«, schluchzte die Mutter.

»Das ist der reine Quatsch!«, fuhr Rodenstock hoch. »Da muss doch etwas passiert sein, was Sie uns verschweigen.«

»Es ist, weil du schon in Trier die Geschichte mit der Elissa torpediert hast!«, sagte der Vater schluchzend. »Und vorher schon die Geschichte mit Trudchen von Bäumels. Und davor auch ... ach, geh mir endlich weg!«

Ich war bemüht, ein wenig Ruhe ins Gespräch zu bekommen, als ich sagte: »Wenn ich das richtig sehe, dann hat Ihr Sohn Ihr Haus in Trier ungefähr vor drei Jahren verlassen. Weil er mit seinen Eltern nicht klarkam, weil Sie seine Verbindungen zu Mädchen nicht tolerierten. Und er hat sich nicht mehr bei Ihnen gemeldet. Woher wussten Sie denn überhaupt, wo er steckte?«

»Also, das war mehr ein Zufall«, erklärte der unglückliche Vater leise und schniefend. »Ich habe einen Kollegen, der viel in der Eifel wandert. Und der hat meinen Sohn bei einer Wanderung getroffen, ganz in der Nähe vom Eulenhof. Und dann hat Paul ihm gesagt, dass er da wohnt. So einfach war das.«

»Und Sie haben sich nicht aufgemacht und ihn besucht? Warum denn nicht, um Gottes willen?«, fragte Rodenstock. Er hatte ein rotes, wütendes Gesicht.

Die beiden schwiegen. Walburga Henrici nestelte an ihrem Kleid herum, ihr Mann sah stur nach unten.

Rodenstock wartete noch einen Moment, dann fragte er: »Wie sind Sie überhaupt auf die Spur der Ana von Kolff gekommen?«

Die Mutter raffte sich auf, ihre Weinerlichkeit war aufdringlich klebrig wie fließender Honig und roch nach falschem Pathos. »Diese unsägliche Frau hat ihm anfangs eine Postkarte geschrieben. Noch an unsere Adresse in Trier. Da stand ein Satz drauf, der alles klarlegt: *Komm in einer Woche, dann habe ich Zeit für dich. Gruß Ana.* Und ein Stempel mit ihrer Adresse. Die treibt das beruflich. Habe ich immer vermutet. Die ist unserem Herrn ein Gräuel.« Sie wirkte verkrampft, sie hielt sich mit beiden Händen am Tisch fest.

»Wenn ich zusammenfassen darf«, murmelte Rodenstock. »Ihr Sohn hat vor drei Jahren sein Elternhaus in Trier verlassen. Er hat sich bei Ihnen nie mehr gemeldet. Also haben Sie Ihren Sohn auch nicht gesehen oder gar unterstützt. Oder doch? Gelegentliche Geldzuwendungen auf sein Konto?« Er sah den Vater an.

Der schüttelte nur schnell den Kopf.

Rodenstock fuhr fort: »Und jetzt sind Sie gekommen, um seine Wege nachzuzeichnen, wie Sie sagen. Aber jetzt ist er tot.« Er schüttelte den Kopf. »Ich danke Ihnen für Ihre Zeit.«

Wir standen auf und gingen hinaus. Erst als ich Markus sah, fiel mir auf, dass wir gar nichts bestellt hatten, nicht einmal ein Wasser.

4. Kapitel

ie sind ganz arm dran«, sagte Rodenstock unterwegs. »Die möchte ich am liebsten vergessen.«

»Das hat der Sohn auch schon versucht«, bemerkte ich.

Meine Freisprechanlage meldete sich blechern. Es war Tessa. »Wo bist du jetzt?«, fragte sie.

»Mit Rodenstock auf dem Weg nach Heyroth. Wo bist du?«

»In Trier. Könnt ihr mir helfen?«

»Selbstverständlich. Worum geht es?«

»In Bodenbach am Ahrberg, südlicher Hang. Ihr könnt das nicht verfehlen. Es geht um Schusswaffengebrauch. Die Nachricht kam vor drei Minuten über unsere Leitstelle. Ich habe keine Leute vor Ort. Bis jetzt wissen wir gar nichts. Kannst du nachschauen, was da ist?«

»Oh nein, nicht schon wieder!«, sagte Rodenstock widerwillig. »Wir sehen nach und sagen dir Bescheid.«

»Eine Streife ist schon unterwegs«, sagte sie. »Notarzt auch. Bis bald. Ach so, ja, was für einen Eindruck machen Blues Eltern auf euch?«

»Keinen guten«, erwiderte Rodenstock knapp. »Merkwürdige Leute. Die waren drei Jahre lang feige und ahnungslos. Ich rufe dich an.«

»Emma hat sich gemeldet. Es geht ihnen gut, sie sind auf der Fahrt nach Auschwitz. Ich soll euch grüßen. Tante Liene hat zum ersten Mal gelacht.«

»Ausgerechnet da«, murmelte ich. »Bis später.«

»Sollte ein Schusswaffengebrauch in dieser Gegend zunehmend das Gespräch ersetzen, gehen wir rosigen Zeiten entgegen«, brummte Rodenstock. »Weißt du, wie du da hin-kommst?«

»Ja, Euer Gnaden!«

Bongard und Bodenbach, die dörflichen Nachbarn, ver-sprachen schmale Straßen, eine wunderschöne Landschaft in überwältigender Einsamkeit, herrliche Waldhöhen und eine Menge Kurven. Man hatte richtig zu arbeiten.

Es war allerdings nicht nötig, irgendeinen Eingeborenen nach dem rechten Weg zu fragen, weil der Schusswaffenge-brauch, von dem Tessa gesprochen hatte, deutlich markiert wurde – durch mindestens drei Schlepper und etwa fünf PKW. Das war, gemessen an den Einwohnerzahlen, eine ungewöhnlich hohe Dichte.

Der Weg führte rechts an einem Wiesental entlang hang-aufwärts, und das Zentrum des Geschehens lag etwa drei- bis vierhundert Meter entfernt am Ende der motorisierten Kolonne, die in reiner Neugier nachschauen wollte. Es war sonst absolut nichts los.

Das war natürlich ein gefundenes Fressen für Rodenstock, der sowieso leicht säuerlich war, weil ihm Blues Eltern immer noch schwer auf der Seele lagen. Er ließ erst einmal sein Fenster herunter und brüllte: »Platz da! Machen Sie Platz!«

»Hör auf damit!«, fuhr ich ihn an. »Kein Mensch hört dich. Die sind alle da vorne. Beim Schusswaffengebrauch!«

»Die stellen den Weg zu, die Deppen!«, schrie er. »Ver-dammte Hacke!«

»Lass es sein«, sagte ich und rasierte haarscharf an den Fahrzeugen vorbei, weil der Wiesenweg sehr schmal war, rechts eine steile Böschung verlief und links dichte Schlehen-büsche standen.

Es kam eine Gruppe von drei Kiefern auf der linken Seite des Weges. Dort standen mehrere Männer um einen anderen herum, der auf dem Rücken lag und ein fahlweißes Gesicht hatte, sich aber nicht erkennbar bewegte. Einer der Männer kniete neben ihm.

Ich fuhr zwanzig Meter weiter und konnte links am Rande der Wiese parken.

»Schnell fotografieren!«, bestimmte Rodenstock im Befehlston. »Sonst fehlen alle Vergleichswerte.« Er war und blieb ein Profi.

Ich machte eine Kamera fertig, ging zu der Gruppe und sagte: »Geht mal zur Seite, Leute. Einfach ein paar Schritte zurück.«

»Wie lange liegt der schon hier? Wer ist das?« Rodenstock kniete schon neben dem Mann. »War der die ganze Zeit über besinnungslos? Oder war er auch mal wach?«

Einer von ihnen antwortete: »Der lag auf dem Bauch, ich habe ihn gedreht, mehr nicht. Manchmal hat er geschrien, dann nicht mehr.«

»Das ist Alfons Marburg aus Trier. Also, der ist Jäger hier.« Das war eine höhere Männerstimme, leicht nuschelnd.

»Wieso fotografierst du?«, fragte ein Dritter mich aggressiv. »Was soll denn das? Dem Mann geht es dreckig, siehst du doch.« Dann fügte er höhnisch hinzu: »BILD sprach mit dem Toten, eh?«

»Red keinen Scheiß, Mann!«, sagte Rodenstock grob.

»Da kommt der Notarzt«, rief jemand. »Und die Polizei!«

»Wahnsinnswunde!«, sagte Rodenstock. »Kannst du mal auf die rechte Schulter gehen?«

Ich ging mit dem Objektiv auf die Wunde, die sehr scheußlich aussah und groß und blutig. »War das ein Maschinengewehr?«, fragte ich.

Niemand antwortete.

»Da kommt das Rote Kreuz!«, sagte jemand, der etwas abseits stand. »Wir fahren weiter hoch bis zum Holzplatz.«

Der Verwundete schrie jetzt, es klang wie das weit entfernte Schreien eines Babys, dünn und sehr hoch.

»Ruhig, mein Junge«, sagte Rodenstock. »Gleich ist es besser.«

»Was ist denn das für eine Wunde?«, fragte ich. »War das ein Maschinengewehr? Ist das etwa ein Ausschuss? Nimm mal deine Hand da weg!«

»Lasst mich mal, Leute«, sagte der Notarzt hinter uns. »Und fahrt mal eure Kutschen weg, ich brauche Platz für die Trage und so. Und der Sani muss durchkommen können.«

Der Verwundete schrie nicht mehr.

»Wer hat ihn denn gefunden?«, fragte Rodenstock.

»Ich«, antwortete ein kleiner, knubbeliger Mann mit hochrotem Gesicht und silbernen Haaren. »Ich hörte den Schuss, dann fiel er auch schon um. Er kam hier zu Fuß vom Berg runter aus dem Wald oben. Ganz normal. Macht er ja oft. Ich wollte nur nach meinen Rindern gucken.«

Das Gesicht des Jägers war vollkommen blutverschmiert, wahrscheinlich war er reflexartig mit seinen Händen über das Gesicht gefahren.

»Das muss jetzt schnell gehen«, sagte der Notarzt gepresst und klappte seine Bereitschaftstasche auf. »Gib mir mal die große Schere.«

Rodenstock griff in die Tasche und gab sie ihm.

Der Verwundete trug Jägerkleidung. Grünes Hemd, grüner Pullover, grüne Hose. Er war vielleicht sechzig Jahre alt.

»Jetzt eine kleine Schere«, sagte der Notarzt. »Verdammt, das ist aber ein Riesenloch. Aber es blutet gut, Kreislauf in Ordnung. Bleib liegen, Mann, alles klar. Du kriegst jetzt etwas gegen den Schmerz. Muss ich das fixieren? Nein, muss ich nicht. Strampel nicht so! Und ab!«

Die Sanitäter legten ihre Trage neben den Mann, und der Notarzt sagte: »Ich kann wenig tun, es sollte jetzt schnell gehen. Und noch ein Stichwort für die Chirurgie: Der Schuss traf schräg von hinten in die rechte Schulter. Dem Schusskanal nach zu urteilen, muss Knochenmasse gesplittert sein. Der Patient wird voraussichtlich schmerzlos sein und dösen.« Dann griff er nach seinem piepsenden Handy und sagte scharf: »Ja!« Er hörte kurz zu, steckte das Gerät wieder weg und verkündete: »Ich muss weiter.«

»Ich weiß nicht recht, was wir hier noch sollen«, sagte einer der uniformierten Beamten unsicher. »Wir konnten nicht früher hier sein. Da war noch ein Unfall.«

»Hier ist nichts«, sagte ich.

»Wir fragen mal nach«, sagte der Polizeibeamte.

Es gab ein wenig Lärm, die Einsatzwagen verschwanden, die Zuschauer stellten fest, dass es nichts mehr zu sehen gab, starteten ihre Schlepper und Autos und trudelten weiter.

Rodenstock und ich standen unter dem sommerlichen Himmel und spürten die plötzliche Stille fast körperlich, die Landschaft war leer. Nur dicht an meinen Schuhen war ein großer Fleck im Sand wie ein Schatten. Blut.

»Da ist etwas schiefgelaufen, wenn du mich fragst«, sagte Rodenstock unsicher. »Und diese Hämatome um die Wunde herum ... Ich weiß nicht recht.«

»Kann ich an deinem Herrschaftswissen teilhaben?«, fragte ich vorsichtig.

»Noch nicht«, antwortete er. »Ich muss noch nachdenken.«

Dann kam Holger Patt von der Mordkommission in seinem Passat den Weg hochgebrettert, wirbelte mächtig Staub auf, sprang förmlich aus seinem Auto und sagte gut gelaunt: »Ich weiß, dass der Verwundete nicht mehr da ist. Ich weiß auch, dass er auf dem Weg zum OP-Tisch ist.« Er strahlte und setzte hinzu: »Ich weiß aber auch, dass ein fürsorglicher Baumeister alles für mich armen Beamten fotografiert hat.«

»Es wäre mir lieber, der Staat würde mich bezahlen«, bemerkte ich.

»Ich bin nicht der Staat«, stellte er fest. »Also, her mit deiner Nikon.«

»Ich rufe Tessa an«, murmelte Rodenstock. »Sie sollte zumindest wissen, was hier los war.«

Holger Patt ging mit meiner Nikon in die Hocke und sah sich die Bilder an. Dazu erzählte er sich selbst die Geschichte. »Also, hier haben wir das Opfer. Liegt auf dem Rücken, den Kopf nach Südost, würde ich mal sagen. Lag er so? Auf dem Rücken?«

»Nein, er fiel zunächst auf das Gesicht«, sagte ich. »Die Leute drehten ihn anschließend um.«

»Richtig«, nickte er. »Er kam also diesen Weg vom Wald da oben herunter. Er wird in die rechte Schulter getroffen. Richtig? Natürlich richtig. Er bekommt einen schweren Schlag, der ihn schräg nach vorne und nach links treibt. Richtig? Richtig! Wie groß ist er ungefähr, dieser Jäger? Eins fünfundsiebzig? Fünfundsiebzig bis achtzig Kilo? Kein Wort, unterbrich mich nicht. Niemand hat einen Schützen gesehen. Richtig? Richtig. Er stürzt also nach links vorn und fällt auf das Gesicht. Hat jemand erwähnt, dass der Schuss einen Hall hatte, dass also der Schuss im Gelände dieses kleinen Tals nachhallte? Ein Hall wäre verdammt wichtig.«

»Patt, du machst mich wahnsinnig. Was soll dieses Solo?«, fragte ich.

»Ich rede nicht mit dir, ich spreche niemals mit Hobbykriminalisten«, sagte er verächtlich.

»Aber ich weiß, was du denkst«, grinste Rodenstock.

»Das weißt du nicht, alter Mann!«, erwiderte er hoheitsvoll.

»Doch, doch«, widersprach Rodenstock.

»Also gut, wetten wir? Eine erstklassige Flasche Riesling?«

»Einverstanden«, nickte Rodenstock. »Du denkst an ein Geschoss über große Distanz und mit Hochgeschwindigkeit.«

»Scheiße!«, kommentierte Holger Patt mürrisch. Dann wandte er sich an mich und fragte: »Baumeister, wie kannst du nur mit diesem mistigen Kerl zusammenarbeiten?«

»Ich will bei den Siegern sein«, erwiderte ich. »Aber könntet ihr zwei Idioten mir mitteilen, von was ihr überhaupt redet?«

»Es war ein Sniper«, erklärte Rodenstock, »ein Heckenschütze. Er benutzte eine Langwaffe mit einem Zielfernrohr. Und er benutzte Munition, die man Hochgeschwindigkeitsmunition nennt …«

»Sie hat bei Verlassen des Laufs eine Geschwindigkeit von mehr als tausend Metern pro Sekunde«, murmelte Patt.

»Deshalb hatte das bedauernswerte Opfer so gewaltige Blutergüsse rings um das Einschussloch. Die Kugel trifft mit einer solchen Gewalt und Geschwindigkeit auf den Körper, dass die Gewebezellen nicht ausweichen können, sie reißen also auf. Das Resultat sind enorme Blutungen unter der Haut.«

»Und wo stand der Schütze?«, fragte ich.

»Wahrscheinlich da drüben, jenseits der Wiese«, sagte Holger Patt. »Da verläuft ein Weg unterhalb der Bäume, wie du leicht erkennen kannst. Die Entfernung liegt bei ungefähr zweihundertfünfzig bis dreihundert Metern.«

»Entweder wollte der Schütze das nur einmal ausprobieren, oder aber wir stehen am Beginn einer Serie«, murmelte Rodenstock. »Dann wäre dieser Jäger hier nichts anderes als die Nummer eins.«

»Der Schütze wollte also töten?«, fragte ich.

»Ja, das denke ich schon«, bestätigte Holger Patt sehr leise mit sorgenvollem Gesicht. »Er übt noch.« Und weil er seiner sachlichen, unterkühlten Aussage offenbar etwas entgegen-

61

stellen wollte, lieferte er einen echten Patt: »Ich glaube allerdings, dass das alles nichts zu bedeuten hat und der Jägers-
mann nur per Zufall einer Kugel im Weg stand, wobei die
Kugel unter keinen Umständen irgendeine Schuld trägt und
also auch nicht verantwortlich gemacht werden kann.«

»Du bist ein echter Sauhund!«, kommentierte Rodenstock.

»Ich weiß«, nickte Patt. »Das ist der Grund, weshalb meine
Ehefrau mich nach wie vor liebt.«

»Haben Profiler ein Bild dieses Tätertyps?«, fragte ich.

»Oh ja«, antwortete Rodenstock. »Diese Täter haben ein
Merkmal, das wir alle fürchten: Sie sind weit über Durchschnitt intelligent. Und sie gehen sehr leise vor. Keine
Andeutungen eines Motivs, niemals Zeugen im engen perso-
nalen Umfeld.«

Mein Handy meldete sich. Es war Tessa. »Ich bin unsicher«, sagte sie monoton, als hänge sie mitten in einer wichtigen Überlegung. »Ich habe nur Rodenstocks kurzen Bericht.
Ich denke, da könnte etwas aus dem Ruder laufen. Ein Sniper
hätte uns gerade noch gefehlt. Ich werde also kommen und
bitte dich um ein Bett. Ist das in Ordnung?«

»Ja, ja, du hast ja den Schlüssel«, antwortete ich, und das
klang viel genervter als beabsichtigt. Ich wollte es wiedergut-
machen, aber damit wurde es nur noch schlimmer: »Du
kannst hier bei uns gar nichts ausrichten. Es gibt keinen
Tatort, es gibt nicht einmal eine nachvollziehbare Handlung.
Der Mann wurde ziemlich brutal abgeschossen. Ich fürchte,
du verschwendest deine Zeit, wenn du hier aufkreuzt.«

Sie wurde schnell giftig. »Ich dachte, du freust dich darüber, dass ich komme.«

»Natürlich freut mich das.« Ich hörte mir selbst zu und
dachte: Baumeister, du klingst wie ein vollkommen unbetei-
ligtes Arschloch!

»Und im Übrigen!«, erläuterte sie mit Ausrufezeichen. »Stell dir vor, ich sitze hier in Trier und lese in der Tageszeitung, dass in der Eifel ein Heckenschütze aufgetaucht sei. Irgendwer muss in der Mordsache Henrici ins Blaue fabuliert und einen Sniper vermutet haben. Und es heißt, die zuständige Staatsanwältin mache sich nicht einmal die Mühe, dort aufzutauchen und nach dem Rechten zu sehen und ...«

»Ich habe es kapiert«, unterbrach ich sie schnell und mit schlechtem Gewissen. »Komm einfach her, du hast den Hausschlüssel.«

Sie unterbrach die Verbindung, sie war sauer, das war nicht zu überhören.

Eine Glanzleistung, Baumeister, ich gratulierte mir selbst.

»He!«, bemerkte ich verblüfft. »Was macht denn der Patt da?«

»Er versucht, die Position des Schützen herauszufinden«, sagte Rodenstock.

Patt zog mit kräftigem Gang durch das Wiesental und war schon etwa hundert Meter entfernt.

»Das will ich erleben«, sagte ich und ging hinter ihm her.

Das Tal war still und sehr friedlich, und über unseren Köpfen zogen zwei Rotmilane ihre Kreise. Wahrscheinlich waren es dieselben, die ich von Zeit zu Zeit über meinem Dorf beobachten konnte.

Patt erreichte den Wiesenweg auf der anderen Seite des Tales und bemerkte leicht bissig: »Geh mir mal aus der Sonne, Mann.« Er hatte ein merkwürdiges Gerät bei sich, etwas, das aussah wie eine zu groß geratene Taschenlampe, schwarz und dick. »Ich nehme an, dass er nicht nur ein Zielfernrohr hatte, sondern auch ein Lasergerät, das das Ziel mit einem roten Punkt versieht.«

»Und weshalb traf er dann nicht tödlich?«, fragte ich.

»Du brauchst nur eine um ein Zehntelmillimeter abweichende Position. Und das ist schon der Fall, wenn du nicht richtig atmest«, erklärte er ruhig. »Das erwähnte ich schon: Du musst das richtig üben, wenn du Mitbürger erschießen möchtest. Das mag merkwürdig klingen, aber wir kennen das, es passt durchaus zum Täterprofil eines Snipers, der schießt nicht auf Dosen oder Kaninchen um zu üben.«

»Dann nimm da die Weide«, sagte ich. »Da hat er einen kleinen Ast abgebrochen, der ihm im Weg war.«

Holger Patt drehte sich zu der Stelle, auf die ich wies. »Tatsächlich!«, sagte er hell. »Baumeister, der geniale Trapper und Fallensteller. Fass den Zweig nicht an, vielleicht trug er keine Handschuhe. Obwohl ich das nicht glaube. Glaube ich das nicht? Nein, das glaube ich nicht.«

»Jetzt geht das schon wieder los«, bemerkte ich schlecht gelaunt.

»Ja, ja«, gab er zurück. »Aber wenn du jetzt Rodenstock da drüben anschaust, dann bemerkst du, dass mein roter Punkt genau auf ihm herumzittert. Ungefähr auf seinem Bauch, siehst du das?«

»Ich lehne es ab, Rodenstocks Bauch zu beobachten. Einen roten Punkt kann ich auch nicht erkennen.«

»Dann solltest du schleunigst deinen Augenarzt konsultieren.« Seine Stimme zitterte in satter Zufriedenheit. »Die Jugend heutzutage ist auch nicht mehr das, was sie mal war. Also, wenn ich diese Weide betrachte und sehe, wo der Ast abgebrochen wurde, der dem Schützen im Weg war, dann ist es vollkommen klar, dass der Sniper die Waffe hier auf diesem dicken Ast auflegte. Um einen sicheren Schuss zu gewährleisten, falls du mir folgen kannst. Und wir sehen auch, weshalb er den kleinen Ast abbrach. Weil der wahrscheinlich seine Hand berührte. Welche Hand? Na ja, die rechte, die am Abzug lag. Was schließen wir daraus? Nun, der Schütze dürfte in etwa eins fünfundsiebzig bis eins achtzig groß und Rechtshänder sein. Aber weitere Spuren gibt es hier nicht. Das ist schade.«

»Kannst du dir selbst noch zuhören?«, fragte ich.

»Kaum«, erwiderte er trocken. »Aber das verraten wir niemandem. Und weshalb bist du so schlecht gelaunt?«

»Ich kriege meine Tage«, erklärte ich muffig.

»Entzückend!«, sagte Patt, der Abgesandte der Mordkommission. »Also, keinerlei Fußspuren. Aber da ist noch etwas, das wir feststellen können. Der Schütze, der hier stand, muss erwartet haben, dass da drüben auf dem Weg das Opfer vorbeilaufen würde. Ist das richtig? Das ist richtig. Schließlich steht ein Mann, der einen anderen mit einem Gewehr erschießen will, nicht so einfach in der Landschaft herum. Das bedeutet, dass der Schütze gewusst haben muss, welchen Weg sein Opfer nimmt. Ist gesagt worden, dass das Opfer den Weg da drüben häufiger nahm?«

»Ja, der Jäger namens Alfons Marburg aus Trier ist häufig hier auf dem Weg unterwegs gewesen, das sagten uns vorhin die Leute aus dem Dorf.«

»Das bedeutet also, dass die beiden sich kannten. Ist das richtig?«

»Das ist falsch«, sagte ich heftig. »Die beiden müssen sich nicht gekannt haben. Es ist denkbar, dass der Schütze nur den Auftrag hatte, den Mann zu erschießen, und überhaupt nicht wusste, wer er war. Was redest du da für einen Blödsinn?«

Er strahlte mich an. »Ich will von Zeit zu Zeit testen, ob die Leute, mit denen ich spreche, auf der Höhe sind.«

»Quatschkopf!«, murrte ich.

Ich ging durch die Wiese zurück zu Rodenstock und sagte: »Lass uns abhauen, wir können hier sowieso nichts tun.«

Rodenstock sah mich eine Sekunde lang misstrauisch an, denn nickte er und setzte ein Ausrufezeichen. »Du meinst, das hier ist richtig langweilig.«

»Das kann man so formulieren«, blaffte ich.

»Irgendetwas nicht in Ordnung?«, fragte er.

»Alles okay«, sagte ich tapfer.

»Na ja, dann ist ja gut.«

Ich fuhr ihn zu seinem Haus und sagte: »Ich melde mich. Du kannst ja Laut geben, wenn irgendetwas ist. Der Tag ist sowieso im Eimer.«

Er stieg aus und bemerkte vollkommen tonlos: »Wir sehen uns irgendwann.«

Es herrschte eine richtig heimelige Stimmung.

* * *

Als ich in mein Haus kam, rief ich im Flur: »Satchmo, die Lage ist beschissen.«

Es gab keinen Satchmo mehr, und das tat richtig weh.

Ich setzte mich auf die Terrasse, trank einen Becher kalten Kaffee und versuchte herauszufinden, ob der erschossene, junge Mann namens Blue irgendetwas mit dem angeschossenen Jäger Alfons Marburg zu tun haben könnte. Es war ein völlig hirnloses Unterfangen, weil ich zu wenig wusste. Der eine hatte im Eulenhof gewohnt, von dem anderen wusste ich nicht mehr als den Namen.

Also rief ich das Krankenhaus an und ließ mich mit dem Büro des leitenden Arztes verbinden.

Ich sagte einer Frau: »Ich war dabei, als heute Nachmittag der Jäger Alfons Marburg aus Trier mit einer schweren Schusswunde aufgefunden wurde. Ich möchte wissen, wie es ihm geht.«

»Sie wissen doch, dass wir keine Auskunft geben dürfen«, bemerkte sie gemütlich.

»Ich will keine Auskunft, ich will wissen, ob es ihm gut geht. Das können Sie mir doch sagen, oder?«

Sie überlegte einen Moment. »Ich könnte Ihnen sagen, dass der Mann in ein künstliches Koma versetzt wurde. Aber das darf ich nicht, Herr Baumeister. Sie sind kein Angehöriger, oder? Und ich habe schon Schererei genug. Hier ist eine Ehefrau, die uns allen den letzten Nerv raubt.«

»Ich danke Ihnen sehr«, murmelte ich.

Danach rief ich Rodenstock an und sagte übergangslos: »Die Ehefrau des Jägers ist hier im Krankenhaus aufgetaucht. Und sie nervt. Wollen wir mit ihr sprechen?«

»Das wollen wir schon«, erwiderte er trocken. »Aber zunächst ist unsere gemeinsame Freundin Tessa zusammen mit zwei Leuten von der Mordkommission dabei, genau dies zu tun. Sie ist im Moment im Krankenhaus in Daun, um ausführlich mit der Dame zu sprechen. Und da möchte ich nicht stören. Und noch etwas, mein Freund: Wenn du irgendetwas an diesem Fall vermasselst, weil du einen Zoff mit der Staatsanwältin Brokmann pflegst, dann werde ich ungemütlich. Ich melde mich bei dir.«

Natürlich hatte Rodenstock recht. Ich habe keine klare Erinnerung an diesen hereinbrechenden Abend. Ich weiß noch, dass ich beschämt war, und ich kann mich erinnern, dass ich am liebsten mein Porzellan zerdeppert hätte. Ich wusste sehr gut, wie sensibel Tessa auf solche Dinge reagierte, und trotzdem hatte ich mich wie ein Elefant aufgeführt.

Rodenstock rief mich an, als das letzte Tageslicht verschwand.

»Wir können die Frau jetzt treffen«, sagte er. »Ich habe mit ihr gesprochen. Sie übernachtet im Amtshaus auf dem Burgberg in Daun, und sie ist stinksauer auf ihren schwerverletzten Ehemann.«

»Hat denn Tessa irgendetwas gesagt?«

»Hat sie. Sie ist hier und hängt noch am Telefon. Sie hat wohl noch einiges zu tun in dieser Sache. Also, hol mich hier ab.«

Ich stellte mich vor den Spiegel und zog zwei Pflaster von der Wunde im Gesicht. Die Verletzung brannte zuweilen, und ich hatte noch leichte Kopfschmerzen. Aber alles in allem war ich ein sehr gewöhnlich aussehender Mitteleuropäer. Und im Augenblick war ich sauer auf mich selbst.

Rodenstock saß in dem hölzernen Scherenstuhl, den er sich vor den Hauseingang gestellt hatte, und blinzelte in meine Scheinwerfer. Dann stand er auf und setzte sich neben mich in das Auto. Er sagte knapp: »Wir können!«

»Ich will mich entschuldigen«, begann ich.

Er fuhrwerkte heftig und wütend mit beiden Händen vor seinem Bauch herum und bemerkte schroff: »Bei mir musst du dich nicht entschuldigen, ich kenne derartige Zustände, ich lebe in dieser Welt. Als ich Emma kennenlernte, geriet ich in Panik und dachte, mit ihr zusammen käme ich in einen Irrgarten. Ich sagte ihr das, und sie lachte mich aus. Tessa hat sich nicht über dich beschwert, aber sie sagte mir, dass es unheimlich schwierig wäre, mit dir so etwas wie eine ganz normale Partnerschaft aufzubauen. Sie sagt, du machst ständig den Eindruck, auf der Flucht zu sein. Ich habe ihr gesagt, sie hätte recht. Also sage ich dir: Geh fair mit ihr um. Das ist das Mindeste, was du ihr zugestehen solltest. Ihr seid doch zwei erwachsene Menschen.«

»Ich rede mit ihr.«

Er sah mich von der Seite an und grinste diabolisch. »Einer ausgewachsenen Staatsanwältin zu raten, sie brauche nicht mehr in die Eifel zu kommen, hier sei nichts zu besichtigen, ist angesichts eines Heckenschützen schon ein derber Hammer. Jetzt repariere das gefälligst.«

Es war mir gar nicht recht, dass er die Sache so breittrat, ich sagte nur: »Ich bringe das in Ordnung.« Nach einer Weile fragte ich: »Und was erwartet uns bei dieser Ehefrau?«

»Ein dreijähriger Leidensweg«, antwortete er. »Ich soll dich von Emma grüßen. Sie waren in Auschwitz, sie haben sich das alles angesehen. Tante Liene hat ihre Schweigsamkeit besiegt und erzählt Döneken aus ihrem reichen, erfüllten Leben. Und sie hat beschlossen zu sterben. Das findet Emma vollkommen in Ordnung. Wie ich das finde, weiß ich noch nicht.«

Dann kurvte ich die enorme Steigung zur Dauner Burg hoch und fand sogar einen Parkplatz.

Die Frau war ganz in ein mittleres Grau gekleidet und hatte das Gesicht einer sehr starken Person, die niemanden um Rat fragt und ihre Entscheidungen nicht verteidigen muss. Sie hatte einen kleineren Raum reservieren lassen, saß in einem Ledersessel und sah uns ganz ruhig entgegen. Ihr Gesicht war rund und fraulich, mit einem sehr sinnlichen Mund. Sie mochte Mitte fünfzig sein, und sie trug auf der rechten Hand einen Diamantring mit zwei platingefassten Steinen, vermutlich der Gegenwert für ein großflächiges Eigenheim mit zwei Porsche in der Garage. Ihre Augen waren bemerkenswert, sie waren eine Mischung aus Hellgrau und Grün, und sie wirkten wie unaufdringliche, aber gründliche Scheinwerfer.

»Nehmen Sie Platz, meine Herren«, sagte sie mit einer angenehmen Altstimme. »Da ist zu trinken, wenn Sie mögen.«

Wir gossen uns ein Wasser ein, und Rodenstock eröffnete das Gespräch: »Wir haben natürlich keine festgelegte Fragenliste, aber wir können sagen, was uns antreibt. Wir leben hier, und wir machen uns stark für diese Landschaft. Wenn mein

Freund Baumeister über diesen Fall schreibt, wird er Sie in jedem Fall kontaktieren und Ihnen die Sie betreffenden Teile vorlegen. Die Staatsanwältin Doktor Tessa Brokmann weiß, dass wir hier sind.«

»Ja, das hat mir die Staatsanwältin gesagt. Ich will gleich zu Anfang betonen, dass ich diesen Fall nicht in irgendeinem Medium finden will. Diese Geschichte ist zu eng und zu persönlich. Auf der anderen Seite weiß ich, dass ich Nachrichten über meinen Mann und mich nicht verhindern kann. Ich will auch betonen, dass ich nicht in der gleichen Liga spiele wie Uli Hoeneß.« Sie lächelte auf eine heitere, ironische Weise und wurde dann sachlich. »Aber ich werde schrecklich vulgär, wenn jemand meine Familie in den Dreck zieht. Zunächst nur die Nachricht, dass mein Mann die bisherigen Operationen gut überstanden hat und in vermutlich drei Tagen in eine Spezialklinik geflogen werden soll. Was danach folgt, wissen wir noch nicht. Tatsache ist wohl, dass mein Mann in der rechten Schulter ein Krüppel bleiben wird. Sein Schlüsselbein ist zerschmettert. Haben Sie eine Ahnung, wer auf ihn geschossen haben könnte?«

»Haben wir nicht«, sagte Rodenstock. »Hatte Ihr Mann denn irgendwelche Feinde? Gab es irgendjemanden, der ihn bedrohte?«

»Ich kenne keinen«, sagte sie energisch. »Mein Mann hat auch niemals so etwas geäußert. Aber ich denke, Sie müssen die Geschichte meines Mannes kennenlernen, sonst geraten Sie in die Gefahr, sich nicht zurechtzufinden.«

»Wir bitten darum«, sagte ich.

»Mein Mann ist Apotheker, genau wie ich. Vor etwa fünf Jahren lernte er bei einem Freund die Jagd kennen und wollte ganz einfach Jäger werden. Er ließ sich also ausbilden und bekam den Jagdschein. Ich hatte nicht das Geringste dagegen, wenn auch die Jagd mich persönlich eher kalt lässt. Sie hat blutige Anteile, die ich abstoßend finde. Wir haben drei erwachsene Söhne, die sind aus dem Haus und haben eigene Pläne. Wir besitzen im Umfeld von Trier sechs Apotheken, wir haben eine GmbH gegründet, ich würde sagen, uns geht es gut. Dafür haben wir unser Leben lang hart gearbeitet. Mit dem Jagdschein veränderte sich mein Mann auf eine manchmal erschreckende Art und Weise. Er fing an, mich systematisch zu belügen, was in einer langen Ehe bedrückend ist. Und es ist auch unnötig. Wie auch immer: Mein Mann besorgte sich eine Unterkunft in der Eifel und blieb immer länger dort …«

»Sagen Sie jetzt nicht, dass er ein Quartier auf dem Eulenhof in Bongard bezog«, sagte Rodenstock mit leichter Abscheu in der Stimme.

»Genau das ist aber passiert«, sagte sie. »Und ich stehe vor dem Problem, dass ich morgen dorthin fahren muss, um Sachen, die er dort noch hat, unter anderem auch seine Waffen, abzuholen. Ich würde jemanden fürstlich entlohnen, der mir das abnimmt.«

»Das könnte ich übernehmen«, sagte Rodenstock schnell. »Gratis.«

Sie lächelte leicht und sagte: »Danke.« Dann schloss sie die Augen und konzentrierte sich wieder auf die Geschichte ihres Mannes. »Also, mein Mann blieb immer häufiger in der Eifel. Über Tage hinweg, manchmal eine ganze Woche lang. Okay, dachte ich, er hat es sich verdient, das ist seine Männersache. Was mich als seine Frau ärgerte, war die Tatsache, dass er immer nach seiner Eifeltour nach ganz billigem Shampoo roch und nach noch billigerer Duschcreme. Ich fragte ihn danach, und er versicherte mir, dass er wahrscheinlich nur die billigen Seifen gekauft habe, weil er keine Ahnung hatte. Ich glaubte ihm kein Wort, weil ich ihn kenne, ich bin mit ihm verheiratet. Aber kleinlich bin ich auch nicht, und ich kenne das Leben. Ich glaube also, mein Mann hatte auf diesem Eulenhof so etwas wie ein Kröschen, wie die Kölner das nennen, also eine Geschichte neben mir. Das vergeht, dachte ich, irgendwann wird er es beichten. Er beichtete nicht, stattdessen tat er gefährlich harmlos und schwärmte mir von seiner Bleibe vor. Da sei es schön, da sei er in Männergesellschaft. Da fühle er sich zu Hause. Dann passierte die Sache mit Samtmöschen.« Sie bewegte ihre Arme vor dem Körper, sie versuchte zu lächeln, aber das misslang. Übrig blieb nur ihr Mund, der plötzlich ein Strich war und eine wilde Wut signalisierte. Eine Weile herrschte Schweigen.

»Ich kann Ihren Zorn verstehen«, sagte Rodenstock. »Lassen Sie sich Zeit, wir sind nicht in Eile.«

»Ich weiß gar nicht, ob ich ihn zurückhaben will«, sagte sie plötzlich klagend. »Wie kann sich ein Mann, der sein Leben lang hart gearbeitet hat, so lächerlich machen?« Sie rutschte in dem Sessel hin und her. »Es ist die immer gleiche Geschichte, von der du glaubst, dass sie dich nie berührt. Bis du feststellen musst: Du sitzt mittendrin.«

»Ich nehme an, es gab eine Panne bei Ihrem Mann?«, bemerkte Rodenstock ganz sanft.

»Oh ja, die gab es«, bestätigte sie und nickte heftig. Dann warf sie mit einer schnellen Bewegung einen Sektkelch über die Schulter und hörte zu, wie das Glas auf dem Fußboden zersplitterte. »Das soll Glück bringen«, sagte sie mit ganz hohler Stimme und hatte plötzlich Tränen in den Augen. »Es passierte vor drei Jahren«, begann sie. »Es war an einem Samstagabend im Sommer. Mein Mann war wieder einmal auf der Jagd, und ich sah mir irgendeinen Film im Fernsehen an. Das Telefon klingelt, ich nehme den Anruf entgegen. Da sagt eine Frau: ›Kann ich bitte mal mit Alfie reden?‹ Sie wissen, mein Mann heißt Alfons, und man nennt ihn einfach Alfie. Ich sagte also: ›Alfie ist nicht hier.‹ Daraufhin sagte die Frau: ›Dann sagen sie ihm bitte, Samtmöschen ist hier und wartet auf ihn.‹ Sie hängt ein. Ich war perplex. Wer war Samtmöschen? Und wieso wartet Samtmöschen auf Alfie? Mein Mann hatte mir eine Telefonnummer gegeben, unter der ich ihn im Notfall erreichen konnte. Ich wähle also die Nummer, und mein Mann ist dran und fragt, was los sei. ›Samtmöschen wartet auf dich‹, sage ich. Er war sprachlos, schwieg mindestens eine halbe Minute und erklärte dann hastig, das mit Samtmöschen sei eigentlich ganz normal, sie hätte nun mal diesen Spitznamen, und sie sei auf dem Eulen- hof zuständig für die Massagen. Also: Wenn die Jäger nach langem Hocken auf dem Ansitz vollkommen verkrampft aus der Kälte zurückkehrten, dann lockere Samtmöschen alle die stressbedingten Verspannungen. Da verlor ich die Fassung und brüllte ihn an, er solle mir gefälligst mit seinen Nutten vom Leib bleiben. Und ob er denn überhaupt noch klar bei Verstand sei? Ich muss dazu erklären, dass mein Mann nie- mals ein ausgesprochen sexuelles Wesen war. Er ist ein aus- gesprochen miesepetriger Typ. Katholisch erzogen, ist er ein leibfeindlicher Mensch, und ich weiß von ihm, dass er noch im Alter von zwanzig Jahren der aufrichtigen Meinung war, der Beischlaf diene ausschließlich der Fortpflanzung, und wenn man dabei so etwas wie Genuss empfinde, dann müsse man das voller Reue dem Priester bei der Beichte erklären. Ich flippte aus. Ich schrie ihn an und sagte: ›Wenn du nicht in zwei Stunden aus deinem gottverdammten Puff in der Eifel hier in Trier bist, verkaufe ich die Firma, dich inbegriffen!‹«

»Oh je!«, sagte ich.

Sie sah mich an und lächelte. »Er kam natürlich, ganz reu- iger Sünder. Ich war inzwischen betrunken und schon wieder nüchtern. Ich wollte einfach wissen, was da in der Eifel wirklich los war, wo genau er sich einquartiert hatte. Unsere GmbH gehört uns beiden. Er kam, und ich sagte: ›Ich lasse mich scheiden, wenn du mich so mies behandelst.‹ Damit konnte er nicht umgehen, das versetzte ihn in einen hilflosen Zustand. Ich sagte ihm auch, er sei ein ausgesprochen beschissener Ehemann, und er sei dabei, seine Familie zu verraten. Ich tobte, ich wollte ihn vernichten.«

»Und es kam noch mehr, denke ich«, sagte Rodenstock leise.

»Es kam viel mehr«, pflichtete sie bei, und ihr Gesicht wurde hart und kantig. »Ich kann mich an diese Nacht so gut erinnern, weil mein Weltbild auf der Kippe stand. Mein Vater war ein alter SPD-Mann, er arbeitete für die Stadtreinigung in Trier, er fuhr Kehrmaschinen, er ermöglichte mir das Studium. Er gab uns Kindern mit auf den Weg, dass wir niemals mehr zulassen dürften, dass ein Mensch in Deutschland rechtes Gedankengut vertritt. Er sagte, Hitler werde immer ein Irrer sein und bleiben, der Zweite Weltkrieg sei ein Makel, der das ganze deutsche Volk betreffe. Ich habe also mit der Muttermilch die Verpflichtung aufgenommen, diesen Hitler als eine schwere, tödliche Krankheit zu betrachten. In dieser Nacht lagen wir beide auf unseren Betten, und mein Mann erzählte mir von diesem Leben auf dem Eulenhof. Er fand das alles wunderbar, während ich neben ihm lag und dachte: Es kann nicht möglich sein, dass dieser Mann mein Ehemann ist. Ich war eine Woche todsterbenskrank, ich ließ sogar unseren Arzt kommen.«

»Ist Ihr Mann denn …«, Rodenstock schien das richtige Wort zu suchen, »ist er naiv?«

»Das auch«, antwortete sie schnell. »Ich musste lernen zu begreifen, dass er mir entglitten war, dass er in einer anderen

Welt lebte. Ich fragte ihn natürlich nach Samtmöschen, aber er versicherte, dass das alles harmlos sei. Nichts mit Sex und so. Ich weiß, dass er log, muss aber zugeben, dass mir das nicht mehr wichtig war. Er sprach von Sonnwendfeiern, er sprach von Wotan-Abenden, er sprach von einem besseren Deutschland, er sprach von der Überlegenheit der nordischen Rasse, er sprach davon, dass diese Rasse sich letztlich durchsetzen werde und dass es keinen Sinn mache, sich gegen diese Tatsachen zu wehren. Er sagte dauernd: Wir werden siegen! Und er sagte auch, die Tötung von sechs Millionen Juden habe niemals stattgefunden und sei der Versuch, die Geschichte neu zu erfinden. Damit müsse Schluss sein. Ich lag da und begann zu frieren. Als ich ihn heute hier im Krankenhaus liegen sah, da merkte ich, dass ich ihn nicht mehr kenne. Er ist ein Fremder geworden, und eigentlich schäme ich mich für ihn. Er hat meine Familie geschändet. Ich werde alles tun, damit er gesund wird, das ist wohl meine Pflicht. Aber ich werde mich von ihm trennen. Das ist mir klar, seit ich ihn heute dort liegen sah. Du lieber Gott, was muss ich meinen Söhnen berichten!«

»Hat er Namen erwähnt?«, fragte ich.

»Ja, das hat er.«

»Können Sie diese Nacht mit Ihrem Mann aufschreiben? Ein versuchtes Gedächtnisprotokoll?«, fragte Rodenstock.

Sie starrte in eine unbekannte Ferne und antwortete: »Das werde ich versuchen.«

»Dann brauche ich einen kurzgefassten Text von Ihnen, der mich ermächtigt, die Sachen und Waffen Ihres Mannes vom Eulenhof zu holen«, fuhr Rodenstock fort.

»Ja, klar«, nickte sie. Dann konnte sie sich nicht mehr beherrschen, und sie begann zu weinen, laut und klagend, und sie hatte ein schneeweißes Gesicht und wirkte zerstört.

5. Kapitel

Auf dem Rückweg bat ich Rodenstock: »Geh nicht allein dorthin. Nimm mich mit.«

»Ich rufe dich an«, gab er zurück. Nach einer langen Pause setzte er hinzu: »Ich werde nicht schlafen können.«

Tessas Auto stand nicht mehr vor seinem Haus. Rodenstock lachte unterdrückt. »Sie wird bei dir sein.«

»Ich schaue mal nach«, sagte ich, wünschte ihm eine gute Nacht und fuhr weiter.

Tessas Auto stand auf meinem Hof, in meinem Wohnzimmer brannte das Licht und schimmerte freundlich durch die geschlossenen Vorhänge. Ich wusste nicht, was mich erwartete, ich wusste nur, dass es kein Spaziergang werden würde.

Tessa hatte sich auf meinem Sofa niedergelassen und die Füße hochgelegt. Sie sagte mit zwei leicht erhobenen Händen: »Versuche nicht, mir etwas zu erklären, hör mir einfach zu. Passt dir das?«

»Das passt mir.«

»Dann setz dich und hör mir einfach zu.« Sie setzte die Füße auf den Teppich und sah mich an.

»Ich marschiere auf die Fünfzig zu. Das ist zwar noch eine Weile hin, aber es wird kommen. Ich bin eine berufstätige Frau, ich arbeite Vollzeit, ich bin eine Mutter von zwei Kindern, die zur Schule gehen. Ich musste mich scheiden lassen, weil mein Ehemann sich in eine Person verwandelte, die ich nicht mehr wollte. Und immer wanderte ein Schatten mit mir. Das war die Frage, ob es mir jemals gelingen würde, jemanden zu finden, mit dem ich alt werden könnte, mit dem ich lachen könnte, bei dem ich nicht vertrockne, der mich überraschen könnte. Das hat überhaupt nichts mit ewiger Liebe zu tun, das ist praktischer Alltag. Bekanntlich leben wir nur einmal, wir haben nur diesen einen Tanz. Und ich bin nicht bereit, diesen einzigen Tanz zu verschenken, verdammt noch mal. Du bist aufgetaucht, ich habe mich in dich verliebt, und du hast mir sogar gesagt, dass du mich liebst. Dann haust du mir in einem blöden Telefonat um die Ohren, dass ich gar nicht in die Eifel kommen muss, weil es da nichts mehr zu besichtigen gibt. Entschuldige mal, von meinem Job als Staatsanwältin hast du keine Ahnung, und diese Baumeister-Bemerkung tat nicht nur weh, sie war auch höchst dumm. Damit taucht auch die Frage auf, ob dein Hirn gelegentlich aussetzt oder ob du vergisst, mit wem du sprichst, oder ob dir das vollkommen egal ist.« Sie stand auf, und sie sagte: »Ich habe meinen Kindern versprochen, dass ich pünktlich zum Frühstück zu Hause bin. Und versuch nicht, mir dazwischen zu reden. Bis irgendwann!« Sie ging hinaus, die Haustür klackte zu.

Ich hatte das Gefühl einer bitteren Niederlage. Ich hockte in dem Sessel und fragte mich, warum sie nicht aufgehört hatte, mich scharf zu bestrafen, warum ihre Worte so endgültig geklungen hatten. Ich versuchte sie auszuschimpfen, zu fragen, ob sie mir nicht einmal zuhören wollte, und ob es wirklich notwendig gewesen sei, mich zu beleidigen. Dann wieder empfand ich ihre Worte als wütend und gerechtfertigt. Ich war tatsächlich zuweilen ein Narr, ich überlegte tatsächlich nicht immer, mit wem ich gerade sprach. Und: Es war mir wichtig, mit ihr zu sprechen. Friss Kreide!, befahl ich mir. Sie hat recht. Mach es gut und rede nicht mehr davon.

Als ich aus reiner Gewohnheit auf meine Uhr blickte, war es drei Uhr am Morgen, und ich wusste nicht, wie lange ich da gehockt hatte. Ich ging nach oben in mein Schlafzimmer und war mir bewusst, dass wir in diesem Bett zusammen geschlafen hatten.

»Du bist ein Trottel«, sagte ich laut. Irgendwann schlief ich ein.

Ich wurde nur mühsam wach, als mein Telefon klingelte. Es war sechs Uhr, ich fühlte mich zerschlagen.

»Ja, bitte?«

»Ich bin es«, sagte Emma. Die Leitung war erstaunlich gut, ich konnte sie problemlos verstehen. »Ist Rodenstock bei dir?«

»Nein, ist er nicht. Weißt du, dass es frühmorgens sechs Uhr ist?«

»Das weiß ich. Ich rufe an, weil er sich nicht meldet. Kein Festnetz, kein Handy, kein Anrufbeantworter, einfach nichts.«

»Wir hatten einen Scheißabend bei einer Zeugin. Dein Mann war ganz unten, wir mussten über Hitler reden. Und wenn er über Hitler reden muss, geht es ihm sehr schlecht. Wieso meldet er sich nicht? Das verstehe ich nicht. Und wieso rufst du morgens um sechs an?«

»Weil wir beschlossen haben, noch einmal den uralten Friedhof der Juden in Krakau zu besuchen. Du weißt doch, Tante Liene schläft immer nur eine Stunde, und dann ist sie wieder wach. Von Krakau aus ging der Davidstern in die Welt, der heute auf der israelischen Nationalflagge zu sehen ist, verstehst du? Also, ich denke, du könntest mal eben rüberfahren und nachsehen. Und mich dann wieder anrufen? Geht das?«

»Okay«, brummte ich und verabschiedete mich.

Ich dachte vollkommen im Ernst, dass es eigentlich reichen müsste, wenn ich mich im Bademantel hinter das Steuer setzen würde, aber dann nahm ich von der blödsinnigen Idee Abstand und zog mir etwas an.

Als ich meine Haustür öffnete, um zu meinem Auto zu gehen, stieß ich mit dem Kopf gegen irgendetwas Weiches. Es roch stechend nach Blut und Exkrementen. Ich war vollkommen verwirrt. Dann schaltete ich das Licht an.

Ich war mit dem Kopf gegen eine tote Katze gerannt. Irgendjemand hatte sie am Schwanz an dem alten Rotsandstein aufgehängt, der mit der Jahreszahl 1867 über meiner Haustür vermauert worden war. Irgendjemand hatte dort vor Urzeiten einen alten Nagel eingeschlagen. Die Katze hing daran. Und da war noch etwas: An der Klinke der Haustür baumelte eine Plastiktüte. Ich nahm sie ab und sah hinein. Es stank bestialisch. Das waren Innereien, die blutig schimmerten.

Panik überkam mich. Ich dachte nur noch: Rodenstock!

Ich habe keine Erinnerung an die kurze Fahrt. Ich danke noch heute dem lieben Gott, dass er mich nicht gegen eine Mauer fahren ließ, wo immer diese Mauer auch stehen mochte.

Ich fand Rodenstock auf dem Boden vor seiner Haustür. Er lag auf dem Rücken auf den kleinen, roten Betonplatten des Gartenweges, und er starrte mit offenen Augen in den Himmel. Zuerst glaubte ich, dass er nicht mehr atmete, aber dann war so etwas wie ein mühsames, leises Räuspern zu hören, und er schloss die Augen. Der rechte Arm hob sich um ein paar Zentimeter und sank wieder zurück.

»Was machst du denn auch für einen Scheiß!«, schimpfte ich laut. »Man kann dich nicht zwei Minuten alleinlassen, und schon baust du Mist!«

Ich wählte den Notruf und forderte einen Notarzt und die Ambulanz an. Was genau ich sagte, weiß ich nicht mehr.

Ich dachte, dass ich ihm beim Aufstehen helfen müsse. Also sagte ich: »Warte, ich helfe dir hoch.« Ich griff ihn von hinten unter den Schultern und hievte ihn mit aller Kraft nach oben. Aber er kam mir nicht entgegen, er half mir nicht, er war schlaff wie eine Puppe. Er wimmerte stattdessen, irgendetwas tat ihm wohl sehr weh.

Ich dachte: stabile Seitenlage! Dann kann nichts mehr passieren, er erstickt nicht an seiner Zunge, er kann besser atmen.

Ich stellte mich breitbeinig über ihn und griff nach seinem linken Arm. Ich zog den Arm hoch, ich wollte die Drehung hinkriegen, scheiterte aber. Wahrscheinlich machte ich irgendetwas falsch, und wahrscheinlich machte ich das so, als hätte ich einen zweiten Helfer neben mir.

Ich dachte fiebrig: Es wird ihm besser gehen, wenn ich ihm ein Kissen hole und seinen Kopf darauf lege.

Kurz sah ich auf und fragte mich sofort, warum das hier so hell war. Es brannte nicht nur die große Lampe über dem Eingang, es waren alle Zimmer hell erleuchtet, auch die im ersten Stock.

Ich erschrak und hatte sofort Angst. Mir fiel der Schlägertyp auf dem Eulenhof ein, der mich umgehauen hatte. Wie hatte er doch geheißen? Veit! Der feiste Veit.

Ich wusste aus einigen Erfahrungen, wie ich mit meiner Furcht umzugehen hatte. Also stürmte ich einfach in Rodenstocks Haus und öffnete jedes Zimmer. Ich ließ keine dunkle Ecke aus, machte sogar Schränke auf. Aber ich fand niemanden.

Danach kam mir Emmas Bemerkung in den Sinn, dass Rodenstock nicht zu erreichen sei: kein Festnetz, kein Anrufbeantworter, kein Handy. Ich sah nach und fand die Bescherung: Der Anschluss des Festnetzes im Wohnzimmer war aus der Wand gerissen worden. Und sicherlich hatten sie irgendwo sein Handy zertreten. Das bedeutete, dass die Kerle, die ihn überfallen hatten, bewusst das Risiko eingegangen waren, dass er starb. Es war ein Mordversuch.

Ich setzte mich in den Scherenstuhl vor seinem Haus, auf dem er so gern dem Sonnenuntergang zusah. Ich dachte an den feisten Veit und badete in der Vorstellung, dem Mann mit aller Gewalt in die Eier zu treten und ihn dann hilflos zurückzulassen. Ich war beinahe ohnmächtig vor Wut.

Sie kamen schnell und lautlos mit einem blauen Blitzgewitter vorgefahren. Und während der Arzt in die Knie ging und aufmerksam meinen Rodenstock anschaute, vollführten die Helfer vom Roten Kreuz ein erstaunlich schnelles Ballett und zauberten eine Trage neben Rodenstock.

»Wieso liegt der hier?«, fragte der Notarzt sehr sachlich. Er ging in die Hocke und tastete ihn schnell und rücksichtslos von den Füßen bis zum Schädel ab. Rodenstock hatte große Schmerzen, sein kindliches Wimmern nahm kein Ende.

»Das kann ich nicht genau beantworten«, gab ich Auskunft. »Das Haus hier ist sein Haus. Gestern Abend habe ich ihn vor Mitternacht hierher gefahren. Wir kamen von einem Termin.« Ich zuckte jedes Mal zusammen, wenn Rodenstock aufjaulte, weil das Abtasten des Arztes wohl eine Qual war.

»Heute Morgen um sechs Uhr rief seine Ehefrau von einer Reise an und sagte mir, sie könne ihn nicht erreichen. Sie war in großer Sorge. Ich fuhr hierher und fand ihn so, wie er da liegt. Ich nehme an, er wurde überfallen, denn sein Festnetzanschluss wurde aus der Wand gerissen, sein Handy habe ich noch nicht gefunden. Ich gehe davon aus, dass er verprügelt wurde. Er trägt dieselbe Kleidung, die er trug, als ich ihn gestern hier absetzte. Er kann also stundenlang hier gelegen haben.«

»Wer tut so etwas?«, fragte der Mann, während er Rodenstock weiter untersuchte.

»Neonazis, zum Beispiel. Wir recherchieren in einem sehr traurigen Mordfall.«

Er nahm eine Spritze aus seinem Koffer und setzte sie intramuskulär. Er sagte: »Wir verschwinden jetzt ins Krankenhaus, und Sie tauchen bitte im Laufe des Tages dort auf und erledigen die Bürokratie. Er hat wohl mehr blaue Flecke, als auf ihn draufgehen. Aber ich vermute auch innere Blutungen, was wir gar nicht so gern haben. Es war wahrscheinlich ein runder, stumpfer Gegenstand, ein hölzerner Knüppel vielleicht. Und nach den Stellen zu urteilen, an denen er getroffen wurde, haben diese Leute auch weiter auf ihn eingeschlagen, als er längst besinnungslos am Boden lag.«

Er bedeutete den beiden jungen Männern vom Roten Kreuz, Rodenstock auf die Trage zu legen und sich tunlichst zu beeilen.

Sie verschwanden beinahe lautlos wie in einem bösen Traum, und die blauen Blitze auf ihren Autos warfen ein unruhiges Stakkato über das noch schlafende Dorf.

Es waren also Leute, die einen alten Mann bis zur Besinnungslosigkeit schlugen. Was sollte ich jetzt mit Emma machen? Ich rief sie an, und sie meldete sich sofort.

»Hör zu«, sagte ich. »Dein Mann ist verprügelt worden. Ich habe den Notarzt und das Rote Kreuz verständigt, sie sind sofort gekommen, und Rodenstock ist auf dem Weg ins Krankenhaus.«

Sie wirkte keineswegs geschockt, wahrscheinlich hatte sie in den letzten Stunden des Wartens und der vergeblichen Versuche, ihn zu erreichen, schon mit dem Schlimmsten gerechnet. Sie fragte schnell und sachlich: »Hat er gesagt, wer es war?«

»Das konnte er nicht, sie haben ihn bis zur Ohnmacht verprügelt.«

Jetzt schluckte sie kurz, bevor sie fragte: »Sag mir: Würdest du an meiner Stelle heimfahren?«

»Das würde ich.«

Sie bedankte sich eilig und kündigte an, sofort die Koffer zu packen.

Ich rief Tessa an und berichtete: »Sie haben Rodenstock überfallen. Entweder gestern Abend noch kurz vor Mitternacht oder in den Stunden danach. Er war bewusstlos, als ich ihn fand. Er ist jetzt auf dem Weg ins Dauner Krankenhaus, der Notarzt sagte, dass er möglicherweise innere Blutungen hat.«

Sie fluchte: »Heilige Scheiße!« Sofort fragte sie: »Ist bekannt, wer es war?«

»Ist es nicht.«

»Und deine Meinung?«

»Es waren die Leute vom Eulenhof. Da ist aber noch etwas. Ich bin gegen sechs Uhr aus meinem Haus gekommen. Jemand hat mir eine tote Katze in meinen Hauseingang gehängt. Und an der Klinke baumelte eine Plastiktüte mit den Innereien darin.«

Sie überlegte eine Weile. »Das will ich dokumentiert haben. Fotografiere das. Ich schicke dir eine Streife vorbei. Du erstattest Anzeige gegen unbekannt. Auch wenn es eine Zumutung ist: Du musst eure Tierärztin unterrichten. Sie muss das tote Tier untersuchen – und die Innereien auch. Mach es dringend, die Ergebnisse will ich auf meinen Tisch haben, die Rechnung auch. Schreibe mir bitte eine zweite Anzeige gegen unbekannt wegen des Angriffes auf Rodenstock heute Nacht. Ich brauche eine dritte Anzeige gegen unbekannt wegen der schweren Verletzungen in deinem Gesicht bei dem Niederschlag im Eulenhof. Wir werden jetzt nicht mehr höflich schweigen. Ich brauche jeweils die genauen Umstände. Wir müssen jetzt breitbeinig gegen sie vorgehen. Ich will, dass sie Angst bekom-

men und irgendetwas falsch machen. Und ich komme sofort.« Wieder fluchte sie laut und vulgär wie ein Bierkutscher, dann beendete sie das Gespräch.

Ich ging in Rodenstocks Haus, löschte die Lichter und
schloss hinter mir ab. Dann hockte ich mich noch eine Weile
auf den Stuhl und sah zu, wie das Sommerlicht intensiver
wurde. Im Westen zogen Wolken auf.

* * *

Als ich wenig später mit dem Auto auf meinen Hof rollte,
stand der Streifenwagen schon da, und die Beamten sahen
sich die Katze und die Plastiktüte an.

»Welch schöner Morgengruß«, sagte ich. »Moment, noch
nicht runternehmen. Ich muss das noch fotografieren.«

»Das haben wir schon. Stinkt ja erbärmlich«, sagte der Jüngere von beiden. »Wer hat Sie denn so lieb?«

»Das würde ich auch gern wissen«, grummelte ich.

Ich ging ins Haus, machte die Kamera zurecht und fotografierte die Schweinerei. »Ich soll Anzeige gegen unbekannt
erstatten … Und Sie müssen die Kostbarkeiten leider zur
Tierärztin Susanne Fügen transportieren. Die muss diese
Gabe untersuchen. Das Ergebnis soll die Staatsanwältin Doktor Tessa Brokmann in Trier bekommen. Soll ich euch die
Anzeige per Mail schicken?«

»Das würde uns glücklich machen«, nickte der Ältere.
»Stimmt es, dass der alte Rodenstock in die Mangel genommen wurde?«

»Das stimmt.« Ich schnitt die Schnur durch, an der die
schwarze Katze aufgehängt war. Sie klatschte an mir vorbei
auf die Eingangsstufen hinunter, ich zuckte unwillkürlich
zusammen.

»Und noch etwas«, sagte der Jüngere. »Sie sind nicht der Einzige, bei dem heute Nacht eine tote Katze aufgehängt wurde.«

»Aha. Und bei wem noch, bitte?«

»Raimund Oster ist das. Ein katholischer Priester, er arbeitet als Pfarrer in Gerolstein.«

»Weiß man, warum?«

»Angeblich hat er in einer Predigt was gegen Rechtsextreme gesagt. Aber das wissen wir noch nicht genau. Zu dem fahren wir jetzt.«

Ich setzte mich eine Weile auf meine Terrasse, ehe ich daran ging, drei Anzeigen zu formulieren und damit meine jüngste Vergangenheit aufzuhellen. Es war ein ziemlich mühseliges Geschäft, weil mir die kargen Formulierungen nicht lagen. Aber dann kam mir die Idee, wegen der Gesichtsverletzungen einen Schadenersatz zu verlangen. Ich schrieb: ... *und werde auf privatem Wege eine angemessene Schadensleistung von etwa zwanzigtausend Euro fordern.* Ich versuchte, mir die Gesichter von Ulrich Hahn und dem feisten Veit vorzustellen. Es war ein angenehmes Bild. Gleichzeitig wusste ich jedoch, dass sie darüber nur lachen würden ...

Dann telefonierte ich hinter Rodenstock her, und natürlich war niemand in der Lage, mir Auskunft zu erteilen. Also fuhr ich nach Daun in das Krankenhaus Maria Hilf. Dort geriet mir das Unternehmen zu einem Hindernisrennen. Aber immerhin gelang es, einen Arzt aufzutreiben, der Rodenstock nach der Einlieferung länger zu Gesicht bekommen hatte.

Der Mann wirkte ausgepumpt und erschöpft, und als er vor mir stand, machte er den Eindruck, als hielte er nach einem Stuhl Ausschau, weil er zunächst einmal durchatmen musste.

»Der Mann ist ja saumäßig geschlagen worden«, begann er.

»Ja, das stimmt. Ich will nur wissen, ob er in Lebensgefahr schwebt«, sagte ich hastig.

»Das wohl nicht«, nuschelte er. »Wir haben ihn liegend röntgen können. Keine Brüche. Meine Kollegen haben ihn sicherheitshalber ins Koma gelegt. Er ist ja schließlich ein alter Mann. Aber er ist noch nicht übern Berg, das wird ein langer Weg. Möglicherweise muss unser Gefäßspezialist noch einmal mit dem kleinen Messer an die schweren, komplizierten Einblutungen. Und bevor Sie fragen, nein, Sie können nicht zu ihm. Intensivstation. Mindestens zwei, drei Tage. Rufen Sie hier an, aber kommen Sie nicht her. Den Weg können Sie sich sparen.« Er drehte sich ab um wegzugehen, hielt dann aber inne, drehte sich zu mir zurück und fügte etwas düster hinzu: »Der, der das getan hat, gehört vor den Kadi. Unmenschlich, sage ich, einfach unmenschlich.« Dann gab es ein unsicheres Lächeln und die Feststellung: »Das alles hätte ich Ihnen nicht sagen dürfen.«

»Haben Sie ja auch nicht«, sagte ich. »Dankeschön.«

Ich benahm mich wahrscheinlich kindisch, aber ich rannte im Treppenhaus der Klinik drei Stockwerke hinunter und stellte mich zwischen all die Patienten, die wie die letzten Fußkranken der Völkerwanderung fröstelnd im Freien standen und schlecht gelaunt qualmten.

Ich rief Emma an. »Du kannst vom Gas gehen. Es besteht keine Lebensgefahr.«

»Wir fahren schon auf die Drei bei Limburg zu«, sagte sie hell. »Dankeschön! Jetzt halte ich erst mal an und rauche eine.«

»Das tue ich auch«, versicherte ich.

Ich fuhr ein paar hundert Meter hinunter bis zur chemischen Reinigung von Elisabeth, stellte mich an die Bordsteinkante und stopfte mir eine schön gebogene, knuffige Pfeife, eine Gotha 58. Als sie brannte, überließ ich mich den verwirrenden Fragen, die auf mich einprasselten.

Was lief hier ab? Gab es einen Zusammenhang zwischen dem Mord an dem jungen Blue, dem massiven Ausbruch von Gewalt, der toten Katze an meiner Haustür, der toten Katze an der Haustür eines katholischen Priesters in Gerolstein? Wer hatte den Jäger Alfons Marburg aus Trier durch einen Gewehrschuss schwer verletzt? Drehte da jemand durch, war da etwas außer Kontrolle geraten? Aber was? Wen konnte ich fragen?

Die Beweislage, das immerhin konnte ich sofort beantworten, war äußerst dürftig. Wenn die Leute auf dem Eulenhof nicht mit der Staatsanwaltschaft zusammenarbeiten würden, wenn Tessa und die Mordkommission niemanden fanden, der bereit war, ein wenig Licht in das Dunkel zu bringen, sah es nicht gut aus.

Da half auch nicht die Erkenntnis, dass die Zahl der Neonazis in Deutschland nicht mehr stieg, wenn man den jüngsten Erhebungen trauen konnte, dass aber ihre Gewaltbereitschaft erheblich zugenommen hatte. Der Prozess gegen Beate Zschäpe in München war eröffnet worden. Die Frau hatte mit Uwe Mundlos und Uwe Böhnhardt jahrelang im Untergrund gelebt. Die »Zwickauer Terrorzelle« hatte man sie genannt: Man legte ihnen zehn Tötungen, Banküberfälle und eine Nagelbombe in Köln zur Last. Man hatte das Kürzel NSU gefunden, nationalsozialistischer Untergrund, man hatte in der Politik zugeben müssen, dass der Verfassungsschutz und einige Landeskriminalämter über Jahre elend versagt hatten. Sie hatten angesichts der Toten nach Mafiastrukturen gesucht, hatten im Umfeld der Ermordeten nach Straftatbeständen geforscht, die die Familien der Getöteten beleidigten und tief kränkten. Was war es denn gewesen? Glasklarer Terror von rechts, eindeutig beschämend für dieses Land.

Das machte wütend, aber half das der Eifel?

Ich musste so schnell wie möglich den Priester in Gerolstein erreichen, ich musste unbedingt mit Ana von Kolff sprechen, die angeblich ein enges Verhältnis zu dem toten Blue gehabt hatte. Gleichzeitig machte es mich nervös, ohne Rodenstock arbeiten zu müssen, meiner deutlich besseren Hälfte.

Ich war müde und hatte Hunger. Der Tag war erst halb vergangen und hatte mich schon ordentlich geschlaucht. Also drehte ich einen großen Bogen um die Stadt und ging ins *Café Schuler*, um Reibekuchen zu essen.

Der *Trierische Volksfreund* lag dort aus, und ich stieß darin auf etwas, das mich in der aktuellen Lage brennend interessierte. Stephan Sartoris hatte anlässlich des Mordfalls Henrici eine eindrucksvolle Bestandsaufnahme über den Eulenhof geschrieben und kommentierte mit den Sätzen: *Der Eulenhof in Bongard, über den selbst der Ortsbürgermeister nicht viel weiß und nicht viel wissen will, muss sich gefallen lassen, kritisch befragt zu werden. Und wenn er keine Antworten weiß, dann darf er nicht beleidigt reagieren. Ein junger Mann wurde erschossen, der dort gelebt hat. Da wird man nicht fragen dürfen, da wird man fragen müssen.*

Dann meldete sich mein Handy. Es war Tessa.

»Ich bin jetzt in Heyroth«, sagte sie. »Ich habe einen Schlüssel von Emma. Kannst du kommen und mir zeigen, wie das mit Rodenstock wahrscheinlich gelaufen ist. Die Ärzte sagen, wir können ihn bestenfalls in drei oder vier Tagen befragen, wenn überhaupt.«

»Ich komme«, sagte ich. »Emma muss auch gleich eintrudeln. Sie kommt aus Krakau. Ich bin in zwanzig Minuten bei dir und bringe dir den USB-Stick mit meinen drei Anzeigen mit.«

Ich zahlte und verschwand aus Daun. Es regnete leicht, der Asphalt war seifig, der Wind kam aus West – wie üblich. Rodenstock nannte das eine Siebenachtel-Bewölkung.

Sie saß in der Wohnküche in Emmas Haus und war bemüht, eine gewisse Distanz zu halten. »Hallo! Kannst du mir bitte erklären, wie das aussah, als du Rodenstock gefunden hast?«

»Ich habe das in den Anzeigen festgehalten. Hier ist der Stick.« Ich legte ihr das elektronische Wunderding auf den Küchentisch. »Er lag im Vorgarten auf dem Rücken. Wie lange er da lag, weiß niemand. Er trug noch die Sachen vom Vortag.«

»Kann es sein, dass jemand von der Gegenseite dich beobachtet hat?«

»Das kann gut sein. Ich habe nicht darauf geachtet. Wieso fragst du das?«

»Weil einzelne Verfassungsschutzämter immer wieder betonen, dass rechtsextremistische Kreise ihre Aktionen niemals durchziehen, ohne hinterher genau zu registrieren, was dann geschieht. Sie seien gründlich, heißt es.«

»Ich würde dem Verfassungsschutz nicht trauen«, sagte ich.

»Ich habe gar keine andere Wahl«, erwiderte sie kühl.

»Glaubst du denn ernsthaft, dass der Verfassungsschutz den Eulenhof nicht unter Beobachtung hat? Das ist doch absurd, das können die sich doch gar nicht erlauben. Natürlich werden die hier Leute haben. Aber sie werden sie nicht preisgeben.«

»Der Bundesinnenminister sagte, sämtliche anfallenden Erkenntnisse in Sachen rechter Terror würden in Berlin zusammengeführt. Und in Berlin sagt man mir, der Verfassungsschutz beobachte den Eulenhof nur im Rahmen gelegentlicher Stichproben. Zweimal im Jahr. Es lägen keine besonderen Erkenntnisse vor.«

»Na schön!«, bemerkte ich ätzend. »Wer es glaubt. Jetzt haben wir einen Mord an einem der Bewohner. Da wird sich das ändern. Aber ob sie der Staatsanwaltschaft Auskunft geben, wage ich dennoch zu bezweifeln.«

Sie wurde etwas blasser um die Nase. »Aha, der Dame sagt man nix?«

»Nein«, widersprach ich. »Das ist es nicht. Als die Riesenblamage mit der rechten Terrorzelle hochschwappte, sagte der Innenminister, man werde jetzt alle Erkenntnisse aus den Bundesländern zusammenführen und bekomme dann ein umfassendes Bild. Und genau das glaube ich nicht, nach allen meinen Erfahrungen wird das so nicht laufen. Glaubst du im Ernst, dass ein Agent des Verfassungsschutzes, der hier in der Eifel Rechtsextremisten beobachtet, seine Beobachtungen der Zentrale in Berlin zur Verfügung stellt? Der wird nicht einmal den eigenen Vorgesetzten informieren, weil sonst die enorme Gefahr besteht, dass irgendein Dritter auf seine Quelle zugreift und sie versaut. Das sind Männerspiele, Tessa, das läuft so und nicht anders. Ein Agent des VS, ganz gleich in welchem Bundesland, lebt von seinen Kontakten, er wird sie nicht preisgeben, was immer die in Berlin schwadronieren.«

»Aber wir brauchen Insider auf dem Eulenhof!«

»Das ist richtig. Gibt es schon eine Liste der dort gemeldeten Personen?«

»Die gibt es. Es sind immerhin neunzehn mit festem, ersten Wohnsitz. Kommen rund vierzehn hinzu, die den Eulenhof als zweiten Wohnsitz angeben. Das sind Leute, die dort ein kleines Appartement gemietet haben. Es sind Jäger oder Manager oder Leute, die beides sind. Sie zahlen im Durchschnitt zweieinhalbtausend Euro Miete pro Monat, haben dafür aber einfache Getränke und Essen kostenlos, und auch ihr Auto wird gewaschen. Wir wissen bisher sicher, dass sie Feten mögen.

Und manchmal werden bei den Feten Frauen verlost. Was auffällt: Angestellt sind ausschließlich Deutsche. Deutsche mit sichtbaren ausländischen Wurzeln kommen nicht in Betracht.«

»Und woher beziehen sie die Frauen für die Verlosungen?«

»Von einem Mann mit dem Spitznamen Mollimacher. Mit den Mollis sind weibliche Brüste gemeint. Es handelt sich um den Schönheitschirurgen Doktor Richard Voigt aus dem Sauerland, irgendwo bei Arolsen. Er ist natürlich auch Jäger und bringt gelegentlich blonde, deutsche Frauen mit. Und die werden schon mal verlost. Mollimacher ist der Mann, der besonders auf Frauen aus Kroatien steht. Er begründet das mit der Tatsache, dass die Frauen in Kroatien während des Zweiten Weltkrieges unsere Truppen am besten von allen besetzten Ländern versorgt hätten. Er ist ein ganz Netter und nennt die kroatischen Frauen die besten Fickerinnen Europas.« Dann hatte sie einen breiten Mund und stöhnte: »Herrgott! Könnt ihr diese Typen nicht mal vom Platz stellen? Die sind doch ekelhaft.«

»Ja, ja«, sagte ich. »›Reine Rasse Eifel‹. Du verstehst das einfach nicht, du hast keine Ahnung, was der deutsche Mann wirklich will. Eben einen Mollimacher für die lustigen Tage des Lebens und einen Knüppel für die düsteren Tage. Da sind wir sehr flexibel.«

»Glaubst du, dass Rodenstock es schafft?«

»Ich bemühe mich, nicht allzu sehr daran zu denken. Aber das gelingt natürlich nicht. Ich kann nur hoffen.«

»Was ist, wenn er nicht mehr wird?«

»Ich möchte Albträume nicht vorher diskutieren, Tessa.«

»Ja, ja.« Sie bewegte sich unruhig und murmelte: »Ich habe das mit uns überlegt. Ich war vielleicht zu heftig.«

»Ich möchte das hier nicht zwischen Tür und Angel erledigen. Lass uns irgendwann in Ruhe darüber sprechen. Wir werden ja Zeit haben. Und ich will auch erklären können, weshalb ich so bin wie ich bin.«

»Das wäre schön«, sagte sie. »Gleich kommen meine Spurenleute. Sie wollen sehen, wo überall hier im Haus die Feinde von Rodenstock gewesen sind. Vielleicht kommen ein paar Fingerabdrücke dabei heraus, aber wahrscheinlich nicht.«

»Kannst du Ana von Kolff empfehlen?«

»Sehr«, lächelte sie. »Eine schöne Frau, und sehr klug.«

6. Kapitel

Ana von Kolff begegnete mir unkompliziert. Sie sagte am Telefon souverän und gelassen: »Falls ich für Sie in dieser Sache von Interesse bin, kommen wir heute Abend zusammen und reden über Blue. Ich kann sowieso nicht verhindern, dass mein Name fällt. Es ist ganz einfach zu finden: in der alten Dorfmitte von Nettersheim. Da ist eine kleine Buchhandlung, und schräg gegenüber steht mein Haus. Sagen wir um acht?«

Ich hatte noch zwei Stunden Zeit und nutzte sie zum Nichtstun. Ich saß auf der Terrasse, trank eine Apfelschorle und war richtig froh, als Iwan um die Ecke kam. Dabei handelte es sich um einen Igel, der in einer alten Kompostanlage hinter meinem Haus lebte. Iwan war offensichtlich davon überzeugt, dass ihm in meiner Nähe absolut nichts passieren konnte. Es schien ihm vollkommen gleichgültig, ob kleine oder große Gefahren lauerten; er kam laut schnüffelnd um die Ecke, zog vor der Terrasse entlang und erklomm sie dann auf einer Schräge, die ich eigens für ihn eingerichtet hatte. Er hatte gelernt, die Terrasse in einer Diagonale zu queren und sich zielsicher der Plastikschale zu nähern, in der das Futter für meinen Kater angerichtet war. Falls ihm dabei meine Schuhe im Weg waren, weil ich so unverschämt war, auf meiner Terrasse zu sitzen, nahm er es nicht übel und marschierte eng an ihnen vorbei.

Dann kam der schwierige Teil: Die Besteigung des Futternapfes.

Ich muss einräumen, dass ich kein Igelspezialist bin. Es kann durchaus sein, dass dieser Igel gar nicht mehr Iwan war, sondern ein Enkel von Iwan. Ich weiß nicht, wie lange Igel leben. Vielleicht gehörte meine Terrasse seit Jahren einer ganzen Igelsippe, die hier ihr Paradies gefunden hatte: das Igel-Bali in der Eifel!

Ich sagte also: »Warte mal« und verschwand kurzfristig in die Küche, um ihm ein Futter zu bringen, das ursprünglich mal Satchmo gehört hatte. Ein paar Dosen davon hatte ich immer noch. Ich richtete Iwan drei große Esslöffel davon in der Plastikschale an und trug sie hinaus. Dann sagte ich höflich: »Guten Appetit« und stellte ihm die Köstlichkeit dorthin, wo sie immer gestanden hatte. Er zeigte sich nur kurz irritiert und roch dann den Fraß. Die Schale hatte einen scharfen Rand, der nicht Igel-kompatibel war, er war eine Spur zu hoch. Iwan hatte aber gelernt, damit zu leben: Er pflegte die Schale umzukippen, indem er sich mit beiden Vorderpfoten auf den Rand stellte. So rollte ihm die Herrlichkeit direkt vor die Schnauze. Auch diesmal klappte das Manöver problemlos. Er fraß hastig, wahrscheinlich war er erstaunt, dass kein Satchmo ihn störte. Ob er rülpste, weiß ich nicht zu sagen, auf jeden Fall hatte er Verdauung. Er kackte zwei runde, kleine Würstchen neben die Plastikschale und blieb noch eine Weile lang hocken, ehe er sich auf den Rückweg machte.

Das geschah gegen 18.30 Uhr, und Biologen werden mir jetzt entgegenhalten, dass Igel um diese Zeit niemals auf Beutejagd sind. Das mag ja sein, aber bei meinen Iwans lief das alles etwas anders ab, sie waren rührend um ein friedliches Miteinander bemüht.

Ich rief den Pfarrer Raimund Oster in Gerolstein an, stellte mich vor, erklärte mein Anliegen und fragte, ob er mich treffen könne, es gehe um die tote Katze an seiner Haustür.

»Ich habe mich unbeliebt gemacht.« Er lachte fröhlich. »Aber das nehme ich in Kauf. Ein Treffen wird kurzfristig schwierig, wir können aber gerne telefonieren, Herr Baumeister. Jetzt gerade passt es ganz gut.«

»Das ist nett, vielen Dank. Ich würde gerne wissen, ob es stimmt, dass Sie gegen Rechtsterror gepredigt haben?«

Wieder dieses fröhliche Lachen. »Nein, das stimmt so nicht. Da hat man Sie falsch informiert. Ich habe eine Jugendfreizeit organisiert, und dabei haben wir über Politik geredet. Es waren rund fünfzehn Jugendliche. Im Alter von sechzehn bis achtzehn Jahren. Einer von ihnen, ein Siebzehnjähriger, sagte plötzlich zu meiner größten Verblüffung, die Jugendlichen auf der ganzen Welt würden systematisch belogen, angeblich seien im Zweiten Weltkrieg sechs Millionen Juden getötet worden. Das sei eine Lüge, meinte er, das habe niemals stattgefunden. Sie können sich vorstellen, dass ich richtig erschrocken bin, ich dachte: Das gibt es doch nicht! Der Junge schrie mich an, er sagte: ›Wenn Sie das behaupten, dann bringen Sie mir die Beweise! Das können Sie nämlich nicht!‹ Ich habe gefragt, von wem er das gehört habe, und er antwortete: ›Von meinen Eltern. Die sind auch ihr Leben lang betrogen worden!‹ Man muss wissen, dass der Junge aus dem Eulenhof in Bongard stammt. Die Eltern sind dort so etwas wie Hausmeister, kümmern sich um alles und jeden.«

»Kann ich den Namen haben?«

»Aber ja. Die Leute heißen Ebing, der Sohn heißt Oliver. Und natürlich ist Oliver nicht zu meiner Freizeit gekommen, um etwas zu lernen, sondern um sein Wissen über die Geschichtslüge von sechs Millionen getöteter Juden loszuwerden. Das war schon erschreckend.«

»Seien Sie bitte vorsichtig«, sagte ich. »Ich bin auch schon zusammengeschlagen worden, als ich im Eulenhof war.«

»Davon habe ich gehört«, erklärte er ungebrochen fröhlich. »Aber wir lassen uns doch nicht ins Bockshorn jagen. Oder?«

»Ein Freund von mir wurde halbtot geprügelt. Diese Leute sind wirklich gefährlich«, beharrte ich. »Passen Sie auf sich auf! Und vielen Dank für die Auskünfte.«

Nur wenige Augenblicke nachdem ich aufgelegt hatte, meldete das Handy erneut Gesprächsbedarf. Es war Emma, sie musste es schon ein paar Mal probiert haben, denn sie sagte hastig: »Na endlich! Ich bin's, ich bin wieder da. Sag mir bitte, wie heißt der Arzt, der meinen Rodenstock betreut?«

»Das weiß ich nicht. Er liegt auf der Intensivstation, und irgendjemand wird dir Auskunft geben.«

»Was wird denn am meisten befürchtet?«

Das war genau die Frage, vor der ich Angst hatte. »Am meisten befürchteten sie wohl innere Blutungen. Aber darüber haben sie nichts gesagt, als ich im Krankenhaus war.«

»Die Kerle waren in meinem Haus, nicht wahr?« Das klang aggressiv.

»Das waren sie. Sie haben den Telefonanschluss aus der Wand gerissen.«

»Tessa sagte mir gerade, sie waren wohl in jedem Raum. In deiner Anzeige steht, dass in jedem Raum das Licht brannte.«

»Das stimmt.«

»Das ist ein schlimmes Gefühl«, sagte sie, als spräche sie mit sich selbst. »Kommst du mal vorbei?«

»Morgen früh, wenn du magst. Wie geht es Tante Liene?«

»Es war wichtig für sie, dort zu sein. Sie ist jetzt locker und ganz gut drauf, und sie sagte mir auf der Rückfahrt, sie würde wahrscheinlich bald in Ruhe sterben. Also, ich fahre mal zu Rodenstock.«

Dann starrte ich in meinen Garten und hatte plötzlich ein verstörendes Bild vor mir: Rodenstock kommt in einem Rollstuhl in den Garten getrudelt, schief baumelt der Kopf, Sabber läuft aus seinem Mund, er lallt irgendetwas. Emma schiebt den Rollstuhl.

* * *

Als es Zeit war, setzte ich mich in mein Auto und fuhr in aller Gemütsruhe nach Nettersheim, in eine Gemeinde, die mit viel Können und Nachdruck etwas aus ihrer Umgebung und Natur machte und mit sehr viel Arbeit und Mühe den Wiederaufbau der alten Dorfstruktur betrieb. Das Haus der Ana von Kolff war ein mindestens zweihundert Jahre alter Fachwerkbau, eine Schönheit.

Frau von Kolff öffnete die Tür, trat beiseite und sagte: »Kommen Sie einfach herein!«

Ich war verblüfft. Der Raum war sehr groß, unter der Decke lagen schwarze Balken über die ganze Raumbreite auf den Mauern, und das war sehr ungewöhnlich. Ich besah mir die Konstruktion.

»Ich merke, Sie haben Ahnung«, lachte sie. »Der Raum, in dem wir hier stehen, bildete früher die Tenne, wie man das in Niedersachsen nennt. Der Platz war ursprünglich gepflastert. Und auf dem wurde sogar gedroschen. Das war der einzige große Raum, in den man das frisch gemähte Gras unter Dach ziehen konnte. Für die Getreidegarben galt dasselbe. Die Wohnräume lagen rechts hinter der Wand. Sie waren winzig, und sie reichten niemals aus, wenn eine Frau acht Kinder bekam und die Großeltern auch noch lebten und Onkel und Tante noch Dauergäste waren. Man darf auch nicht vergessen, dass ursprünglich zwischen den Ställen und dem Wohnteil nur halbhohe Mauern gezogen waren. Dann konnte die Wärme der Ställe und Tiere für die Menschen genutzt werden. Dieser Raum hier lag zwischen den Rinderställen auf der linken Seite und den Ziegen- und Schweineställen auf der rechten. Und fragen Sie mich nicht, was das alles gekostet hat. Und ich will auch gleich zugeben, dass die Architekten mogeln mussten. Manche Mauer- und Deckenwerke waren so marode, dass wir sie durch Betonstreben ersetzen mussten. Aber die wurden natürlich versteckt.«

Ich sah mich weiter um und staunte nicht schlecht: In einer halbhohen Esse brannte ein offenes Holzfeuer. Es gab lange Haken, um Töpfe zu halten, und links und rechts waren Takenplatten in die Wand eingelassen.

»Das ist sehr schön«, sagte ich.

Ana von Kolff war eine große, schlanke Frau in Jeans, einem weißen Hemd und einem einfachen, beigefarbenen Pulli darüber. Sie hatte einen ungewöhnlich großen Mund, und ihr dunkles Haar fiel in weichen Wellen auf ihre Schultern. Sie mochte vierzig sein oder kurz darüber, sie war hager und lief auf schwarzen High Heels, für die man gewiss einen Waffenschein brauchte.

»Ich habe uns ein Feuer angemacht«, erklärte sie. »Es kann uns an Blue erinnern, er mochte das gern.« Sie stand vor einer schwarzen, alten Truhe mit einem langen, in das Holz geschnittenen Schriftzug. Es war der Anfang des Vaterunsers.

»Tee? Bier? Wasser? Etwas anderes?«

»Ein Wasser, bitte.«

Sie werkelte mit Flaschen und Gläsern und stellte einen kleinen Napf mit Nüssen vor mich hin. Wir saßen in zwei Sesseln, die mit grünem Samt bezogen waren. Ich blickte in das Feuer in der Esse, der Rauch stieg in einen riesigen Abzug, der wie ein umgedrehter Trichter aussah.

»Manchmal mache ich noch Gulasch auf dem Schätzchen«, sagte sie. »Mein Kaminkehrermeister sagte, dass er das so nicht mehr genehmigen dürfe. Aber wir haben argumentiert, dass früher so gekocht wurde. Nach langem Hin und Her wurde die Feuerstelle akzeptiert. Was trinke ich denn? Hm, ich nehme einen gestreckten Gin. Erzählen Sie mal, was machen Sie denn aus dieser scheußlichen Geschichte mit den Neonazis? Und noch etwas, ehe wir einsteigen: Ich heule immer noch, wenn ich an Blue denke. Sie müssen wissen, er war ein sehr sanfter, kluger Junge.«

»Ich weiß noch nicht, was ich daraus mache. Ich stehe am Anfang, und ich denke, diese Geschichte ist noch nicht zu Ende.«

»Ist es richtig, dass dieser pensionierte Kriminalist fast zu Tode geprügelt wurde?«

»Das ist richtig.«

»Wird er wieder gesund?«

»Das weiß wohl niemand«, wiegelte ich ab.

»Die Buschtrommeln sagen, dass auch Sie verprügelt wurden.«

»Stimmt. Aber sagen Sie: Wie kam Blue hier zu Ihnen?«

»Das war wohl mehr Zufall. Im Nachbarort war Kirmes, und da stand er neben mir und trank ein Bier. Wir kamen ins Gespräch, und er sagte mir, er sei aus Trier und wolle jetzt in die Eifel ziehen. Ich habe gefragt, was er denn hier wolle, und er sagte mir, er habe das Gefühl, dass ihm die Einsamkeit hier gut bekommt. ›Herzlich willkommen!‹, habe ich ihm gesagt. Ja, so fing das an.«

»Und wann saß er zum ersten Mal vor dem Feuer hier?«

»Ein paar Wochen später. Er hat von meinem Jour fixe erfahren und wollte fragen, ob er kommen könne. ›Na klar‹, habe ich gesagt, ›her damit!‹ Ich habe damals, das ist fast drei Jahre her, jeden Sonntagabend das Feuer hier angemacht. Dann wurden alle möglichen Sitzgeräte aufgebaut, alte Sofas, Stühle aus Plastik. Ich habe den Kaffee gestellt, das Wasser und das Bier. Ich habe keine Vorschriften gemacht und keine

Themen vorgeschlagen. Ich habe gesagt: ›Jeder, dem etwas auf der Seele brennt, kann hierher kommen und seine Probleme darstellen und diskutieren.‹ Das war schon irre, was da manchmal auf den Tisch kam.« Sie hatte beide Hände auf ihre Knie gelegt und lächelte. »Ich war damals schwer in Mode, müssen Sie wissen.«

»Und was für ein Problem stellte Blue zur Diskussion?«

»Das Leben im Nichts.« Sie machte eine lange Pause. »Also, er sagte, er habe sein Elternhaus in Trier verlassen, weil seine Eltern ganz verschrobene Leute seien. Kein Verständnis, grundsätzlich gegen alles, schrecklicher Einfluss der katholischen Kirche durch befreundete Priester. Er sei in die Eifel gegangen, weil er hier nicht so viele Menschen um sich herum habe, nach deren Nase er tanzen müsse. Aber: Er lebte im Nichts, kam damit nicht klar. Er hatte seine Wurzeln verloren und fand auch hier keine Heimat. Ein paar meiner Gäste warfen ihm vor, er sei doch wohl verrückt, ausgerechnet auf diesem Hof der Neonazis zu leben. Aber er sagte, das sei billig, da könne er die Übernachtungen und sein Essen abarbeiten und außerdem viel im Freien sein. Und er sagte, was viele sagten: So schlimm seien die doch gar nicht.« Sie schlürfte an ihrem Gin Fizz.

»Kam er regelmäßig?«

»Anfangs nicht, später schon.«

»War er in Sie verliebt?«

»War er. Aber ich habe ihm erklärt, dass das bei mir nicht läuft und dass ich nicht in ihn verliebt bin. Ich habe ihm auch gesagt, dass ich auf Frauen stehe. Dann kam er eine Weile nicht, aber schließlich tauchte er wieder auf.«

»War er ein kluger Junge?«

»Das war er, auf jeden Fall. Und er konnte gut argumentieren, er wurde in dieser Runde hier richtig beliebt.«

»Aber vermutlich begriff er langsam, was er sich mit dem Eulenhof eingehandelt hatte, nehme ich an.«

»Das musste er begreifen, ob er das wollte oder nicht. Es gibt da auf dem Hof diesen Chef, diesen Ulrich Hahn. Der hat ihm glatt verboten, in dieses Haus in Nettersheim zu kommen, vor dem Feuer zu sitzen und irgendwelche Fragen mit irgendwelchen Leuten zu diskutieren.« Sie wurde für Sekunden fahrig, bewegte ihre Hände schnell vor dem Körper, griff nach einer blauen Schachtel, nahm einen Zigarillo heraus und zündete ihn an.

»Und? Kam er nicht mehr?«

»Er kam nicht mehr. Er kam nie mehr am Sonntagabend. Dieser Ulrich Hahn hatte gesagt: ›Wir diskutieren niemals unsere Lebensform mit artfremdem Gesocks! Wir sind die Elite!‹ An diese beiden Sätze kann ich mich noch heute gut erinnern. Und ich fröstele, wenn ich daran denke.«

»Darf ich mir eine Pfeife stopfen?«

Es war verblüffend, wie schnell ihr Gesicht sich aufhellte. »Sie rauchen Pfeife? Das ist ja ein Wunder. Rauchen Sie, rauchen Sie, ich rieche das so gern.«

Ich holte ein ganz altes Schätzchen von *Danske Club* aus meiner Weste und stopfte sie. Sie war mindestens fünfundzwanzig Jahre alt.

Sie sah mich an und lächelte innig. »Ich habe mich immer gefreut, wenn mein Vater kam und sich eine Pfeife ansteckte. Das war wie zu Hause.«

»Wie hat Blue es geschafft, Sie trotzdem zu treffen?«

»Das war ganz einfach. Er hatte ja so einen uralten Opel. Der gehörte übrigens dem Eulenhof. Er verabredete sich mit mir zu einem Treffen. In Hillesheim zum Beispiel oder in Adenau oder in Euskirchen. Wir saßen dann irgendwo und tranken einen Kaffee, und er erzählte. Und was er erzählte, wurde immer wirrer.«

»Können Sie ein Beispiel nennen?« Ich zündete die Pfeife an und pustete mit einem Grinsen den Rauch in ihre Richtung.

»Im Sommer tankt der Eulenhof Kultur«, begann sie. »Oft gibt es Lesungen, meistens mit Hitler oder mit heutigen Autoren der rechten Szene. Sie laden einen willigen Schauspieler ein, und der liest am Abend beim Lagerfeuer der versammelten Gemeinde einen Passus aus *Mein Kampf* vor. Als Blue ausflippte, war es ein Text über das sogenannte Weltjudentum, über das der größte Feldherr aller Zeiten mit seinem schrecklichen Bildungsmangel lamentierend herfiel. Man muss sich vorstellen: Das Feuer prasselt, der Schauspieler liest, und alle sind sie ehrfurchtsvoll. Und am Ende sagt unser Blue laut in die Runde: ›Das ist der größte Schwachsinn, von dem ich je gehört habe!‹ Das war ein Eklat, alle waren entsetzt. Ein Mensch namens Veit Sowieso bittet Blue abseits und schlägt ihn dann systematisch zusammen. Blue liegt drei Tage und drei Nächte in einem elenden Zustand in seinem Zimmer, ärztliche Hilfe wird ihm verweigert. Dieser Veit hat ihm drei Vorderzähne ausgeschlagen. Er hat schwere Prellungen und ständige Schmerzen. Es gibt nur einen auf dem Hof, der ihm heimlich etwas zu essen und zu trinken bringt. Ein gewisser Gerhard Hahn, den nennen sie Wotan. Das ist ein jüngerer Bruder von Ulrich Hahn, dem Chef. Der hat Blue sogar zu einem Zahnarzt gefahren, weil ihm doch drei Zähne fehlten. Blue sagte immer, dieser Wotan sei der einzig Vernünftige in der Sippe, der rede nicht immer von der arischen Rasse und Juden raus und Ausländer raus und von Kümmeltürken, die nie etwas gelernt haben, und Kopftuchfickern. Als Blue hier anrief, konnte er immer noch nicht klar sprechen. Er nuschelte. Wir verabredeten uns in Daun, er kam an und sah aus wie ein Gespenst, wie ein Penner. Sie wollten ihn bestrafen. Und sie haben ihm gesagt, wenn das noch einmal passiert, würde er vom Hof gejagt und …«

»Oh ja, die Erpressung, die niemals funktioniert«, unterbrach ich.

»Wie meinen Sie das?« Sie war unsicher.

»Das ist sehr einfach zu erklären. Ulrich Hahn sagt dem Blue, er solle sich niemals mehr so schlecht benehmen. Wenn er das noch einmal tue, müsse er den Eulenhof verlassen. Aber diese Erpressung funktioniert nicht, weil die Neonazis es überhaupt nicht riskieren können, dass er den Hof verlässt und mit anderen Menschen darüber spricht. Da gibt es nur einen Ausweg …«

»Meinen Sie etwa den Ausweg, Blue zu töten?«

»Nein, das meine ich nicht. Ich meine, dass Ulrich Hahn sich freundschaftlich mit Blue zusammensetzt und ihm sagt, dass Blue mehr Verantwortung auf sich nehmen soll. Er soll also eine größere, eine wichtigere Rolle auf dem Hof übernehmen. Und anfangs klappt das auch, aber es geht unweigerlich schief, weil Blue immer der Typ sein würde, der böse Fragen stellt …«

»Komisch«, unterbrach sie mich und sah mir in die Augen. »Genau das ist auch passiert. Oder hat Ihnen ein anderer den Fall schon erzählt?«

»Ich habe Blue erschossen im Ahbachtal gefunden. Ich habe seine Eltern kennengelernt, und sie sind genauso schrecklich, wie Blue sie beschrieben hat. Aber Sie sind der erste Mensch, der Blue kannte und mit dem ich sprechen kann. Also, was hat Hahn ihm angeboten?«

»Er sollte sämtliche Nebenjobs auf dem Hof bündeln und kontrollieren, darüber Buch führen, die Gelder verwalten, planen. Das ging von Putzhilfen bis zum Schlosser, der neue Toiletten einbaut. Er sagte mir: Die können mich gar nicht mehr rausschmeißen. Und er redete immer von einem Stefan, mit dem er das alles besprach ...«

»Hatte der Stefan einen Nachnamen?«

»Den weiß ich nicht. Aber Stefan hatte Ahnung. Jedenfalls schilderte Blue ihn so.«

»Lebte dieser Stefan auf dem Eulenhof?«

»Nein. Blue traf ihn, mal hier, mal da.«

Ich dachte an Blues verschwundenen Rechner in seinem kleinen Appartement. »Wie hat er denn Buch geführt. Auf einem Computer?«

»Nein. In einem dicken, großen Buch, handschriftlich, extra für diese Zwecke. Sie hatten ihm den Computer weggenommen und gesagt, er müsse sich im Glauben an die Sache festigen, er dürfe nicht in Versuchung geführt werden, er müsse sich einfügen in die Gemeinschaft.«

»Es ist mir rätselhaft, warum er das auf sich nahm«, überlegte ich.

»Das ging mir genauso. Aber er sagte, dieser Stefan würde das schon richten, Stefan hätte Erfahrungen mit so was.«

»Haben Sie Erinnerungen an die zeitlichen Abstände? Blue muss vor drei Jahren in die Eifel gekommen sein. Wann tauchte er hier bei Ihnen an den Sonntagabenden auf, wann endete das? Wann fingen Sie an, sich irgendwo mit ihm zu treffen? Seit wann hatte er diesen Stefan erwähnt?«

Sie konzentrierte sich, sah in das Feuer, stand auf, trat ein paar Schritte nach vorn, legte zwei neue Holzscheite in die Flammen, kam zu ihrem Sessel zurück, trank einen Schluck und setzte sich wieder.

»Als er hier bei meinen Diskussionsabenden auftauchte, da liefen die schon ein halbes Jahr. Das müsste also zweieinhalb Jahre her sein. Es muss zwei Jahre her sein, dass er nicht mehr kam, weil es ihm verboten wurde. Dann herrschte Funkstille, mindestens ein halbes Jahr lang. Auf einmal rief er wieder an, und ich kann mich sehr genau an den Termin erinnern. Es war zwei Tage vor Weihnachten. Die Erinnerung ist deshalb so klar, weil ich meiner Mutter versprochen hatte, am Heiligen Abend zu Hause zu sein, und weil ich dann trotzdem absagen musste, da meine Lebensgefährtin krank wurde, sehr krank. Ich traf ihn dann im Januar, dieses erste Treffen war in Euskirchen.«

»Können Sie sich daran erinnern, wann er zum ersten Mal diesen Stefan erwähnte? Tut mir leid, dass ich so beharrlich nachfragen muss, aber Sie sind der einzige Mensch, der uns Klarheit bringen kann.«

»Ja, das betonte die Staatsanwältin auch. Ich denke, dass er das erste Mal diesen Stefan erwähnte, als er sich zum zweiten oder dritten Mal mit mir außerhalb traf. Das müsste vor etwas mehr als einem Jahr gewesen sein.«

»Und wann wurde ihm die Aufgabe übertragen, sich um die ganzen Nebenjobs auf dem Eulenhof zu kümmern?«

»Das müsste zur gleichen Zeit gewesen sein. Ja klar, ich kann mich daran erinnern, dass Stefan ihm geraten hat, den Job zu übernehmen.«

»Hat er erwähnt, warum Stefan das tat?«

»Blue antwortete, Stefan habe gesagt, er sei dann nicht mehr so eingeengt und hätte genügend Geld. Er müsse sich mit Handwerkern und allen möglichen Leuten außerhalb vom Eulenhof treffen. Er könne dann nicht mehr kontrolliert werden. Ja, Geld spielte bei Blue immer eine Rolle. Hauptsächlich das Geld, das er nicht hatte.«

»Können Sie sich an eine Bemerkung erinnern, in der er sagt, dass er mit dem Eulenhof nichts mehr zu tun hatte und nur noch dort wohnte?«

»Nein, das habe ich nie von ihm gehört.«

»Wissen Sie, was der Eulenhof ihm für seinen Job bezahlte?«

»Sechshundert pro Monat, Kost und Logis gratis.«

»Und wie bekam er das Geld?«

»Bar auf die Hand. Blue hatte, soweit ich weiß, nicht mal ein Bankkonto.«

»Wann hatten Sie den letzten Kontakt zu Blue?«

Sie musste nicht überlegen. »Drei Tage vor seinem Tod.«

»Wer rief wen an? Um was ging es dabei?«

»Er rief mich an. Er hatte sich verliebt und war vollkommen aus dem Häuschen.«

»In wen?«

»In die Frau von Ulrich Hahn, dem Chef.«

»Aha! Wie ist das denn passiert?«

»Hahn hat Blue aufgetragen, seiner Ehefrau ein Kuvert zu bringen, ein dickes Kuvert, mit viel Bargeld. Dabei ist das wohl passiert.«

»Kann es sein, dass Blue deswegen erschossen wurde?«

»Nein, nein, nein, Sie verstehen da etwas falsch. Diese Frau lebt nicht auf dem Eulenhof, sie lebt getrennt von ihrem Mann und will mit dem wohl nichts mehr zu tun haben. Sie lebt in Duisburg.«

»Was sagte Blue über diese Frau?«

Erst kicherte sie ganz hoch, dann ging das Kichern in ein schallendes Gelächter über, schließlich lachte sie Tränen und versuchte, sich zu beherrschen, was ihr gründlich misslang. Sie sagte zweimal: »Tschulligung, Tschulligung!«, bekam vorübergehend einen Schluckauf und trank dann ihren gestreckten Gin aus, um sich zu beruhigen.

Inzwischen lachte auch ich, wusste aber nicht weshalb.

Also warteten wir in höchster Erheiterung ab, bis sie erklärte: »Über diese Frau weiß ich nichts, Herr Baumeister, abgesehen von einer aberwitzigen Bemerkung Blues, der atemlos und in höchster Erregung hauchte: ›Ana! Das ist der zweifelsfrei steilste Schuss, den ich jemals getroffen habe. Und sie würde wahrscheinlich auch mit mir ins Bett gehen, nehme ich an. Und das Kind stört mich nicht weiter.‹« Ganz plötzlich veränderte sich ihr Gesicht, es bekam harte Ecken und Kanten. »Und dann schießt jemand meinem Traumtänzer ein paar Stunden später einfach in den Kopf.«

7. Kapitel

Es war schon gegen zehn Uhr am Abend, als ich an Heyroth vorbeifuhr. Kurz hinter dem Ort stoppte ich und wendete. Wenn noch Licht war, würde ich stören können. Das war die ungeschriebene Regel.

Es war Licht.

Emma öffnete mir die Tür und hatte ein völlig verheultes Gesicht. »Es ist alles Mist!«, sagte sie leise. »Komm herein.«

Tante Liene lag wieder in einem Berg von Kissen auf einem der Sessel und schnarchte leise vor sich hin. Sie sah aus wie eine Schildkröte. Am großen Tisch saß Tessa mit bleichem Gesicht und sah nach Überarbeitung aus. Ein Aschenbecher war voller Zigaretten- und Zigarilloreste. Die Luft war die einer gutgehenden Innenstadtkneipe um die Jahrhundertwende.

Ich ging zu Tessa, umarmte sie flüchtig von hinten und fragte: »Wie steht es um Rodenstock?«

»Nicht so gut«, antwortete Emma. »Er ist ein vollkommen verkabelter Mensch, und bisher haben sie nicht herausgefunden, ob sie ihn in die Wirklichkeit des Lebens zurückholen sollen oder nicht. Ich habe angestoßen, dass ein Fachmann für solche Fälle von der Kölner Uni kommt, um sein Votum abzugeben. Natürlich musste ich zusichern, dass ich das privat bezahle und vorab eine Bankgarantie über eine Summe von rund vierzehntausend Euro leiste. Aber niemand kann sagen, in welche Richtung sich sein Zustand bewegt. Er sieht aus wie ein schrecklich hilfloses, verprügeltes Kind. Sie sagen, dass er mindestens sechzehn Schläge mit einem Knüppel auf alle möglichen Stellen seines Körpers aushalten musste. Sie sagen, dass sein Kopf aus irgendeinem Grund nur wenige Schläge abgekriegt hat. Nur zwei wahrscheinlich. Das ist die einzige Hoffnung. Der Experte wird gegen Mittag mit einem Hubschrauber eingeflogen, ich kann mit ihm sprechen. Und da habe ich eine Bitte, Baumeister: Kannst du dabei sein?«

»Selbstverständlich«, sagte ich.

»Es ist nur, weil vier Ohren mehr hören als zwei«, setzte sie vollkommen überflüssig hinzu.

»Ich werde da sein«, wiederholte ich. »Du solltest auch nicht allein Auto fahren. Das ist im Augenblick zu riskant. Du hast auch noch die Strapazen der langen Reise in den Knochen, vergiss das bitte nicht.« Wahrscheinlich war das ein vollkommen lebensferner Rat, weil Emma immer dann besonders rasant und riskant fuhr, wenn sie unter Stress stand.

Eine Weile herrschte Schweigen.

Dann fragte Tessa: »Was hältst du von Ana von Kolff?«

»Sehr viel. Sie hat Kraft. Hast du herausgefunden, wer dieser unbekannte Stefan ist, von dem Blue so viel gesprochen hat? Sie wird dir davon erzählt haben.«

»Bisher nicht. Da das Gebiet Eulenhof ziemlich exakt auf der Grenze liegt, haben wir beim Verfassungsschutz beider Bundesländer, also Nordrhein-Westfalen und Rheinland-Pfalz offiziell angefragt, ob sie in der Eifel einen Agenten namens Stefan platziert haben. Sie sagen übereinstimmend nein.«

Tante Liene wurde vorübergehend wach und blinzelte in das Licht über dem Tisch. Sie machte einige Male den Mund auf und zu, fand sich aber schnell zurecht, und bemerkte: »Ahh!« Danach, weiterführend: »Huhh!« Und dann lächelte sie selig, als hätte sie einen schönen Traum gehabt.

»Are you hungry?«, fragte Emma.

Tante Liene nickte energisch.

Emma holte ein Schüsselchen mit einer ekelhaft aussehenden, grauen Pampe von der Arbeitsplatte und begann, die alte Frau zu füttern. »Banane hilft immer!«, betonte sie. Sie saß auf der Sessellehne und waltete gelassen ihres Amtes, Löffelchen für Löffelchen.

»Hat sie eigentlich irgendetwas wiedererkannt?«, fragte ich.

»Nichts«, antwortete Emma. »Nur einmal, auf der Autobahn im Thüringer Wald, bemerkte sie ganz aufgeregt, dass sie den Umriss eines Berges schon einmal gesehen hat. Aber das dauerte nur Sekunden, dann war es vorbei. Sie hat in Auschwitz und draußen in Buchenwald so sehr weinen müssen, dass sie einschlief. Aber sie ist merklich zufriedener geworden in den letzten Tagen. Ich denke, sie hat ihre Ruhe erreicht und kann jetzt loslassen. Ich habe in ihren Papieren gesehen, dass sie übermorgen Geburtstag hat. Sie wird vierundneunzig.«

»Spricht sie über Antisemitismus?«, fragte Tessa.

»Selten. Sie sagt, den gab es immer, aber sie sagt auch, das werden wir schon schaffen.«

»Das so ist«, krächzte die Greisin aus dem fernen Australien klar und unmissverständlich. Wir sahen ihren Augen an, dass sie wohl jedes Wort verstanden hatte und dass sie geradezu vergnügt war, in dieser Runde zu sitzen.

»Du bist ganz zufrieden, Tante Liene, oder?«, fragte ich.

»Ja«, sagte sie hellwach und lebhaft wie ein Kind.

»Magst du rauf ins Bett und ein bisschen schlafen?«, fragte Emma.

»Yep«, nickte sie.

Es wirkte ganz leicht, als Emma, die nun wirklich kein Kraftprotz war, Tante Liene auf den Arm nahm und die Treppe hinauftrug.

Bevor Tessa und ich in irgendeine Form des Austauschs finden konnten, meldete sich mein Handy, und der Bauer

Bodo Lippmann fluchte schnell und heftig: »Verdammt noch mal, ihr seid nie zu erreichen. Der alte Kriminalist nicht, du nicht, überhaupt keiner, keine Sau!«

»Man kann ein Handyklingeln auch mal überhören, und Rodenstock liegt im Krankenhaus. Beruhige dich. Was ist denn los?«

»Hier haben sie einen Mann ... also, sie haben den fertiggemacht.«

»Erzähl mir nichts von einem neuen Mord!«

»Wieso denn Mord? Ich meine, der lebt doch noch, jedenfalls zuletzt noch, was ich weiß, verdammt noch mal. Und ich sitze jetzt hier mit den Taschen und Koffern und dem Technikkram ...«

»Bodo, was ist denn los? Und langsam bitte.«

»Also, zu mir kam ein Mann, der stellte sich als Fotograf vor. Unsereiner kennt ja kaum Fotografen, und heutzutage hat ja jeder so ein Ding und drückt drauf und sagt: Ich bin ein Fotograf. Was weiß ich denn ... Also, er war so ... so ein Kumpel, und ich dachte, klar ...«

»Wo bist du jetzt, Bodo?«

»Wo soll ich schon sein? Bei mir bin ich.«

»Und wo ist der Mann?«

»Also im Hubschrauber, ab nach Bonn in die Uniklinik. Er hat mir eine Visitenkarte dagelassen, Guido Perl heißt er. Gleich nachdem die Polizei kam.«

»Wann ist das passiert?«

»Na ja, es wird so anderthalb Stunden her sein.«

»Wenn du bei dir in der Küche sitzt, dann komme ich jetzt mal.«

»Na, geht doch!«, bemerkte er triumphierend.

Ich wollte etwas zu Tessa sagen, bemerkte aber, dass sie ebenfalls telefonierte. Ich wartete, bis sie fertig war. Es gab ein paar Sekunden, ehe wir beide begriffen, dass uns die gleiche Nachricht erreicht hatte.

Ich fragte also: »Fotograf?«

»Fotograf«, nickte sie mit einem schnellen Lächeln. »Aber in Bonn in der Uniklinik.«

»Ich weiß, wo er war. Ist nur um die Ecke. Wir fahren dorthin, oder?«, fragte ich.

»Aber ja. Nur Emma muss wissen ...«

Emma kam die Treppe herunter, sah uns an und stellte fest: »Ihr seht aus wie Leute, die mal schnell weg müssen.«

»Wir sind bald zurück«, sagte Tessa.

* * *

Tessa sprang auf den Beifahrersitz. Eilig machten wir uns auf den Weg. Es ging schon auf Mitternacht zu. Nach den ersten Kilometern, die wir schweigend verbrachten, sagte sie: »Es wird immer atemloser. Die Frage ist, ob sich da etwas abspielt, das niemand mehr kontrollieren kann. Oder ob da so etwas abläuft, das vorher bedacht und von irgendwem geplant wurde.«

»Niemand wird von Planung reden. Niemand konnte vorher sagen, dass ich oder Rodenstock oder der Fotograf zufällig im Weg standen und deshalb verprügelt wurden. Ich bin der Meinung, dass nichts von dem geplant war, dass da etwas aus dem Ruder läuft. Ich bin sogar der Meinung, dass die Prügelopfer rein zufällig im Weg standen.«

»Und der Jäger aus Trier?«, fragte sie.

»Der könnte geplant gewesen sein, denke ich. Aber so genau wissen wir das nicht. Was wirst du tun?«

»Ich werde alle Fälle in Verhöre münden lassen, ich werde ihnen auf die Pelle rücken, ich werde nach Löchern in ihrer

Rüstung suchen, ich werde meine Leute ausschicken und sie nicht zur Ruhe kommen lassen.«

»Das ist eine Kriegserklärung«, stellte ich fest.

»Ihr Männer werdet immer so schnell martialisch. Sagen wir es wie beim Fußball: Ich mache ihre Räume eng. Wer ist der Mann, zu dem wir fahren?«

»Ein Bauer, einer mit Erfolg. Er mästet Kälber, die dann auf unseren Tellern landen, er hat ständig ein paar Hundert davon im Stall stehen. Es sind Ställe, in denen sich die Tiere ganz frei bewegen können, aus denen sie herauskommen und auf Wiesen gehen können. Moderne Viehhaltung. Und Bodo macht noch etwas anderes: Er hat einen Hofladen, in dem du das Fleisch und die Produkte kaufen kannst.«

»Wie der Betrieb in Loogh, der die Käserei betreibt? Der diese Gaststätte hat? Na, warte mal …«

»Du meinst die Gröners im Mühlenweg in Loogh.«

»So isses. Läuft das eigentlich?«

»Das läuft. Also könnten sich die Käufer das verfärbte Fleischstück im Billigladen sparen.«

»Sie könnten, aber sie tun es nicht. Bodo Lippmann jedenfalls ist nicht in Plastik verpackt, der ist echt.«

Ich fuhr schnell und bog in Bongard auf die Straße nach Kelberg ab.

»Rechts ist jetzt der Eulenhof«, erklärte ich, »links kommt gleich Lippmanns Hof.«

»Meine Leute waren bei ihm. Sie haben ihn wegen der Hitler-Lesung befragt. Das war nicht sonderlich ergiebig.«

»Du hast selbst gesagt, du machst ihre Räume eng. Also Geduld.«

Bodo Lippmann stand vor der Tür und sah blinzelnd in die Scheinwerfer. Er war fast zwei Meter groß und ein massiger

Mann mit einem breiten, runden Gesicht und den gutmütigen Augen eines vertrauensvollen Dackels.

»Mit euch hat man richtig Mühe«, stellte er fest. Dann drehte er sich um und ging vor uns her. Es ging in die Küche, die so groß war wie ein kleiner Tanzsaal, zu einem Tisch, an dem zwölf Leute essen konnten.

»Trinkt denn die Frau wenigstens einen Schnaps?«, fragte er, als sei jede Hoffnung verflogen.

»Sie trinkt einen«, sagte Tessa.

Bodo goss ihr einen soliden Obstler in ein Wasserglas und sagte: »Also, ich dachte schon, ihr seid alle in Urlaub. Und die Frau, wer ist die Frau?«

»Staatsanwältin«, sagte Tessa und legte eine Visitenkarte vor ihn hin.

»Das ist ja was Solides«, bemerkte Bodo.

»Na, Gott sei Dank«, kommentierte Tessa und konnte sich ein Grinsen kaum verkneifen.

»Ja, also dieser Perl. Ist ja wohl ein Kumpel. Versteht auch was von Bauern. Und kam hier auf den Hof gefahren … Ach so, das Auto steht hier auch noch rum. Könnt ihr das mitnehmen?«

»Ich lasse es abholen«, sicherte Tessa zu. »Gibt es Papiere zu dem Wagen?«

»Ja klar, habe ich alles gefunden. Und seine Lederjacke ist ja auch noch hier. Also, die Jacke, die er getragen hat, als er da hochging. Wollte ja von hinten an die Sache ran. Das habe ich ihm auch geraten. Besonders die Stelle, wo das kleine Quellgebiet ist und wo du mitten im Gras plötzlich bis zum Arsch im Wasser stehst, wenn du keine Ahnung hast.« Er trank einen Schluck Obstler, hob das Glas und sagte anschließend: »Prost.«

»Prost«, sagte Tessa. »Können wir mal von Anfang an hören, was hier abgelaufen ist? Ich meine, wie kam der Mann denn auf diesen Hof?«

»Ach so.« Bodo Lippmann nickte. »Also, es war so, dass Justens Karl anrief und sagte, er hätte da wen, der müsste mal einen Blick auf den Eulenhof werfen. Und fotografieren. Und ob der hier vorbeikommen könnte. ›Ja, klar‹, habe ich gesagt.«

»Wer ist Justens Karl?«, fragte Tessa.

»Also, Karl Justen ist ein Kollege, der in Wittlich sitzt und Tabak anbaut. Aber wie der jetzt an den Fotografen kommt, weiß ich nicht.«

»Ist auch nicht wichtig«, entschied ich. »Der Fotograf kam also hierher.«

»So isses«, nickte Bodo Lippmann.

»Was sagte der genau?«, fragte Tessa.

»Er sagte, er hätte einen Auftrag, den Eulenhof zu fotografieren und alle die Leute da, also nicht einfach die Gebäude, sondern besonders die Leute. Er könnte aber nicht einfach zu denen gehen und sie fotografieren. Weil, wenn die seinen Namen wüssten, dann wären sie damit nicht einverstanden. Weil, er hätte einen schlechten Ruf.«

»Irgendetwas klingelt bei mir«, murmelte ich. »Ich weiß etwas und komme nicht drauf. Aber macht mal weiter.«

»Also, ich frage, ›weshalb denn schlechter Ruf?‹ Und er sagt, er mache oft so verdeckte Operationen. Da kann sich unsereiner ja nichts drunter vorstellen. Und er sagt: ›Leute fotografieren, ohne dass die es merken.‹ ›Da musst du aber schnell sein, Junge‹, sage ich so. Und er lächelt und sagt: ›Das weiß ich schon.‹ Dann schleppt er alles aus seinem Auto rein. Hier in die Küche. Junge, denke ich, da kann man ja einen Laden mit aufmachen. Und er sagt auch noch, er macht Aufnahmen hier bei mir, und er schenkt mir die Fotos. Also, aus Dankbarkeit. Da ...« Er wies auf zwei große Fotokoffer und drei Taschen, die in der Ecke des Raums standen.

Ich ging hin und öffnete sie. Ich sah nur kurz hinein, der Befund war eindeutig: »Das sind Profigeräte«, sagte ich. »Das dürfte an die Hunderttausend kosten. Restlichtverstärker. Sechs Geräte mit Motor von Nikon bis Leica, alles da. Bodo, mach mal weiter.«

»Er nimmt eine Kamera und macht ein langes Rohr dran, also ein langes Objektiv, und sagt: ›Das wird reichen.‹ Er sagt, er geht erst einmal von hinten ran, nur sehen, was da läuft, und ob er Plätze findet, von denen aus er Fotos machen kann. Ich beschreibe ihm das alles genau, und er hört mir auch gut zu. Er sagt, er geht nur gucken. Dann ist er los, strikt zur Straße, dann hoch in den Wald.«

»Wie viel Uhr war es da?«, fragte Tessa.

»So gegen acht Uhr«, antwortete Bodo. »Er sagte noch, er hätte noch fast zwei Stunden genügend Licht.«

»Ich weiß es jetzt«, sagte ich. »Guido Perl ist ein Ass im Gewerbe. Er hat bei der letzten Ausschreibung des *World Press Photo Award* teilgenommen. Und er hat gewonnen. Mit einer Fotoreportage über extrem arme Menschen in Somalia, über ihre Ängste und Hoffnungen. Sagenhafte Aufnahmen in Schwarz-Weiß, sagenhafte Gesichter.«

»Genau das fehlt mir noch«, sagte Tessa leise. »Große Aufmerksamkeit.«

»Hat er gesagt, für wen er diese Aufnahmen machen soll?«, fragte ich.

»Hat er nicht. Er hat gesagt, für ein Magazin. Er sprach immer nur von einem Magazin. Unsereiner hat da ja keinen Durchblick. Also, als er da raufging, war es so gegen acht.«

»Das ist jetzt wichtig, Herr Lippmann«, sagte Tessa etwas zittrig. »Wie genau lief das ab? Wann haben Sie Herrn Perl wiedergesehen? Wie sah er da aus? Da ist jetzt jede Kleinigkeit wichtig. Also, er trug eine Lederjacke und hatte einen

Fotoapparat bei sich. Stimmt das so? Bitte warten Sie kurz ...«
Sie stand plötzlich auf, holte ihr Handy heraus, ging von dem
Tisch weg, rief jemanden an und sagte: »Ich kann es euch
nicht ersparen, ihr müsst noch mal raus. Jetzt. Zu einem Bauern namens Bodo Lippmann in Bongard.« Sie gab die Adresse durch, kam zurück an den Tisch. »Wann genau haben Sie
Guido Perl wiedergesehen? Er ging um acht Uhr da hoch, um
hinter den Eulenhof zu kommen. Was passierte dann?«

»Erst mal passierte gar nichts«, antwortete Bodo Lippmann.
»Wir haben hier gegessen, ganz normal. Ich habe mit meinem
älteren Sohn Matheaufgaben gemacht und meine Frau mit
dem Kleinen englische Vokabeln. Um neun Uhr herum habe
ich gedacht: Wo bleibt der Kerl? Aber, es passierte ja nichts.
Aber wenn man weiß, wie schnell die mit Gewalt bei der Hand
sind, dann weiß man ja ungefähr, wann es brenzlig wird. Um
halb zehn dachte ich: Ich geh mal da rauf. Nicht dass ihm was
passiert ist. Ungefähr zwanzig Minuten später sehe ich ihn da
oben aus dem Wald kommen. Aber er kam ja nicht, also er
ging nicht normal, er taumelte, es sah so aus, als wäre er
schwer besoffen. Dann fiel er hin. Er breitete die Arme aus und
fiel nach vorne, also auf sein Gesicht. Dann bin ich gerannt.«

»War er bewusstlos?«, fragte ich.

»Der war durch«, erzählte Bodo Lippmann weiter. »Weißes
Gesicht, Augen zu. Kriegte nur schwer Luft. Also, ich habe
ihn erst mal auf den Rücken gedreht. Dann war da unten an
seinem Kinn so was großes Weißes. Er hatte jede Menge Blut
im Gesicht, aber diese Stelle da war richtig weiß. Es war sein
Unterkiefer. Ich bin richtig erschrocken, der Mann war richtig kaputt. Ich hab dann telefoniert. Krankenwagen, Notarzt,
Polizei. Ich habe mich neben ihn gesetzt und habe ihm das
Blut aus dem Gesicht gewischt. Hatte aber keinen Zweck,
kam immer neues nach. Ich habe mit dem geredet. Dann kam

auch meine Frau gerannt, und dann die Kinder. Ich habe gesagt: ›Seht euch das genau an! Niemals Gewalt gegen Menschen, niemals so was!‹ Ach, ich war richtig durch den Wind.« Wahrscheinlich war ihm dergleichen noch nie im Leben passiert, er saß da und hatte Tränen im Gesicht. »Es war einfach furchtbar.«

Nach einer langen Pause sagte Tessa: »Ich danke Ihnen sehr. Da kommen gleich zwei Leute von der Mordkommission. Denen müssen Sie das leider noch einmal erzählen, tut mir leid. Hatte er denn Papiere bei sich?«

»Ja, klar. Der Notarzt hat die aus der Lederjacke gezogen … Ausweis und Presseausweis und so. Als der Hubschrauber losflog, haben die Leute die Papiere mitgenommen. Ich meine, das war ja richtig, dass die einen Hubschrauber geholt haben. Das war ja wohl was für Spezialisten. Haben wir ja nicht in der Eifel. Er hat mehrere Spritzen gekriegt, eine Infusion und dann ab nach Bonn. Muss ja schnell gehen so was.«

»Sind denn Leute aus dem Eulenhof gekommen, um zuzusehen?«

»Nein«, er schüttelte den Kopf. »Die wissen ja wohl, was sie angerichtet haben, die müssen ja nicht extra gucken.«

»Haben Sie nicht Angst vor denen?«, fragte Tessa.

»Doch«, nickte er. »Habe ich. Ich will die hier am liebsten weg haben.«

»Ich danke dir sehr«, sagte ich und hatte das beschämende Gefühl, dass das wie eine hohle Phrase klang und dass im Grunde nichts für seinen Mut übrigblieb außer der verstörenden Gewissheit einer unbegreiflichen Orgie von Gewalt.

Er sah mich an und brummte: »Ist doch wahr, da muss man doch dagegen sein.« Und dann war da wieder der alte Bodo Lippmann, der einfach nur grinste und beinahe genüsslich hinzusetzte: »Wir schaffen dat schon, Jung.«

»Irgendwas auf dem Eulenhof ist schiefgelaufen«, sagte Tessa im Wagen, sie wirkte sehr erschöpft. »Die werden niemals so dumm sein, sich so zu exponieren. Die haben auch bei Guido Perl riskiert, dass er stirbt. Irgendetwas läuft da aus dem Ruder.«

»Was wirst du tun?«

»Streng nach Vorschrift. Ich werde sie in Trier antanzen lassen. Einzeln. Da muss ich meine besten Leute dransetzen.«

Emma hatte uns eine Botschaft auf dem Tisch liegen lassen. *Ich bin im Krankenhaus, ich kann sowieso nicht schlafen. E.*

»Sie hockt jetzt auf einem verlassenen, schlecht beleuchteten Flur«, sagte Tessa.

»Dann möchte ich etwas zu uns beiden sagen.« Ich setzte mich auf einen Stuhl. »Ich weiß, dass das eine idiotische Bemerkung war. Ich weiß auch, dass ich zuweilen so tief in die Reportagen eintauche, dass ich mir nicht bewusst bin, mit wem ich gerade spreche. Ich denke, dass ich manchmal sogar vergesse, um welche Einzelheit es geht. Das ist eine saudumme Angewohnheit, und ich kann nicht einmal versprechen, dass ich das sofort abstellen kann. Ich wollte nur sagen, dass du mir sehr, sehr wichtig bist, dass ich dich nicht anstänkern wollte, dass ich keine Ahnung von Staatsanwälten habe und schon gar keine Ahnung von deinem Job. Ich möchte dich bitten, unsere Geschichte noch einmal und sehr vorsichtig anzufangen.«

Sie setzte sich, starrte irgendwohin und sagte: »Der Schnaps von Bodo war nicht gut, ich habe Sodbrennen.«

»Da steht irgendwo ein Hennessy«, sagte ich und deutete auf eine Truhe. »Willst du einen?«

»Einen Schluck«, sagte sie und stand auf. »Ach, Quatsch!«, äußerte sie schroff. »Ich brauche jetzt ein Glas Milch.« Sie ging an den Kühlschrank, goss sich Milch ein und trank etwas davon. »Zurück auf Anfang«, entschied sie sehr sachlich wie eine Buchhalterin. »Das ist zwar nicht möglich, aber wir können ja so tun, als ob. Streit zwischen uns ist auch nicht gut. Meine Kinder wollen dein Haus sehen, Baumeister.«

»Dann pack sie ins Auto und komm in die Eifel. Und jetzt fahren wir zu mir und gehen ins Bett.«

»Du tust das. Ich bleibe hier bei Tante Liene.«

»Ich habe es gewusst«, sagte ich. »Die Liebesgeschichten von heute sind auch nicht mehr das, was sie mal waren.«

Wir küssten uns, aber ganz vorsichtig.

Ich trollte mich, ich fuhr heim. Dann sprach ich mit der Unfallklinik in Bonn. Sie sagten mir, Guido Perl sei ziemlich schlimm dran, aber er sei nicht in Lebensgefahr.

Ich brauchte eine halbe Stunde, bis ich Hansemanns private Telefonnummer in Hamburg gefunden hatte. Es gab eine stehende Regel im Umgang mit den Leuten aus der Redaktion: Privat wird nur angerufen, wenn es unumgänglich ist, wenn die Story zu kippen droht, wenn es ans Sterben geht, wenn man von der Polizei gesucht wird, das Buschfieber hat oder die Mafia unbedingt eine Leiche braucht.

Ich rief Hansemann privat an.

Er hörte gar nicht auf, sich zu räuspern.

»Ich bin es, der aus der Eifel.«

»Ich schlage dich tot.«

»Du hast mir Guido Perl auf den Hals geschickt, ohne mich vorher zu benachrichtigen.«

»Ich hätte dich schon noch angerufen«, bemerkte er wütend.

»Jetzt hast du ihn aber in einer Unfallklinik in Bonn liegen.«

»Red keinen Scheiß, Mann.«

»Nein, nein, das ist leider kein Scherz. Die Neonazis haben ihn halbtot geschlagen. Hat er eine Frau? Hat er Kinder?«

»Er hat beides. Mal im Ernst, so schlimm?«

»Viel schlimmer. Ich habe die Telefonnummer der Klinik für dich. Und ich habe alle seine Sachen und sein Leihauto. Seine Frau kann mich jederzeit anrufen. Und noch etwas, damit sie uns nicht aus den Latschen kippt: Guido schwebt nicht in Lebensgefahr.«

Etwa eine Stunde später rief Guido Perls Frau an. Ich beruhigte sie, soweit das möglich war.

Nachdem sie aufgehört hatte zu schniefen, sagte sie leise und bissig: »Dieser Mann steckt dauernd irgendwo auf der Welt, immer da, wo es dreckig ist und stinkt und die Leute reihenweise umkommen. Und ausgerechnet hier bei uns wird er verprügelt. Wo ist das denn eigentlich, die Eifel?«

8. Kapitel

Um vier lag ich im Bett. Um sechs Uhr schlief ich noch immer nicht richtig, also gab ich auf und ließ einen Kaffee durchlaufen. Ich dachte ununterbrochen an Rodenstock.

Um sieben Uhr rief Tessa an und fragte mich, ob ich auch so müde sei. Ich bejahte.

»Meine Leute haben etwas ausgegraben, lese ich gerade«, sagte sie. »Blue war einige Male mit dem jüngeren Bruder von Ulrich Hahn in Tschechien.«

»Wann war das?«

»Daran arbeiten wir noch. Die Aussagen stimmen nicht überein. Sechsmal sagt der eine, viermal der andere. Könnte das irgendetwas bedeuten?«

»Kann ich mir nicht vorstellen. Warum sollen junge Leute nicht nach Tschechien fahren? Aber wir wissen ja auch noch nicht viel. Wir kennen die einzelnen Leute und ihre Funktion auf dem Eulenhof noch gar nicht.«

»Ja, ja«, murmelte sie leise. »Bis sie uns dann mit der nächsten Schweinerei konfrontieren.«

»Geduld«, mahnte ich noch einmal, aber überzeugend fand ich meinen Einwand nicht.

Tessa seufzte und kündigte an: »Nach dem Frühstück werde ich wieder nach Trier fahren, vorläufig, es gibt genug in die Wege zu leiten. Ich melde mich wieder bei dir …«

Es regnete leicht, ich saß auf der Terrasse und versuchte, meine Beziehung zu Rodenstock zu ergründen. Was bedeutete er eigentlich für mich? Er war alles Mögliche, er war umfassend: der Vater, den ich nie gehabt hatte; ein Kumpel, nach dem ich mein ganzes Leben lang Ausschau gehalten hatte; ein väterlicher Freund, der mir manchmal mit einem süffisanten Lächeln beim Leben zuschaute, der ziemlich dreckig grinste, wenn eine Überlegung schräg war, wenn ich auf die Nase fiel. Eine feste Größe in meinem kleinen Leben? Ja, das ganz sicher. Jemand, den ich liebte? Mit Sicherheit. Am meisten liebte ich seine unaufdringliche Nähe. Sie war so etwas wie ein wärmender Umhang, in dem ich niemals fror. Er war mit seiner Gelassenheit auch der Mensch, der mein Leben entschleunigte, der behutsam darauf aufmerksam machte, dass Vollgas kein guter Zustand war. Schon jetzt wurde mir eng, wenn ich mir nur vorstellte, dass es ihm dreckig ging, und ich keinen Einfluss darauf hatte. Ich war zum Nichtstun verurteilt, ich musste warten.

Und was sollte ich mit dem tun, der ihn so grausam verprügelt hatte? Rückfall in meine katholischen Zeiten? Liebe deinen Nächsten? Großmütiger Verzicht auf Rache? War das akzeptabel? War es eindeutig nicht. Veit der Feiste, oder wer immer es getan hatte, musste mit allem Bösen rechnen. Gleichzeitig fürchtete ich diese Gefühle, und ich hatte sie oft bekämpft. Ich empfand das Prinzip Rache als primitiv. Es war ganz eindeutig, wie ich fand: Ich hatte eine leise Furcht, in diesem Fall zu versagen, einfach zu kapitulieren, wenn Rodenstock nicht dabei war. Also war Abhängigkeit im Spiel. Ich hatte mich einfach an den Zustand gewöhnt, dass er immer da war, dass ich ihn immer fragen konnte. Das zu begreifen, war ziemlich ernüchternd, aber auch wunderbar. Zuletzt rettete ich mich in eine dürftige, kleine Erkenntnis: Was immer geschah, wenn es Rodenstock nicht mehr gab, würde mein Leben sehr mager sein, irgendwie halb, irgendwie unvollständig.

Ich fuhr hinüber nach Heyroth, und als es an der Zeit war, fuhren Emma und ich weiter nach Daun ins Krankenhaus.

Sie war blass und schweigsam und sprach kein Wort. Sie trug Grau – einen grauen Rock, eine graue Bluse, eine graue, kurze Jacke, schwarze Ballerinas.

Sie wirkte fahrig, erzählte ein paar Dinge von der Reise nach Krakau, erzählte von Tante Liene und Auschwitz, sie sprach unzusammenhängend. Immer wieder kam sie auf Rodenstock und seinen Zustand zu sprechen. Es gab nichts Neues.

»Was ist das für ein Fall?«, fragte sie dann.

»Ein ziemlich mieser«, antwortete ich. »Neonazis. Du willst ständig wegucken, weil es dir peinlich ist. Dauernd herrscht Gewalt.«

»Vielleicht ist Gewalt manchmal nötig«, sagte sie unbestimmt.

Der Mann, von dem wir Aufklärung und Hoffnung erwarteten, war klein, schmal und drahtig und saß uns in einem kleinen Schwesternzimmer gegenüber auf einem harten, sicherlich unbequemen Stuhl. Er war zur konsiliarischen Untersuchung aus Köln hergekommen, daher trug er keinen weißen Arztkittel, sondern einen grauen Anzug, der so aussah, als hätte er ihn von einem Kumpel geliehen, und auch das Hemd, das er ohne Krawatte trug, schien ihm nicht richtig zu passen.

»Ich weiß, Sie lieben diesen Mann wahrscheinlich, ich weiß also auch, dass ich Sie schonen müsste. Aber das ist ein Irrtum. Der Mann hat nach meiner Erfahrung immer noch Glück gehabt. Warum das so ist, weiß ich nicht genau. Wir kennen diese Fälle bei Autofahrern, die plötzlich und ungebremst in ein anderes Fahrzeug krachen. Nach meiner Erfahrung haben die, die auf ihn einschlugen, selbst dann nicht damit aufgehört, als er längst besinnungslos war. Die Quetschungen und Prellungen bilden sich nur langsam zurück, er ist schließlich ein betagter Mann. Da ist etwas mit seiner Verdauung. Ich habe den Verdacht, dass er einen Riss an der Milz erlitten hat. Eine Milzruptur ist gewöhnlich kein großes Unglück, muss aber behandelt werden. Ich würde vorschlagen, ihm die Milz zu entfernen. Das habe ich auch den Kollegen hier vor Ort geraten. Das kann man minimalinvasiv erledigen, das ist kein großer Eingriff. Dann besteht in derartigen Fällen immer die Frage, wann man ihn aus dem Koma herausholt. Nach meiner Erfahrung sollte man das bald tun. Also schon morgen im Laufe des Tages und sehr, sehr langsam. Es gibt keine Rezepte, es gibt nur ärztliche Regeln. Im Rahmen dieser Regeln ist unsere Zuständigkeit gefragt. Ich würde ihn aufwecken und schauen, wie er reagiert. Es kommt durchaus vor, dass solche Patienten gar nicht aufwachen wollen.« Er schickte uns ein kleines Lächeln herüber. »Ich habe gelesen, er war Kriminaloberrat. Arbeitet er denn noch?«

»Oh nein«, antwortete Emma. »Aber er kann so schwer zugucken, er muss immer etwas tun. Sagen wir so: Langeweile hat er keine. Macht es eigentlich einen Unterschied, ob er gut gelaunt durchs Leben geht oder Kreuzworträtsel löst?«

Er lachte unterdrückt. »Sehr gut gefragt. Wir haben die Erfahrung gemacht, dass Patienten, die allgemein positiv gestimmt sind und dem Leben ein Lächeln schenken, immer die sind, die am schnellsten eine Krise überwinden. Der Geist hilft dem Körper. Ist Ihr Mann jemand, der lächelt?«

»Oh ja«, antworteten wir beide gleichzeitig.

Wir lachten zusammen, alle drei.

Er fragte: »Weiß man denn, wer ihn so grausam geschlagen hat?«

»Nicht genau«, antwortete ich. »Aber es könnten Neonazis gewesen sein. Das ist eine Vermutung, die nahe liegt, aber wir müssen vorsichtig sein, weil wir nicht sicher sein können. Noch nicht.«

Er blickte auf den Fußboden vor seinen Schuhen. »Das ist eine hässliche Erscheinung, das sollte man ächten. Entschuldigen Sie, ich muss weiter, ich muss zurück an meinen Schreibtisch.«

Emma bekam die Erlaubnis, eine kleine Weile zu Rodenstock auf die Intensivstation zu gehen, und ich setzte mich abseits und las in einer alten, zerfledderten Illustrierten. Ich wollte Rodenstock in diesem hilflosen Zustand nicht sehen. Vielleicht war ich auch feige. Nach einer Weile jedenfalls nahm ich den Lift ins Erdgeschoss und gesellte mich zu denen, die rauchten und dabei missmutig blinzelten und sich wahrscheinlich wehmütig fragten, wie sie in dieser traurigen Welt an ein Bier kommen könnten. Kein Bier in Daun, furchtbar. Das war so trist, dass ich mir noch nicht einmal eine Pfeife stopfte.

Emma kam, sagte nichts, wir stapften zu meinem Auto und fuhren heim nach Heyroth. Wir tranken einen Kaffee, wir hatten uns nichts mitzuteilen, weil jeder an seinem Kummer nagte.

Sie stammelte irgendwann: »Also, ich weiß nicht recht, so ohne ihn ...«

»Er kommt ja wieder«, sagte ich.

Es folgte ein sehr langes Schweigen, sie sagte nichts mehr. Also fuhr ich heim.

* * *

Auf meinem Anrufbeantworter war Hansemann aus der Redaktion in Hamburg und bat um Rückruf.

Ich rief ihn also an, und er sagte übergangslos: »Das Rätsel ist geklärt.«

»Was meinst du damit?«

»Wir wissen, wer Guido Perl zusammengeschlagen hat.« Er machte eine eindrucksvolle Pause. »Also, ich habe mit Guido gesprochen und seine Aussage ist eindeutig: Es waren Kinder.«

»Kinder? Also, nimm es mir nicht übel, daran habe ich meine Zweifel.«

»Er sagte, es waren Kinder. Und sie hatten Knüppel in den Händen. Er sagt, sie waren plötzlich da und schlugen zu.«

»Weiß er auch, woher sie kamen? Aus dem Eulenhof? Oder spielten sie nur einfach Indianer und waren rein zufällig in dem Wald hinter dem Hof?«

»Er hat noch starke Schmerzen, er kann nicht gut reden. Kannst du dich mal darum kümmern?«

»Moment, Moment. Wie viele Kinder waren es denn?«

»Er sagt, drei oder vier. Er weiß es nicht genau, es ging so schnell. Kümmerst du dich darum?«

»Ich versuche es.«

Also Ulrich Hahn anrufen. Warum nicht? Es war dort passiert, also sollte er etwas dazu sagen können. Er würde ausweichen, natürlich. Er würde höflich jede Wahrheit verschleiern, und wahrscheinlich würde er sogar scheinheilig nach der Wunde in meinem Gesicht fragen. Dann fiel mir auf, woher ich die Information mit den Kindern hatte. Nicht von der Polizei, nicht von der Staatsanwaltschaft, sondern aus einer privaten Quelle.

Ich rief Tessa an.

»Da gibt es etwas Neues. Das solltest du wissen. Die Redaktion in Hamburg hat mit dem verletzten Guido Perl in der Klinik in Bonn gesprochen. Er hat gesagt, es seien Kinder gewesen, drei oder vier. Er ist ganz eindeutig, er sagt: Kinder.«

Sie schwieg sehr lange. Dann wurde sie unvermittelt ein wenig hektisch: »Das könnte der Fehler sein, auf den wir gewartet haben. Ich melde mich wieder. Und noch etwas:

Frag nicht nach, rühr nicht dran, halte dich von den Leuten fern. Du weißt es einfach nicht.«

»Langsam, bitte. Ich bin ein Journalist, der etwas weiß. Du kannst mir nicht verbieten …«

»Baumeister«, brüllte sie hoch und wütend. »Ich bitte dich nur, eine Weile lang nichts zu tun. Das kann sich nur um Stunden handeln, nicht um Tage. Herrgott nochmal!« Sie unterbrach die Verbindung.

Eine enge persönliche Bindung an eine Staatsanwältin konnte sehr kompliziert sein und sehr heftig. Das sah nicht nach einer soliden Zukunft für mich aus. Aber ich wusste ja, wie ernst und persönlich Tessa diesen Fall nahm, und wie wichtig er für sie war. Also konnte ich die Sache etwas langsamer angehen.

Ich spürte, dass ich sehr müde war und Hunger hatte. Es wurde mir bewusst, dass ich eine Nacht lang kaum geschlafen hatte. Also legte ich zwei Scheiben gekochten Schinken unter drei Spiegeleier. Ich wusste, dass das keinesfalls eine konstruktive Mahlzeit für einen ernährungsbewussten Single mit Hang zum Übergewicht war, zumal ich sie mit Butter verfeinerte. Aber immerhin verputzte ich gut die Hälfte der sehr bäuerlichen Angelegenheit, bevor ich eine Pause auf meinem Sofa einlegte und einschlief.

Als ich aufwachte, war es drei Uhr nachts. Der Rest der Spiegeleier mit dem Schinken sah eindeutig scheußlich aus. Wie oft in meinem Leben hatte ich das schon erlebt? Zehnmal? Zwanzigmal? Ich hatte ehrlich gestanden von diesen Szenarien die Nase voll: Es ist mitten in der Nacht, der Raum ist kalt, du frierst, kein Mensch ist da, und du wirst auch keinen antreffen in diesem ganzen Haus. Du fühlst dich dem Penner verbunden, der morgens im Eingangsbereich eines LIDL erwacht und nicht recht weiß, was er jetzt tun soll.

Außer auf den Menschen zu warten, der ihm einen Euro schenkt, damit das Leben weitergehen kann.

Ich wusste aus Erfahrung, dass ich unter diesen Umständen auf keinen Fall versuchen sollte weiterzuschlafen. Das war mir noch nie gelungen. Ich tat das, was der brave Mann tut: Ich stellte mich unter die lauwarme Dusche. Wenig später saß ich am Schreibtisch und versuchte, so etwas wie eine Bewohnerliste des Eulenhofs anzulegen.

Da war der Chef Ulrich Hahn, dann gab es eine Exfrau in Duisburg, deren Namen ich nicht kannte. Dann Veit Glaubrecht, der mich zusammengeschlagen hatte. Und Blue, der erschossen worden war. Außerdem ein jüngerer Bruder von Ulrich Hahn mit dem Namen Gerhard Wotan Hahn. Dann der Junge, der den katholischen Priester in Gerolstein angebrüllt hatte: Oliver Ebing, siebzehn Jahre.

Das war ein ausgesprochen mageres Ergebnis, wenn ich davon ausging, dass neunzehn Bewohner des Hofs dort ihren ersten Wohnsitz hatten. Weitere vierzehn Bewohner hatten dort ihren zweiten Wohnsitz gemeldet, und über die wussten wir so gut wie nichts, außer dass der Jäger Alfons »Alfie« Marburg aus Trier angeschossen worden war. Tessa hatte einen Schönheitschirurgen mit dem Scherznamen Mollimacher erwähnt, aber ich hatte vergessen, wie er hieß, was nicht gerade für mein Gedächtnis sprach.

Mein Telefon meldete sich so plötzlich, dass ich zusammenzuckte. Der Anrufbeantworter sprang an, Tessa sagte: »Guten Morgen. Entschuldige mein Benehmen, ich bin zurzeit etwas dünnhäutig. Ich muss versuchen, mit dem unklaren Begriff *Kinder* etwas zu unternehmen. Ich werde gegen acht Uhr am Morgen mit dem Kreisjugendamt in den Eulenhof einfallen. Wir haben einige Fragen. Von dem Ergebnis wirst du erfahren. Ich melde mich.«

»Du solltest wenigstens ein paar Stunden schlafen«, sagte ich in die nächtliche Stille. »Aber das ist auf jeden Fall eine gute Idee.«

Ich war das leere Haus leid, ich wollte Bach, ich legte mir eine CD ein. Die Brandenburgischen Konzerte. Damit wurde mein Haus erträglicher, endlich sprach jemand laut und deutlich mit mir: Johann Sebastian, der zu Lebzeiten als Organist und Improvisator weit mehr geschätzt wurde denn als Komponist. Unglaublich, dass er nach seinem Tod für einhundert Jahre in Vergessenheit geriet, ehe die Menschen sich wieder auf ihn besannen. Ich hörte die CD bis zum Ende und wurde ruhig.

Ein Auto kam langsam die Dorfstraße heruntergerollt. Emma. Es war jetzt fast fünf Uhr. Ich ging hinunter und öffnete ihr die Haustür.

»Nur eine Weile«, sagte sie und ging an mir vorbei ins Wohnzimmer.

»Ich habe einen Kaffee, wenn du magst.«

»Ich komme schon klar, danke. Nur eine Weile. Ich verschwinde dann wieder. Lass dich nicht stören. Vielleicht ein Schluck Wasser.«

Ich öffnete eine Wasserflasche und goss ihr ein. Ich stellte das Glas auf den Tisch vor dem Sofa. »Willst du ein bisschen Bach? Leise, damit irgendetwas da ist.«

»Ja, das geht, das ist vielleicht gut. Danke.« Sie fummelte an einer Schachtel mit ihren holländischen Zigarillos herum. »Rodenstock sagt immer, die Dinger stinken, sie versauen einem den Tag. Sagt er immer.«

»Er hat recht«, murmelte ich und holte ihr einen Aschenbecher. »Die Dinger stinken wirklich.«

»Es ist so eine Angewohnheit«, stellte sie fest. »Ich habe kein Feuer.«

»Da liegt ein Feuerzeug, da, neben der Zeitung.«

»Wieso bist du denn schon auf? Oder hattest du dich gar nicht erst hingelegt?«

»Ich kann nicht schlafen, ich denke dauernd an deinen Mann. Aber das weißt du doch.«

Sie zündete sich den Zigarillo an und paffte heftig.

Ich schob die CD in die Anlage und stellte sie leise auf zwei Lautsprecher ein, sodass Bach wie ein weit entferntes Orchester klang.

»Nur eine Weile«, sagte sie noch einmal.

Ich ging hinauf in mein Arbeitszimmer und bewachte sie, damit nichts sie stören konnte. Als ich etwa eine Stunde später nach ihr schaute, schlief sie tief und fest, sie sah blass und erschöpft aus. Sie wurde nicht einmal wach, als ich die Musik abstellte.

Ich fuhr nach Heyroth, um nach Tante Liene zu sehen. Die schlief in dem großen Gästebett und wirkte zufrieden wie ein Kind. Ich schälte eine Banane, schnitt sie in Scheiben und legte die auf einen kleinen Teller. Den stellte ich neben sie auf ein kleines Tischchen, sodass sie nur danach greifen musste. Ich wusste nicht, ob sie in der Lage war, die Banane zu sehen. Und ich wusste auch nicht, ob sie danach greifen konnte. Aber das verbuchte ich unter »mögliche, leichte Irrtümer« und hoffte, dass sie die Banane vielleicht roch. Ich fuhr wieder heim nach Brück. Emma schlief immer noch, wirkte aber nicht mehr so angespannt.

Ich setzte mich ins Büro und erledigte den privaten Kram, den ich immer vor mir herschob: Rechnungen bezahlen, säumige Kunden mahnen, längst fällige Briefe schreiben, irgendjemandem mitteilen, dass ich noch lebe. Das dauerte eine gute Weile. Ein alter Kumpel aus fernen Tagen hatte mir geschrieben, dass er die alte Klasse noch einmal zusammenrufen wollte, um zu sehen, was aus den »mittlerweile alten

Jugendlichen« geworden sei. *Stell dir vor, eine Erinnerung an das alte Abi, an das kein Mensch mehr denkt.* Ich sagte ihm ab, ich schrieb ihm, ich hätte aktuell dringend und viel zu arbeiten, also keine Zeit.

Von unten kam ein leises Klacken, die Haustür wurde zugezogen. Dann ließ Emma ihr Auto an und verschwand in Richtung Heyroth.

Es schien ein heller Tag zu werden, einer mit viel Sonne.

* * *

Um zehn Uhr rief mich Kischkewitz an, der Leiter der Mordkommission. Er sagte: »Hör zu, du alter Trapper und Fallensteller, wir vermissen einen Mann. Es ist ein gewisser Doktor Richard Voigt, dreiundvierzig Jahre alt, Chirurg von Beruf. Der Mann ist seit rund vierzehn Stunden verschwunden. Er ging gegen Abend in den Wald, bewaffnet mit einer Walther PPK und einer Langwaffe. Ein Jäger also. Er hat eine Bleibe auf dem Eulenhof. Die Leute auf dem Hof sind natürlich ängstlich, weil schon einer von ihnen angeschossen wurde, wie wir alle wissen. Hast du irgendeine Idee dazu?«

»Das ist also dieser Schönheitschirurg, der den Spitznamen Mollimacher trägt. Nein, ich habe so recht keine Idee dazu. Der muss doch Lieblingsplätze haben, an denen er zu jagen pflegt.«

»Alles schon abgesucht. Die Leute vom Eulenhof rennen wie verrückt durch den Wald, bisher ohne Ergebnis. Ich habe zwei Streifenwagen, nicht mehr. Sie fahren die Wirtschaftswege ab und schon mal in einen Waldweg – so weit es eben geht. Bisher kein Ergebnis. Na ja, das war nur so eine Frage.«

»Nicht auflegen, Kischkewitz, nicht so schnell. Hatte denn die Staatsanwältin heute Morgen einen erfolgreichen Auftritt?«

Er lachte. »Das war wirklich eine gute Idee. Taucht da mit dem Jugendamt auf und legt zwei Anzeigen wegen massiver körperlicher Gewalteinwirkung durch Kinder beziehungsweise Jugendliche auf den Tisch. Natürlich auch die Inkaufnahme des Todes beider Überfallener. Die sind im Dreieck gesprungen. Die haben natürlich gesagt, es müsse sich um ein Versehen handeln, denn die dortigen Kinder gingen auf das Gymnasium in Daun und seien kreuzbrav. Und natürlich seien sie einverstanden, die Kinder von erfahrenen Psychologen befragen zu lassen. Das soll morgen Nachmittag laufen.«

»Wie viele sind es denn?«

»Nur drei, die infrage kommen, alle anderen sind entschieden zu jung. Zwei Jungen im Alter von siebzehn, ein Mädchen, das sechzehn Jahre alt ist. Tessa hat gesagt, die Erwachsenen, mit denen sie auf dem Eulenhof gesprochen hat, seien eindeutig geschockt gewesen. Sie hat ihnen angedroht, die Kinder sofort aus dem fragwürdigen Schutz des Elternhauses zu nehmen, wenn sich irgendetwas Kriminelles herausstellt. Tessa hat mir gesagt, dass dieser Angriff aus einer Richtung kam, die niemand auf dem Eulenhof vermutete.«

»Wenn der Vermisste gefunden wird, kannst du mir dann Bescheid geben lassen? Holger Patt wird das sicher gern machen.«

»Okay, versprochen«, sagte er. »Gibt es etwas Neues von Rodenstock?«

»Bisher nicht.«

»Ich würde dem, der das gemacht hat, sehr gerne die … Na ja, du weißt schon.«

»Ja, natürlich weiß ich«, gab ich zurück und beendete das Telefonat.

* * *

133

Es dauerte nicht lange. Das war zu erwarten gewesen, wenn so viele Leute, wie Kischkewitz gesagte hatte, den Wald durchsuchten. Holger Patt rief um 10.30 Uhr an und dozierte vollkommen sachlich: »Wir sollten uns treffen, junger Mann. Wir haben einen Toten auf einer Bank sitzen. An der Heyerkapelle zwischen Bongard und Nohn.«

»Ist es der Mollimacher?«

»Er hat dergleichen nicht bei sich«, murmelte Patt ohne jede Ironie.

Wieso Heyerkapelle? Das war ein weithin bekannter Ort, nichts daran war abgelegen oder einsam. Jedermann kannte das, die Eifeler ebenso wie die Touristen. Ein Kirchlein mitten im Wald, ein Fleckchen mit wilder Geschichte. Es war die Geschichte verfeindeter Bauern und verfeindeter Priester, die um Pfennige und Zuständigkeiten stritten. Eine Kapelle mit eigenem aufwendig restaurierten Kreuzweg rund um den Bau, errichtet für einen großen Gutsbetrieb, von dem kein Stein mehr übrig war.

Ich griff meinen Fotokoffer und machte mich auf den Weg nach Bongard und weiter nach Nohn. Ich hatte keine Ahnung, was mich erwartete, aber im Grunde schien mir die Sache klar: Der Mollimacher hatte einen Spaziergang in den Wald gemacht und war damit unserem Heckenschützen aufgefallen. Der hatte irgendwo im Reich der Bäume auf ihn gewartet und abgedrückt.

Tatsächlich aber war dann alles ein wenig anders, ein wenig grausamer, schockartig.

Kurz hinter Bongard führte die Straße nach Nohn rechts in den Wald. Da gab es Beschilderungen, man konnte es nicht verfehlen. Nach fünfzig Metern ging es sofort nach links auf die Heyerkapelle zu. Es war ein merkwürdiger Ort, wenn man wusste, dass hier früher Felder waren und Korn angebaut wurde.

Es herrschte ein reger Betrieb. Uniformierte Polizei mit Streifenwagen, Kriminalpolizei mit mehreren Fahrzeugen, der uralte, kackbraune Mercedes von Kischkewitz, der Labor- und Technikwagen der Mordkommission. Zwei Sendefahrzeuge des Fernsehens, einer von der *ARD*, der zweite von *RTL*. Das Fahrzeug eines Bestatters.

Kurz vor der Heyerkapelle hatten sie ein Plastikband quer über den Weg gespannt, ein Uniformierter stand davor und musterte alle Anwesenden so feindselig, als wäre er bereit, sich zu prügeln. Ich konnte die Bank, auf der der Tote saß, zwar schon sehen, aber Einzelheiten waren nicht auszumachen.

Dann gab es ein jähes, heftiges Geschrei. Ein Mann brüllte laut und aufgeregt: »Sie Arschloch!« Eindeutig Kischkewitz.

Ein kleiner Mann, ein Junge noch, der eine dieser winzigen Handkameras trug, kam zwar sehr schuldbewusst quer durch den Tatort marschiert, grinste uns aber frohgemut zu. Er zeigte eine aufgeregte Siegermiene und hatte wahrscheinlich Aufnahmen im Kasten, die nicht zu toppen waren.

»Herrgott!«, brüllte Kischkewitz wütend. »Und keine Störung mehr!« Dann setzte er noch einen drauf: »Falls ich Kameras in diesem Bereich hier sehe, werden die zerstört. Niemand kommt hier von hinten! Und jetzt wollen wir arbeiten.«

Eine Kollegin, die die *dpa* in Trier vertrat, sah mich und kam zu mir.

»Kann ich eine Aufnahme von dem Toten auf der Bank haben?«, fragte sie mich.

»Kannst du, wenn ich eine habe.«

»Aber du gehst doch durch, oder?«

»Wahrscheinlich«, nickte ich. Ich rief Holger Patt an und sagte: »Ich bin hier.«

»Komm durch«, war die knappe Antwort.

Ich grinste also dem Uniformierten zu und marschierte an ihm vorbei. Nichts in seinem Gesicht regte sich.

Kischkewitz sah mich und murmelte: »Das hier ist ein Quiz, Junge. Und du kriegst einen Orden, wenn du das löst.«

Der Tote auf der Bank hatte kein Gesicht mehr. Vor seinem Bauch lag ein weißes DIN-A4-Blatt mit großen, schwarzen Buchstaben darauf. Dort stand: *Schöne Grüße!*

Fritz Dengen fotografierte den Leichnam mit der ihm eigenen Gründlichkeit. Er hob nur kurz den Kopf und lächelte schmal. »Schöne Sauerei.«

Patt kniete vor dem Toten, rutschte mehrmals hin und her, verschob seine Position nur um zehn oder zwanzig Zentimeter und hatte in der rechten Hand eine sehr große Pinzette, mit der er an der Kleidung des Toten herumzupfte. Wie üblich sprach er beruhigend mit sich selbst, war aber nicht zu verstehen.

Kischkewitz saß merkwürdigerweise auf einem Segeltuchschemel und machte einen sehr abgehobenen Eindruck, als wäre er gar nicht vorhanden.

Ich nahm meine Kamera und fotografierte den Toten von allen Seiten, sodass ich auch die Kapelle im Hintergrund auf ihrem kleinen Hügel mit drauf hatte.

»Ich habe mehrere große Waldameisen«, sagte Patt zu Kischkewitz. »Die sind wahrscheinlich auf ihn gekrochen, als er umgefallen ist.«

»Wie viele Ameisen?«, fragte Kischkewitz.

»Bisher elf. Aber wir können ihn nicht abtransportieren, bevor ich nicht den Rücken abgesucht habe. Geht aber schnell.«

»Was sagt der Doktor?«

»Der sagt, was wir schon wissen. Er wurde auf keinen Fall hier erschossen.«

»Dann nehmen wir ihn runter, legen ihn auf eine Unterlage, und du guckst dir den Rücken an.«

»Das wäre gut«, antwortete Holger Patt und nickte. Dann ging er wieder zu dem Toten.

Zwei Techniker breiteten eine fast weiße, segeltuchähnliche Plane vor dem Toten aus. Dann hoben sie ihn von der Bank und legten ihn auf die Plane. Er lag nicht ganz flach, aber das störte offensichtlich nicht.

Der Arzt kniete sich neben den Toten, Patt ebenfalls. Der Arzt nickte mehrere Male, Patt hielt in der linken Hand eine kleine Plastiktüte, in die er mit der Pinzette von Zeit zu Zeit etwas hineinfallen ließ. Kischkewitz thronte auf seiner Segeltuchfläche und wirkte eigenartig desinteressiert.

Patt sagte: »Ich wäre dann soweit.«

»Der Tote kann abtransportiert werden«, entschied Kischkewitz daraufhin.

Es gab schnelle Bewegungen, Männer und Frauen eilten hin und her, das Plastikband der Absperrung verschwand, die Leute mit den Fernsehkameras und die Leute, die über den Fund schreiben würden, stürzten nach vorne, als wäre ein Damm gebrochen.

»Das ist alles sehr merkwürdig«, sagte Patt und starrte auf ein fernes Ziel. »Ich sage dir, alter Mann, die wunderlichen Dinge nehmen kein Ende.«

»Was hast du denn an seiner Kleidung gefunden?«, fragte ich.

Er sah durch mich hindurch. Patt träumte. »Ameisen«, sagte er dann. »Die großen, roten Ameisen. Die gibt es ja nicht so häufig, hier an diesem Platz zum Beispiel nicht. Er ist also an einem Ort erschossen worden, an dem es rote Waldameisen gibt. Ein Förster wird mir das hoffentlich sagen können.«

»Wieso ist sein Gesicht weg?«

»Der Schweinehund!«, sagte er heftig. »Aber das ist nicht so wichtig. Waldmeister ist wichtig.«

»Waldmeister?«, fragte ich.

»Ja, Waldmeister. Die Pflanze, die sie immer in dieser Plörre versenken, die angeblich gut und erfrischend schmeckt. Ich kann nur sagen, ich trinke dieses Zeugs nie, es ist langweilig und dürftig und fantasielos und erfreut nur alte Jungfrauen. Sie nennen es Bowle, sie sollten es Limo nennen.« Er sah mich an und grinste flüchtig. »Ich will damit sagen, ich habe Teile dieses Krauts auf seiner Kleidung gefunden. Er ist hingeschlagen, wo es große, rote Waldameisen und Waldmeister gibt. Also, wenn du mich fragst, kann das nur in einem Buchenbestand mit viel Licht am Boden passiert sein. Und dicht dabei muss Nadelwald sein, denn Ameisen brauchen die Nadeln beim Bau.«

»Was ist mit seinem Gesicht? Waren es mehrere Schüsse?«

»Nein. Nur einer. Ich würde mal sagen: Hochgeschwindigkeitsmunition. Das hatten wir schon einmal. Der Schuss traf ihn oberhalb des Genicks zwischen den Halswirbeln und riss ihm das Gesicht weg. Das kann aber nur passiert sein, weil der Schütze die Kugel irgendwie angefeilt hat. Sie zerbirst dann beim Aufprall und reißt alles weg. Deshalb hat er kein Gesicht mehr.«

»Woher hat er diese Munition?«

»Die kannst du kaufen, sie ist ja nicht verboten oder geächtet. Die Bundeswehr benutzt die. In Afghanistan. Die Soldaten beschweren sich, weil die keine Mannstopp-Wirkung hat. Es ist die 5,56 x 45 Nato. Die zivile Ausführung ist erhältlich als 223 Winchester. Aber wenn so ein Schwein die Kugel anfeilt, dann hast du keine Chance.«

Er ging ein paar unruhige Schritte nach links, dann nach rechts und hielt sein Kinn mit der rechten Hand fest. »Wir lösen das Problem nicht, verdammt noch mal. Wie konnte das passieren? Das ist doch richtig hirnrissig.«

»Was macht dir denn so zu schaffen?«, fragte ich.

»Ausgerechnet du fragst mich das? Ausgerechnet du? Wie kam dieser Tote hierher? Diesen Punkt hier an der Kirche haben die Suchtrupps heute Nacht und heute Morgen x-mal angelaufen, die Uniformierten waren die Nacht über mindestens zehnmal hier. Das war sogar ein Treffpunkt. Sie haben abgesprochen, in welche Richtung sie suchen, sie sind von hier aus losgegangen. Hier war nichts, gar nichts, verstehst du? Und plötzlich sitzt der tote Mann hier auf der Bank, ausgeblutet und ohne Gesicht. Am helllichten Tag.« Holger Patt war richtig wütend.

»Das muss man aber doch abklären können«, sagte ich. »Wann ist denn der Alarmruf bei euch angekommen?«

»Weiß ich nicht«, erklärte er schroff. »Aber die Uhrzeit ist doch egal. Der Mörder muss auf jeden Fall Nerven wie Stahlseile haben.«

»Ich gehe mal fragen«, sagte ich.

Kischkewitz wurde umlagert von den Presseleuten und antwortete geduldig und gelassen auf ihre Fragen, soweit es überhaupt Antworten gab.

Eine Frau fragte mit einer gehörigen Portion Ironie: »Die Jäger auf dem Eulenhof scheinen aber mit einem merkwürdigen Sinn für Realitäten zu leben. Hier ist schon einer von ihnen beinahe erschossen worden. Wie kann denn dieser Doktor Richard Voigt so naiv sein und einfach in den Wald gehen? Haben Sie denn diese Leute nicht gewarnt?«

Kischkewitz antwortete: »Alle Waldarbeiter, alle Förster, alle Waldbesitzer, alle Jäger sind natürlich informiert worden. Wir haben vor einem Heckenschützen gewarnt und darauf hingewiesen, dass niemand in dieser Gegend in die Wälder gehen soll. Auch alle Touristik-Leute sind angehalten worden, Wanderer und Spaziergänger zu warnen.«

Ein junger Mann fragte schnell und scharf: »Dieser Eulenhof beherbergt ein ganzes Rudel Neonazis, wird behauptet. Liegt es nicht nahe, dass jemand diesen Jäger erschossen hat, weil er vom Eulenhof kam? Es gibt doch Leute, die Neonazis hassen, oder?«

»Ein guter Einwand«, antwortete Kischkewitz und nickte bedächtig. »Aber ob dieser erschossene Jäger eine Nähe zu derartigen Leuten hatte, wissen wir noch nicht. Sie werden eine Antwort bekommen, wenn dieser Punkt abgeklärt ist.«

Dieselbe Frau, die zuvor so provokativ gefragt hatte, sagte nun mit einer gehörigen Portion Sarkasmus: »Der erste angeschossene Jäger sollte ja wohl auch getötet werden, wenn mich nicht alles täuscht. Warum ist denn dieser Tote überhaupt in den Wald gegangen? Wie kann jemand so gnadenlos dämlich sein?«

»Wieder eine berechtigte Frage«, gab Kischkewitz zurück. »Vielleicht wollte Doktor Richard Voigt jemanden treffen? Wir wissen es nicht.«

Wieder der junge Mann: »Ich möchte eine Antwort auf die Frage, wie viele der Bewohner des Eulenhofs denn eindeutig rechts außen sind? Wenn dort abendliche Lesungen aus dem Buch *Mein Kampf* von Herrn Hitler stattfinden, dann scheint es sich doch um eine Art Hauptquartier zu handeln.«

»Das kann ich Ihnen nicht beantworten. Zumindest im Moment noch nicht«, antwortete Kischkewitz.

Der Pulk der Presseleute löste sich auf, Kischkewitz erhob sich und stand einen Moment ganz ruhig.

»Wann hast du den Notruf empfangen?«, fragte ich.

»Um 10.11 Uhr«, antwortete er.

»Wer war es denn?«

»Jemand, der aus Hillesheim kam, ein Wanderer. Er fuhr hier mit seinem Auto her und sah den Toten. Er rief sofort Polizei und Rettungswagen an. Erst danach erlitt er einen Schock. Er musste vom Notarzt behandelt werden, weil er keine Luft mehr bekam.«

»Woher kommt er?«

»Aus Köln. Er ist siebzig Jahre alt, ehemaliger Lehrer. Wir haben ihn sicherheitshalber ins Krankenhaus bringen lassen und dann seine Frau verständigt.«

»Glaubst du, dass der Mörder den Toten hierher brachte?«

»Ich weiß es nicht, Junge. Der Tote ist schmächtig, kein großes Gewicht. Der, der schoss, kann ihn hierher gebracht haben. Vielleicht waren es aber auch zwei Leute. Wir werden wahrscheinlich Mikrospuren an der Leiche finden, die Antworten auf diese Fragen geben. Falls er in einem Auto transportiert wurde, dann muss das jede Menge Spuren hinterlassen haben. Es steht für mich aber fest, dass der Täter mit großer Gelassenheit und Ruhe vorging. Und das haben wir ja nicht so gerne.« Er schüttelte den Kopf und schwieg einen Augenblick. Dann fragte er: »Wie geht es Emma?«

»Beschissen«, antwortete ich.

Der Audi von Tessa rollte über den Waldweg heran. Ich verabschiedete mich von Kischkewitz und ging zu ihr hinüber.

»Schön, dich zu sehen«, sagte ich, als sie aus ihrem Wagen stieg. »Nicht schön, was dich hier erwartet. Ich bin daheim.«

»Ich werde mich daran erinnern«, antwortete sie mit einem Lächeln.

9. Kapitel

Wieder zu Hause rief ich Hansemann in der Redaktion in Hamburg an, um ihn zu informieren, dass wir einen zweiten Erschossenen hatten.

»Im Westen nichts Neues«, reagierte er mit einem alten Romantitel, der vor Urzeiten um die Welt gegangen war. »Wir lassen Guido Perl aus der Klinik in Bonn nach Hamburg fliegen. Das sind wir dem alten Kämpfer schuldig. Und es geht ihm besser. Er hat nur noch ein paar Schrauben im Gesicht, was sein Aussehen aber erheblich verbessert. Und du gibst mir Bescheid, wenn du den Fall beschreiben kannst.«

»Alles klar. Bis demnächst.«

Die Eifel war von einem Tief mit einem sanften Mädchennamen überzogen worden, das scharfe Winde vom Atlantik herbrachte. Im Süden über der Mosel türmten sich Wolken auf, wahrscheinlich würde es gegen Abend gewittern.

Ich weiß nicht, wann der Besuch an diesem Mittag vor der Tür stand, ich weiß nur, dass er mich überraschte.

Die Frau war ebenso breit wie hoch. Sie lächelte etwas scheu und sagte: »Mein Name ist Tilly Hahn. Wäre es wohl möglich, dass ich Sie einen Moment sprechen kann?«

»Selbstverständlich«, sagte ich und machte ihr Platz.

Sie war vielleicht eins sechzig groß. Sie trug ihr langes Haar in einem wilden, ganz hellen Blond, und sie hatte ihr Gesicht stark und schlecht geschminkt. Besonders die Arbeit mit einem Kajal um ihre Augen herum war misslungen – wahrscheinlich hatte sie wenig Übung darin. Das Gesicht war fleischig, sehr rosig, sie hatte mindestens vier ausgeprägte

Kinne. Ihre Augen jedoch waren hellgrau und strahlten viel Vergnügen aus. Sie wirkte wie eine Frau, die das Leben mochte und das auch zeigen wollte.

»Nehmen Sie Platz, wo immer Sie wollen. Vielleicht auf dem Sofa da. Was halten Sie von einem Kaffee?«

»Das wäre schön«, sagte sie und strahlte. Sie ließ sich mit einem leisen Ächzen auf mein Sofa fallen und sah sich aufmerksam um. Sie trug ein weißes T-Shirt und einen leichten, weißen Pullover. Darunter einen blauen Rock mit weißen Blumen. An den Füßen hatte sie Turnschuhe mit Klettverschlüssen, weil es wohl schwierig war, sich so tief zu bücken.

»Darf man hier rauchen?«, fragte sie sachlich.

»Das dürfen Sie. Ich setze mal einen Kaffee auf. Wollen Sie auch einen Schnaps dazu?«

»Das wäre doch mal eine Ansage«, erwiderte sie trocken. Der erste tiefe Zug an ihrer Zigarette gab ihr offensichtlich Befriedigung.

Ich goss ihr einen ordentlichen Birnengeist vom Stefan Treis an der Mosel ein. »Ich selbst trinke keinen Alkohol«, erklärte ich. »Prost!«

»Prost«, sagte sie und goss die zwei guten Schlucke hinunter.

»Der Kaffee läuft durch. Was kann ich für Sie tun?«

»Also, ich wollte mal über meine Enkel sprechen.«

»Sie sind die Mutter vom Ulrich Hahn auf dem Eulenhof, nicht wahr?«

»So isses«, nickte sie.

»Und wer sind Ihre Enkel?«

Sie zeigte ganz plötzlich Misstrauen: »Sie nehmen das doch nicht auf? Ich meine, alles, was ich hier sage?«

»Das wäre unfair«, sagte ich. »Das tue ich nicht. Und wenn ich das tue, sage ich Bescheid.«

Sie trug an jedem Finger beider Hände goldene Ringe. Sogar an beiden Daumen. Das funkelte enorm.

»Nun«, begann sie, »ich bin schwer sauer. Also, dazu muss man was sagen. Da war ja so eine Dame bei uns, die ist was bei der Staatsanwaltschaft, ist ja wohl aus Trier. Ein Flintenweib, wie wir früher gesagt hätten. Schreit nicht rum, ist ganz ruhig und sagt ganz leise Sachen, die einfach nicht stimmen, die einfach gelogen sind. Die Leute lügen sich was zusammen, wenn es um den Eulenhof geht. Na jedenfalls, die Frau tauchte heute Morgen auf und hat uns gesagt, es würden zwei Anzeigen bei ihr vorliegen. Angeblich hätten Kinder von uns irgendwelche Leute verprügelt. Einen alten Mann, und dann einen Fotografen, der saumäßig von hinten angeschlichen kam und Leute bei uns fotografiert hat. Und da bin ich hierhergekommen, um zu sagen, dass das eine schweinemäßige Behauptung ist und nicht stimmt. Wir haben solche Kinder einfach nicht. Die werden bei uns gut erzogen, die sind nicht vorlaut, die wissen, was sich gehört, die fragen mich immer vorher, ob was geht oder nicht.«

»Und diese Kinder sind Ihre Enkel?«

»Nicht in der Abstammung, aber ich bin auf dem Hof die Oma, und jeder fragt mich, ob etwas gut ist oder schlecht. Ich bin die Oma für alle, das ist einfach so. Also, ganz normal. Sagt jeder.«

»Ich muss mal eben den Kaffee holen, aber ich habe die Frage, weshalb Sie denn zu mir kommen?«

»Das ist doch ganz einfach«, antwortete sie. »Sie schreiben für die Eifel, oder?«

»Das stimmt, das tue ich.« Ich ging in die Küche und holte den Kaffee. Dann goss ich uns ein und setzte mich wieder. »Sie sind also die Oma für den ganzen Eulenhof, das habe ich jetzt kapiert. Und wer sind diese Enkel, um die es geht?«

»Nun, das sind die Zwillinge, und dann die Meike. Die Zwillinge sind die Söhne von Ebings, und die Meike kommt von Meiers. Die Zwillinge sind siebzehn, Oliver und Hannes heißen die. Die Meike ist sechzehn und ist sehr gut erzogen, also tipptopp. Trägt immer Röcke und weiße Blusen. Und die sind alle sauber erzogen, da lege ich meine Hand für ins Feuer. Die machen niemals so was mit Gewalt. Und schon gar nicht gegen Fremde.«

»Wer sind denn Fremde, Frau Hahn?«

»Nun, alle, die man nicht so kennt, auch Leute, mit denen wir nichts zu tun haben, sage ich mal. Und auch die, die nicht aus der Eifel kommen, sondern aus dem Ausland, und die auch hier mit den Leuten nichts am Hut haben.«

Mach es langsam, Baumeister, schleich dich ran, riet ich mir selbst und sagte: »Sie erinnern mich an meine Heimat. Ich komme auch aus dem Pott.«

»Darum kann ich ja auch Klartext reden. Ich höre schon, wenn einer aus der alten Heimat ist.« Sie lächelte für Sekunden und entspannte sich leicht.

Ich sah die großen, dunklen Flecken unter ihren Achseln. Sie schwitzte intensiv, und sie roch auch so. Alles an ihr sah nach einem einsamen Weg aus, alles an ihr deutete darauf hin, dass sie eine Mission im Kopf hatte. Aber diese entscheidende Frage durfte ich nicht stellen.

»Ich bin neulich bei euch gewesen und traf auf Ihren Sohn Ulrich und diesen Veit Glaubrecht. Ich wollte nur ein paar Auskünfte als Journalist. Und Glaubrecht schlug mich ohne Vorwarnung, er traf mich mitten im Gesicht. Mit einem Schlagring. Sie können das noch gut sehen. Was soll diese Gewalt?«

»Also, das ist Politik, das dürfen Sie mich nicht fragen. Ich bin ja auch nicht so, ich will diese Prügeleien nicht, aber sie sagen eben: ›Es geht manchmal nicht ohne.‹ Es würde ja manchmal auch nicht ohne Krieg gehen, sagen sie.«

»Das ist doch Blödsinn!«, sagte ich heftig.

Sie nickte ganz bedächtig. »Das sehe ich auch so. Nun, ich will mal sagen, die menschliche Gemeinschaft sollte so was nicht brauchen. Das sagte mein Udo auch immer.«

»Ihr Mann, nicht wahr?« Ich wusste, von wem sie sprach. Bodo Lippmann hatte mir von der Familie Hahn aus dem Ruhrgebiet erzählt. Udo Hahn, der Vater von Ulrich Hahn, hatte eine Passion für Rennautos gehabt. Und für Alkohol. »Er starb bei einem Unfall, habe ich gehört.«

»Ja, damals, als alles noch in Ordnung war. Er hatte ein Quad. Bremsleitung reißt, er donnert gegen eine Mauer. Ich wollte nicht mehr leben.«

»Wollen Sie noch ein Schnäpschen?«, fragte ich.

»Kann nicht schaden«, nickte sie und schniefte sehr stark, sie kämpfte mit den Tränen. Ihre Welt war kaputtgegangen und ließ sich wohl nicht mehr reparieren.

»Wie alt sind Sie, wenn ich fragen darf?«

»Kurz über die Sechzig«, antwortete sie.

»Warum hatte Ihr Mann sich damals für die Eifel entschieden?«

»Nun, das war, als bei uns da oben im Pott alles in die Binsen ging. Zechen zu, Stahlwerke liefen fast ohne Männer, alles mit Computern und so. Er hat dann gesagt: ›Das Einzige, was ich kann, sind Maschinen.‹ Und er war ja dauernd auf dem Nürburgring. Da hat er gesagt: ›Da kann ich was tun. Gute Maschinen in guten Autos.‹ Aber das lief nicht, da hat er sich verschätzt. Außerdem waren hier am Ring ein paar Kfz-Leute, die keinen mehr ins Geschäft ließen. So kam das dann alles.« Sie trank den Schnaps, schloss die Augen und spürte ihm mit Genuss nach.

»Aber da war Ihr Sohn, der Ulrich. Der ist ja wohl ein ganz anderer Typ. Eher einer, der höflich und zurückhaltend ist. Wie alt ist er denn?« Ich dachte: Gott erhalte mir meine Fähigkeit, gut zu lügen!

»Dreiunddreißig ist er jetzt. Also, der ist wirklich ganz anders. Hat ja keiner angenommen, konnte ja keiner wissen. Aber der Hagen Weidemann hat immer schon gesagt: ›Der Junge ist gut, ganz hell in der Birne, den muss man fördern.‹ Aber ich bin ja hier, um das mit meinen Enkeln auf die Reihe zu kriegen.«

»Wer ist denn Hagen Weidemann?«

»Also, der hat auf dem Hof das beste Appartement. Schon ewig, von Anfang an. Ist irgendwo vom Niederrhein, von der Kante Wesel weg. Ist Jäger, klar, weil die sind ja alle Jäger bei uns. Also der Hagen hat wirklich was los, und der hat gesagt, Ulrich bräuchte Menatoren, oder wie das heißt. Und der Richard Voigt sagte das auch immer. Aber der ist ja nun nicht mehr. Seit heute. Ist ja schade. War immer ein lustiger Kerl, der Mann.«

»Wer kann denn den Voigt erschossen haben?«

»Das darfste mich nicht fragen. Keine Ahnung.«

»Verstehe ich das richtig? Hagen Weidemann und Richard Voigt haben den Ulrich gesponsort. Wie sah das denn aus?«

»Nun, die haben gesagt, er muss sich umtun, muss auf eine Universität gehen, muss Geschichte studieren. Dann kann er mitreden. Ja, das Abitur hat er nachgeholt, er war ja richtig ehrgeizig. So ist es ja auch passiert. Mein Ulrich hat es wirklich geschafft. Ist ja auch ein kluges Bürschchen, der Junge.« Ihr Gesicht zuckte ein wenig, sie war gerührt. »Und der Voigt ist ja nun ein Studierter und schnibbelt an Frauen rum, dass die besser aussehen, und der hat seine Kumpels aus'm Osten rübergeholt, dass die hier singen ›Deutschland, Deutschland über alles‹. Und sie tragen alle so komische runde Käppis und Schärpen wie früher die im Schützenverein. Da war richtig Rummel bei uns, das kann ich dir sagen.«

Ich dachte erschrocken: Um Gottes willen, Mädchen, red dich nicht um Kopf und Kragen! Ich sagte: »Ja, der Voigt hat wohl seine studentischen Burschenschafter rübergeholt aus dem Osten. Das habe ich gehört.« Mach es langsam, mein Sohn, dachte ich. Sie will reden, also lass es zu, gib ihr die Chance.

»Ja, so heißen die. Burschenschafter. Sind ja alles Studenten, haben einen richtigen Verein, aber davon habe ich keine Ahnung. Waren aber auch Ältere dabei, so wie mein Alter. Alte Herren, sagten die. Sind mit zwei Bussen gekommen. Aus Weimar. ›Alle für einen, und einer für alle‹, sagten die. Und die haben gesoffen, das glaubst du nicht. *Ein Heller und ein Batzen* haben die gesungen. Junge, da war was los, da war Gesang in der Truhe.«

»Hagen Weidemann und Richard Voigt haben Ihrem Ulrich das Studium bezahlt, oder?«

»Nun, der Voigt hat ja den Doktor. Ein lustiger Bursche, sagt immer: ›Ich schnibbele den Weibern, was sie wollen, wohin sie wollen. Hauptsache, sie beschweren sich nicht.‹« Sie versuchte ein Lächeln, aber das gelang ihr nicht. »Ja, die haben meinem Ulrich alles bezahlt. Die Bücher und den ganzen Kram, und die Bude, und das Leben, damit er lernen konnte. Und die Weiber waren hinter ihm her, das hältst du nicht aus.«

»Aber ich habe gehört, dass der Ulrich auch geheiratet hat. Stimmt das?«

»Ja, das stimmt. Das hätte er besser gelassen. Die Lee-Ann war das. Hübsch und jung und wild. Ging nicht gut, konnte gar nicht gut gehen. Sie kriegte dann ein Kind, den Thor. Damit fing das schon mal an. Lee-Ann wollte nicht, dass der

Junge Thor heißt. ›Das ist doch Kappes‹, hat sie gesagt. Na ja, sie hat dann gesagt: ›Ich haue ab.‹ Hagen Weidemann hatte Krach mit ihr. Hat ihr mal vorgeschrieben, sie müsste immer zu den heiligen Gedanken stehen und notfalls dafür auch auf den Strich gehen, alles geben. Sie hat geschrien: ›Du hast ja den Arsch offen, Mann!‹ Jetzt sitzt sie in Duisburg, da kam sie auch her. Also, junge Leute haben es heutzutage schwer, sage ich mal. Aber meine Enkel sind alle sauber, da lass ich nichts drauf kommen.«

»Auf welche Universität ist denn der Ulrich gegangen?«

»Dresden«, sagte sie. »Und später dann Weimar. Aber das ist nicht mein Ding, davon weiß ich nichts.«

»Sie haben aber doch noch einen zweiten Sohn, oder?«

»Ja, habe ich. Mein Gerry. Also, er heißt Gerhard Wotan. Das wollte mein Udo so. Er stand auf diese nordischen Namen. ›Ist eine gute Rasse‹, hat er immer gesagt, ›erstklassiges Material.‹«

»Wie alt ist Gerry?«

»Vierundzwanzig. Er ist ein Stiller, also er redet nicht viel. Er kam ja, als ich dachte, ich kann keine Mutter mehr werden.« Sie überlegte einen Augenblick. »Er ist zart«, sagte sie dann versonnen und nickte dazu sehr energisch. Dann bat sie unvermittelt: »Kann ich noch einen Kurzen haben?«

»Aber gerne.« Ich goss ihr erneut ein. »Was ist denn der Hagen Weidemann für ein Mensch?«

»Sehr energisch!«, antwortete sie augenblicklich. »Also, mein Ulrich sagt immer: ›Der ist ein absoluter Winner.‹ Auch so ein blödes, englisches Wort. Da hat ja kein Mensch Durchblick. Weidi, manchmal heißt er so, ist ja Rechtsanwalt. Aber da arbeitet er nicht mit. Er macht in Immobilien, also Häuser und Grundstücke und so. Der hat richtig Kohle, der schwimmt drin. Und jetzt hat er diesen Trick mit den Waldgrundstücken durchgezogen. Und wir lachen uns kaputt, weil er sagt: ›Eines Tages müssen die auf meinen Hof kommen, und ich diktiere den Preis.‹«

»Das verstehe ich nicht«, bemerkte ich.

»Na ja, kannst du auch nicht verstehen, wenn du nicht weißt, um was es geht. Also, sie wollen doch diese Riesenwindräder hier im Wald aufstellen, jede Gemeinde will das. Und als das alles noch nicht in trockenen Tüchern war, als sie das alles planten, ist Weidi hingegangen und hat die Felder und Wiesen vor den Wäldern gekauft. Waldstücke auch, klar. Kein Mensch hat das mitgekriegt. ›Wenn sie die Dinger aufstellen wollen‹, sagt Weidi, ›dann müssen sie neue Straßen bauen, auf denen die Dinger transportiert werden, und sie brauchen mein Land, um das zu tun.‹ Also irre, dieser Mann, der hat richtig was los.«

»Und er ist Jäger?«

»Er ist Jäger«, bestätigte sie. »Er ist auch der Beste auf dem Hof, also politisch gesehen. Er bestimmt, wo es lang geht. Er hat ja auch jetzt die *Hells Angels* eingekauft, damit die uns beschützen.«

»Er hat bitte was?«

»Gleich als Blue tot war, hat er gesagt, im Moment sei die Welt gegen uns und wir müssten uns verteidigen. Und diese Motorradfahrer sind ja Spezialisten. Weidi hat sie engagiert, damit sie uns schützen. Also, die sind richtig bewaffnet. Weidi sagt, da ist viel böses Blut in der Welt. Und die sind genau richtig dafür. Und sie wohnen jetzt bei uns, sodass nichts passieren kann.«

»Sind die da vielleicht in ihren Kutten aufgezogen mit all diesen blödsinnigen Orden und Ehrenzeichen und so? *Erwarte keine Gnade!* und so? Sitzen die auf ihren Harleys und fahren um euren Bauernhof rum?«

»Nein, nein, nein, nicht so. Die tragen Schwarz, also alles in allem schwarz. Und die sind in Zivil. Und die Motorräder sind ganz normale Motorräder, nicht so Luxuskutschen, die so knattern. Das sind *Hells Angels*, also normalerweise. Aber bei uns sind die als Security-Leute, rein beruflich. Die kosten ein Schweinegeld. Die kosten pro Mann pro Tag einen Tausender, sagt man. Und es sind drei Männer, und die sehen so aus, als meinten sie es ernst. Die reden nicht viel.«

Nicht aufregen, Baumeister, rief ich mir innerlich zu, kein dringendes Interesse zeigen. »Hat Weidi denn Familie in Wesel?«

»Nein, hat er nicht. Er ist ja auch meistens hier. In Wesel hat er nur einen Bungalow stehen. Also, er hat jede Menge Verbindungen, auch ins Ausland. Er hat sogar drei, vier Häuser auf Mallorca. Sein Büro ist in Köln, aber heutzutage läuft ja alles über Computer, und da ist es egal, wo du bist.«

Es war soweit, dass ich nun doch etwas riskieren musste. Ich fragte: »Wenn also dieser Weidemann bestimmt, wo es politisch langgeht, dann legt er doch auch fest, wie sich die Männer verhalten sollen, oder? Sagt er dann: ›Wir sind die Elite‹, oder so was? ›Wir sind die nordische Rasse? Juden raus!‹ So etwas?«

»Na ja, ›Juden raus‹ sagen sie ja alle. Aber das ist Politik. Sie sagen: ›Hitler hat viel zu wenig Juden umgebracht, er war nicht gründlich genug.‹ Aber da sage ich nichts, das machen die Männer, und die wollen auch nicht, dass die Frauen da mitmischen.«

»Wie konnte denn das mit Blue passieren? Habt ihr auf dem Eulenhof eine Ahnung, wer das getan haben könnte?«

»Nun, ich habe richtig geheult, das kannste glauben. Niemand weiß, wer das getan hat. So jung. Ich habe immer gesagt, er war ein Träumer. So wie mein Gerry. Weidi hat gesagt: ›Wir dürfen niemals vergessen, dass wir viele Feinde haben! Unser Blue war ein Märtyrer!‹ Das hat er gesagt, und irgendwie stimmt das ja auch.«

»Und was machen wir jetzt mit den Kindern auf dem Eulenhof, mit Ihren Enkeln?«

»Da will ich sagen, dass mir das sehr wichtig ist. Wir haben keine Kinder, die irgendwie gewalttätig sind. Das gibt es einfach nicht auf dem Eulenhof. Und ich will, dass Sie das sagen und auch schreiben, wenn es so kommt.«

»Und was mache ich mit dem Vorwurf, ihr seid alle Neonazis?«

Sie bewegte sich unruhig, sie rutschte hin und her. »Das ist Politik, da halte ich mich raus. Mein Udo hat immer gesagt: ›Politik lügt.‹«

»Aber bei euch werden Lesungen abgehalten. Auf denen werden Texte von Adolf Hitler vorgelesen. Was mache ich damit?«

»Das ist Männersache«, stellte sie erneut fest. »Die träumen doch immer, die brauchen das. ›Reine Rasse Eifel‹. Glaubst du das im Ernst, Junge? Das ist doch bescheuert. Das war immer so, da halte ich mich raus.«

»Und Sie sind gar nicht hier gewesen, nicht wahr?«

Sie sah mich an und lächelte. »Das ist eine gute Ansage, Mann.« Sie ächzte wieder, als sie von meinem Sofa aufstand. »Habe die Ehre!«, sagte sie und marschierte mit kurzen Trippelschritten an meinem Sessel vorbei in den Flur. Die Haustür klackte hinter ihr zu. Wahrscheinlich hatte sie irgendwo ein Auto stehen.

»Ich halte mich dran«, sagte ich in die Stille.

* * *

Ich brauchte volle drei Stunden, um ein Gedächtnisprotokoll dieses Besuchs zu schreiben. Das mailte ich dann an Tessa, an die Mordkommission und auch an Rodenstock. Ich dachte: Wenn ich Rodenstock so etwas Spannendes auf den Computer schicke, dann wird er eher wieder auftauchen.

Ich setzte mich mit einem Eistee auf die Terrasse und schaute den Wolken zu. Sie segelten gemächlich von West nach Ost, die Sonne stand tief im Westen und beleuchtete meinen Apfelbaum. Es sah aus, als hätte sie ihm Kerzen aufgesteckt. Ich stopfte mir betulich eine Gotha 58, genau das richtige Gerät, um ein Rauchopfer darzubringen.

Heute war der Tag, an dem sie Rodenstock sanft in die Wirklichkeit zurückholen wollten. Ich fragte mich, ob das gelingen konnte. Eines schien mir ganz sicher: Wenn Rodenstock begriff, dass er in einem Krankenhaus lag, würde er sich sofort selbst entlassen. In Gedanken daran musste ich heftig kichern. Ich hörte ihn befehlen: »Schwester, geben Sie mir sofort meine Hose!«

Die Staatsanwaltschaft rollte auf meinen Hof, und ich war sehr erfreut. Das war der Tag der guten Besuche.

Tessa sah mich auf der Terrasse und kam durch die Gartentür. Sie sagte: »Ich habe Emmas Auftrag, dir zu berichten, dass Rodenstock heute Nachmittag geweckt wurde. Er hat Emma sofort erkannt. So. Und ich will kein Wort von diesem beschissenen Fall hören. Ich will überhaupt nichts mehr hören. Und ich weigere mich auch, irgendetwas zu erzählen. Du kannst mir einen Kaffee machen, und ich will drei bis vier Spiegeleier mit Speck und Butter, bis mir schlecht wird.« Dann ließ sie sich auf einen Gartenstuhl fallen, breitete die Arme aus und schloss die Augen.

»Das alles kann ich gut verstehen. Ich mache dir die Spiegeleier. Aber Butter habe ich nicht.«

»Hast du denn Olivenöl?«

»Das habe ich.«

»Dann nimmst du eben das. Aber erst drauftröpfeln lassen, wenn die Eier gut sind.«

Ich marschierte also in meine Küche und ging ans Werk. Als die Pfanne schon richtig heiß war, kam sie und sagte klagend: »Vielleicht sind Eier doch nicht so gut.« Sie umarmte mich von hinten, und sie fühlte sich gut an. »Hast du einen Sekt?«

»Habe ich. Von der Mosel, einen Riesling-Sekt.«

»Dann will ich den. Und können wir vielleicht alles vergessen, was nicht so schön war?«

»Das geht auch.«

»Dann bestelle ich das jetzt.«

Wir schafften es nicht mehr ganz bis ins Schlafzimmer im ersten Stock, wir nahmen erst den Teppich im Wohnzimmer und dann einen Sessel, der dort rumstand, und schließlich endete es etwas kläglich und ernüchternd auf einem beinharten Stuhl in der Küche, was aber auch nicht weiter störte. Den Sekt jedenfalls trank sie erst anderthalb Stunden später, und sie monierte, dass er warm war.

Dann telefonierte sie mit ihren Kindern und sagte: »Ja, der Siggi freut sich, wenn wir ihn besuchen. Das hat er mir gesagt. – Nein, ihr habt keine Erlaubnis, bis in die Nacht hinein fernzusehen. – Ja, ich bin morgen Mittag wieder zu Hause, wenn ihr aus der Schule kommt.« Sie drückte auf einen der Knöpfe ihres Handys und wandte sich an mich: »Ich habe wunderbare Kinder! Wusstest du das?«

»Doch, durchaus.«

Und blitzschnell schaltete sie um: »Wir haben einen neuen Ansatzpunkt: Wir konzentrieren uns auf die Steuern, die sie zahlen. Und auf die Steuern, die sie nicht zahlen. Denen gehören angeblich vier Puffs hier in der Gegend. Und einige Frauen, die Telefonsex anbieten. Und ihr Schießsportverein ist nicht angemeldet. Die Fahnder vom deutschen Zoll sind der Auffassung, dass sie Koks dealen und jede Menge Haschisch. Und diese Zöllner sagen uns, dass sie am Eigelstein in Köln ungefähr zwanzig Rumäninnen laufen haben. Angeblich, angeblich, angeblich. Die Frauen laufen als Touristinnen. Da gibt es einen Mann namens Hagen Weidemann, der krankhaft geldgierig sein soll. Und wenn er investiert, bezahlt er irgendwen dafür, dass der sein Gesicht und seinen Namen hinhält.«

»Der ist richtig schön unanständig. Und sie haben jetzt drei *Hells Angels* auf dem Hof, die die Security erledigen.«

»Nein.«

»Doch.« Ich erzählte ihr kurz von dem Besuch der dicken Dame bei mir, sie hatte meine elektronische Post noch nicht gelesen. »Und die Kinder, die mit Basies schlagen, heißen Meike, Oliver und Hannes. Und sie sagen, dass Hitler viel zu wenig Juden umgebracht habe.«

»Was sind denn Basies?«

»Das sind Baseballschläger.«

»Kann man das mit den Juden hartmachen, beweisbar?«

»Eher nicht.«

»Emma konnte heute kurz mit Rodenstock reden. Als sie ihn fragte, wer ihn denn geprügelt hat, gab er eine schlimme Antwort. Er sagte: ›Die Schlimmste war ein Mädchen.‹«

»Ich würde jetzt gern ins Bett gehen«, sagte ich.

»Da mache ich mit«, antwortete sie.

10. Kapitel

Ich wurde gegen halb acht in der Frühe wach, und Tessa war wie gewohnt schon bei der Arbeit. Ich hörte sie telefonieren. Da ich keine Lust hatte, irgendeiner Tätigkeit nachzugehen, lungerte ich nur ein bisschen herum, bis ich einen Kaffee eroberte und entdeckte, dass Tessa meinen Couchtisch vorübergehend zum Büro umfunktioniert hatte. Sie hatte zwei Quadratmeter Papiere ausgebreitet und schien sich darin auszukennen. Tessa war so in ihre Arbeit vertieft, dass sie mich kaum zur Kenntnis nahm. Ich setzte mich also auf die Terrasse und sah dem Wetter zu.

Später kam sie dann heraus und sagte: »Ich habe dein Protokoll über den Besuch der Tilly Hahn gelesen. Warum, glaubst du, redet sie so viel? Hat jemand sie geschickt?«

»Das glaube ich auf keinen Fall. Ich hatte wahrscheinlich nur Glück. Stell dir die Situation vor, in der sie lebt: Die Männer bestimmen die Politik, und sie bestimmen den Alltag. Da spielt die Tilly nur eine untergeordnete Rolle. Aber sie ist immerhin die Mutter des Chefs. Und mit der redet man nicht offen. Sie möchte aber gern reden, sie möchte einfach mal kommentieren, wie das Leben auf diesem Hof läuft. Da gab es diese Stelle, an der sie mich mit viel Spott fragte, ob ich so etwas wie ›Reine Rasse Eifel‹ denn ernst nehmen könne. Kann ich nicht, und sie kann das auch nicht, und wir lächelten uns zu. Ich würde diese Frau niemals zitieren, und ich glaube auch, dass sie das weiß. Ich würde sie damit verraten.«

»Ich habe mit einer Frau beim Bundeskriminalamt gesprochen und ihr geschildert, welcher Wust an Gerüchten über diesen Eulenhof im Umlauf ist. Also Judenhass und Fremdenhass und ›Deutschland, Deutschland über alles‹. Und gleichzeitig wilde Gerüchte über Geschäfte mit Frauen und Drogendealerei und *Hells Angels* als Security. Sie sagte, das sei ein Trend. Rassisten seien heutzutage durchaus in der Lage, allen Türken den Tod anzudrohen, aber gleichzeitig jeden Tag ihre Köfte und ihr Fladenbrot zu kaufen. Und noch immer haben die Nazis eine panische Angst, die Deutschen könnten als nordische Rasse untergehen, auch wenn wir gar nicht nordisch sind. Sie haben Angst vor Überfremdung, und sie wollen mit anderen Nazis in anderen Völkern zusammengehen, um diese Gefahr zu bekämpfen. Das war bei Hitler so, und bei den kleinen Hitlern von heute gilt das auch. Ein Norweger erschoss deshalb über sechzig Menschen.«

»Glaubst du, du kannst etwas ausrichten?«

»Das weiß ich nicht, aber ich lasse mich nicht entmutigen. Wir müssen etwas tun, das sind wir diesem Land schuldig. Wegen der Morde und der vielen Gerüchte werde ich ihnen im Pelz sitzen wie die Laus, die keine Ruhe gibt.«

»Übertreibe es nicht. Diese Leute sind gefährlich.«

»Ich bin Staatsanwältin!«, erklärte sie hart.

»Sie werden dich töten, wenn sie können«, erwiderte ich genauso hart.

Sie starrte mich an, und in ihren Augen war plötzlich ein Begreifen. Sie nickte langsam: »Das werden sie wohl, wenn sie können, ja.« Dann ging sie wieder an ihre Arbeit.

Ein wenig später rief mich Bodo Lippmann an, der Bauer, der ganz in der Nähe des Eulenhofs lebte. Er sagte: »Ich hätte da was für dich. Da hat jemand was beobachtet, vorgestern am Abend.«

»Um wen geht es?«

»Häh aus Nohn.«

»Häh?«

»Häh. Genau. Der wohnt neben der Renaultvertretung von Schäfers.«

»Und was hat er beobachtet?«

»So genau weiß ich das nicht. Er redet ja auch nicht viel.«

»Da bin ich aber beruhigt.«

Ich teilte Tessa mit, dass ich zu Häh fahren wollte. Sie ließ sich nicht stören, sie hörte gar nicht zu.

* * *

Ich bewegte also mein Auto nach Nohn und fragte bei Renault, wo ich den Häh finden könnte. Sie zeigten mir das Haus. Es stammte aus den Fünfzigern und war eines dieser winzigen Behausungen unter einem spitzgiebligen Dach. Es schien zu eng, darin zu wohnen, und man hatte sicher kaum Platz für ein Klo. Ich wusste aber aus langer Erfahrung in der Eifel, dass früher in einem solchen Gemäuer oftmals Eltern mit ihren sechs Kindern gehaust hatten. Manchmal auch noch die Großeltern und dieser oder jener Onkel. Offenbar waren die Bewohner nachts gestapelt worden.

Eine alte Frau öffnete mir und schaute mich freundlich an.

»Guten Tag, ich bin Siggi Baumeister. Zu Häh möchte ich gerne.«

»Dann kommense man durch«, sagte sie nur.

Häh saß am Küchentisch. Er war ein alter Mann, klein und schmal, vielleicht fünfundsiebzig Jahre alt. Er trug einen verwaschenen Blaumann und hatte auf dem Kopf eine Arbeitermütze, unter der silbriges Haar hervorschaute. »Wat willste denn, Jung?«, fragte er.

»Eine Auskunft über das, was sie vorgestern Abend beobachtet haben«, sagte ich.

»Wat biste denn? So was wie Polizei?«

»Nein. Journalist.«

»Ja«, grunzte er, »der Bodo hat mir von dir erzählt.«

»Was ist denn nun passiert?«, fragte ich.

»Eigentlich nichts«, sagte er und schaute dabei durch das Fenster in seinen Garten.

»›Eigentlich nichts‹ kann nicht sein. Da war doch irgendwas.«

»Ja, das Auto. Also ein PKW, kann ein alter Simca gewesen sein, ein Ford oder ein VW, was weiß ich.«

»War etwas Besonderes an dem Fahrzeug?«

»Nein. Das war weiß, aber nicht ganz weiß. Also sehr alt.«

»War jemand drin?«

»War zu weit weg, konnte ich nicht sehen. Aber dann, dann war es jedenfalls nicht mehr da.«

»Um wie viel Uhr war denn das?«

»Also zwischen sechs und sieben. Um sieben Uhr gibt es hier was zu essen.« Er lächelte seine Frau an, die in der Tür stand. Da schimmerte eine uralte Kumpanei auf, eine immer funktionierende, wahrscheinlich liebevolle Interessengemeinschaft.

»War das eher sechs oder eher sieben?«

»Ich habe ja keine Uhr an. Eher sechs.«

»Und dann? Wie ging es weiter?«

»Dann kam der Knall. Ein Schuss. Also, da war ich schon etwas weiter.«

»War der Knall weit weg?«

»Nein. Zweihundert, dreihundert Meter.«

»Du kannst dich nicht täuschen?«

»Kann ich nicht, das war eine Langwaffe. Habe ich mehr als vierzig Jahre bei jeder Treibjagd erlebt.«

»Ist das weit von hier?«

»Kann man so nicht sagen. Aber das findest du nicht.«

»Kommst du mit?«

»Nicht mit deinem Wagen. Wir nehmen den Schlepper.«

Wir nahmen also Hähs Schlepper. Der stand in einem alten Holzschuppen hinter seinem Haus. Es war ein *International*, dreißig Jahre alt, wahrscheinlich dreißig PS. Der Sitz des Mitfahrers befand sich über dem linken Hinterrad auf dem Kotflügel. Ich musste von hinten am Fahrersitz vorbeiklettern und erreichte dann ein kleines, eisernes Plateau, das von einem Rahmen umgeben war, der eine Höhe von knapp fünf Zentimetern hatte. Ich bin absolut schwindelfrei, aber das erschien mir sehr hoch. Dann erinnerte ich mich an die ausladenden Hintern gut gelaunter Bäuerinnen und fand, dass ich das aushalten musste. Im Übrigen konnte ich das Schicksal ohnehin nicht aufhalten, denn Häh saß bereits unter mir, startete den Diesel und stürmte ohne Vorwarnung hinaus auf die Straße. Es ging in Richtung Bongard.

Nach ungefähr zwei Kilometern wurde Häh langsamer, deutete in die Mündung eines Waldweges und schrie: »Da!« Er schrie dann noch etwas, das ich nicht verstand, aber es musste mit meiner Sicherheit zu tun haben.

Das Ross unter uns begann zu stampfen und zu schlingern, und ich hatte absolut nichts, an dem ich mich festkrallen konnte. Da war zwar Häh schräg unter mir, aber seine Arbeitsmütze schien mir kein guter Halt zu sein. Ich machte immerhin die Entdeckung, dass Häh unter Kopfschuppen litt.

Der Weg vor uns war gut zu erkennen, aber es gab gelegentlich mit Schlamm gefüllte, große Vertiefungen, die Häh meisterlich umging, indem er sein Streitross zwischen die Bäume steuerte und gefährlich nah an den Stämmen vorbeischrammen ließ, sodass mich nur Millimeter vom sicheren Bruch zahlreicher Knochen trennten. »Zu nass!«, brüllte er.

Links von uns war ein Wiesental, in dem Rinder standen. Ich sah zwei Kälber, die fröhlich herumhoppelten.

Dann hielt Häh unvermittelt an und sagte: »Da drüben stand der PKW. Da ist ein Weg, der mit dem hier immer auf gleicher Höhe läuft. Da siehst du Schlehen und Schwarzdorn. Dahinter ist der Weg. Der PKW stand mit der Schnauze nach oben, also in die gleiche Richtung, in die wir jetzt fahren.«

»Und wo hast du den Schuss gehört?«

»Ein paar hundert Meter weiter.«

»Also hin!«, sagte ich ergeben.

Häh wusste genau, was er sagte, ein Irrtum schien ausgeschlossen. Wir rumpelten also weiter, und Häh stoppte den Diesel nach weiteren vierhundert Metern. Er stellte die Maschine ab. »Genau hier war ich, als ich den Schuss hörte.«

»Aber von hier kannst du den PKW nicht mehr sehen, oder?« Ich stieg mühsam von dem Hochsitz herunter.

Er stieg ab und antwortete: »Nein, kann ich nicht. Der Weg verläuft in einem Bogen, also sanft nach Osten. Von hier aus siehst du gar nichts mehr, auch den PKW nicht.«

»Woher hast du eigentlich den Namen Häh?«

»Das fragen alle«, grinste er. »Also, es ist so, dass mein Vater meinen Namen eintragen ließ. Er gab mir den Namen Hyeronimus. Mit Ypsilon gleich hinter dem H, das ist wichtig. Denn weil sich keiner den Namen merken konnte und weil er auch viel zu lang war, nannten mich alle Häh. So kam das.«

»Und Hyeronimus ist sicher ein Heiliger.«

»Da kannst du aber für!«

»Und du täuschst dich nicht bei dem Weg hier? Die Punkte, an denen wir halten, sind die richtigen? Also, ein Irrtum ist unmöglich?«

»Junge, ich war weit über vierzig Jahre Waldarbeiter.« Da gab es keine Unsicherheit, er war nahe daran, beleidigt zu sein.

»Du bist immer noch jeden Tag im Wald?«

»Jeden Tag«, bestätigte er. »Ich brauche das. Auf beiden Seiten der Straße. Mal links, mal rechts. Hier sind wir links.« Er überlegte etwas. »Und eigentlich bin ich mein Leben lang beschissen bezahlt worden. Bäume fällen, Bäume klarmachen zum Transport, Bäume abfahren. Bäume zerlegen, zum Verbraucher fahren, Bäume zersägen, das Holz abfahren und zum Kunden bringen. Holz spalten, zum Sägewerk transportieren. Manchmal Holz zum Möbelhersteller fahren. Winterfütterung fürs Wild, dann neue Bäume setzen, Weihnachtsbäume umlegen, Netz drum und aufladen. Und keine Mehrzweckgeräte mit Computer oder so. Ich hatte keinen Urlaub, ich wusste gar nicht, wie man das schreibt. Und wenn ich dir erzähle, was ich pro Stunde verdient hab, würdest du mir das nicht glauben.«

»Was schätzt du, wie weit ist der Weg da drüben von hier entfernt?«

»Zweihundertfünfzig Meter Luftlinie, würde ich sagen.«

»Und kommt man von dort aus auf diesen Weg hier?«

»Ja, ganz einfach. Du fährst bis zum Ende da oben auf der Höhe und findest den Weg, der von da hierher führt. Kein Problem. Aber du musst natürlich wissen, welcher Weg wohin führt, welchen du fahren kannst.«

»Wie sehen die Schwierigkeiten aus?«

»Na ja, wenn du einfach drauflos fährst und keine Ahnung hast, wie der Weg aussieht. Also, die meisten sind junge Leute. Sie haben oft ein Mädchen dabei und suchen sich eine ruhige Stelle. Hat man ja selbst erlebt, war damals nicht anders als heute.« Er lächelte versunken. Wahrscheinlich hatte er seine Frau über diese Wege in die Einsamkeit gebracht. Und wahrscheinlich hatte seine Planung so ausgesehen, dass die Gute strikt schwanger wurde.

»Wie sieht denn das aus, wenn du hier im Wald mit einem PKW scheiterst?«

»Na ja, du brauchst bloß die Augen zu schließen und hängst in einem Quellgebiet. Das passiert öfter, weil die Quellgebiete von Gras überwachsen sind. Oder du setzt den Karren auf Baumwurzeln auf. Wenn du Pech hast, dann funktioniert dein Handy auch nicht, weil du zu abseits bist. Und dann musst du lange zu Fuß gehen.«

»Also, du würdest sagen, dass die Jäger und die Jugendlichen vom Eulenhof diese Wege kennen?«

»Ja, klar. Die treiben sich doch alle hier rum. Die kennen das. Sag mal, ist das so, dass die da richtige Neonazis sind?«

»Es sieht so aus. Die rufen ›Heil Hitler!‹ und ›Juden raus!‹ und ähnliche schäbige Parolen. Wie soll man das sonst nennen?«

»Die Menschheit lernt nicht«, sagte er. »Das ist aber scheiße für die Eifel.«

»Da stimme ich zu. Nur sind das gar keine Eifeler.«

»Das ist egal. Aber sie sind in der Eifel, also ist es scheiße für die Eifel.«

»Siehst du oft Jäger oder Zivilisten hier auf den Wegen?«

»Nein, nicht oft. Und ich kenne ja auch alles hier. Ich weiß, wo die Rehe stehen, ich weiß, wo die Wildschweine liegen oder wo sie den Boden aufbrechen. Der Förster kommt bei mir vorbei, wenn er das wissen will.«

»Dann kannst du mir vielleicht weiterhelfen«, sagte ich. »Dieser erschossene Jäger saß auf einer Bank bei der Heyerkapelle. Er ist aber nicht da erschossen worden. Das muss woanders passiert sein. Ein Spezialist von der Mordkommission hat auf seiner Kleidung große, rote Waldameisen gefunden und dann noch Waldmeister. Wenn der Mörder tatsächlich von da drüben geschossen hat, als du hier auf dem Weg warst, dann muss der Jäger zu Boden gegangen sein, wo

Waldameisen zu finden sind und wo Waldmeister steht. Das ist meistens in alten Buchenbeständen der Fall, hab ich mir sagen lassen. Und es müssen Fichten in der Nähe sein, weil Ameisen deren Nadeln zum Bauen des Nestes brauchen.«

Er starrte mich finster an, als hätte ich ihn beleidigt. »Mann, Junge!«, stieß er hervor. »Wieso sagst du das denn nicht gleich? Das hättest du bloß zu sagen brauchen, und wir wären hingefahren. Junge, was für ein Scheiß!«

»Tut mir leid«, sagte ich, nur um etwas zu sagen.

»Hundert Meter weiter. Kannst du von hier aus nicht sehen.«

Diesmal gingen wir zu Fuß. Der Weg machte eine sanfte Biegung nach rechts. Da standen Buchen, ungefähr sechzig bis achtzig Jahre alt, ein wunderschöner, grüner Dom. Etwa dreißig Meter weiter begann eine Fichtenschonung, ungefähr zehn Jahre alt.

Häh ging in die Knie, hockte sich hin und sah zwischen die Bäume. »Guck mal. Wenn du dich hinhockst, dann siehst du einen Schatten. Vor den beiden dicken Buchen da. Das sieht so aus, als hätte da einer gelegen. Da ist auch der Teppich aus alten Blättern aufgerissen. Siehst du das? Und Waldmeister steht da auch noch.«

»Tatsächlich«, ich staunte nicht schlecht, »das ist gut zu erkennen.«

»Verdorri noch mal! Dann ist der wirklich hier erschossen worden, als ich mit dem Schlepper auf diesem Weg war. Verdorri noch mal! Das ist ja ein Ding!«

»Sei froh, dass der Mörder dich nicht gesehen hat. Er hätte dich womöglich umgelegt.«

»Na ja«, sagte er mit schmalen Lippen.

»Dann habe ich noch eine Frage, die wichtig ist. Nachdem der Jäger erschossen war, muss der Täter ihn in das Auto geladen haben. Kann er dann den Toten von hier zur Heyer-kapelle transportiert haben, ohne die Landstraße zwischen Nohn und Bongard zu berühren?«

»Kein Problem, wenn er sich auskennt. Es gibt mindestens vier Wege, auf denen mich keiner sieht und hört. Ich denke mal, das wären so zehn bis zwanzig Minuten, nicht mehr.«

»Gut so. Pass auf: Ich marschiere jetzt da hinüber auf die andere Seite zu der Stelle, von wo du den Schuss gehört hast. Und du gabelst mich da auf. Und damit ich klare Sicht habe, machen wir hier ein Zeichen. Wir legen den Stein da hoch-kant auf den Weg.« Ich wies mit der Hand auf einen großen Gesteinsbrocken, der am Wegesrand lag. Den stellte ich auf-recht hin und ging los.

Es war nicht schwierig, durch die enge Klamm zu kommen und den Weg zu erreichen. Ich sah den Stein ganz klar und konnte dann ungefähr den Standpunkt des Schützen einneh-men. Er hatte wieder einen Zweig an einem Haselbusch abgebrochen, damit er eine feste Auflage für den Lauf seiner Waffe bekam.

Ich rief Holger Patt von der Mordkommission an.

»Hier ist Patt, der nicht gestört werden möchte«, sagte er.

»Hier ist der Siggi, der dich mit so viel Liebe und Hingabe erträgt. Ich habe wahrscheinlich die Stelle gefunden, an der der ehrenwerte Richard Voigt von einer Kugel getroffen wurde.«

Es wurde laut, Häh auf seinem Diesel kam heran. Ich bedeutete ihm, die Maschine abzustellen.

»Jetzt kann ich dich wieder verstehen«, sagte ich.

»Welche Gemarkung?«, fragte Patt.

»Wie heißt die Gemarkung hier?«, fragte ich Häh.

»Auf dem Sibbel«, antwortete Häh.

»Hab ich gehört«, bestätigte Patt. »Und welche Gemeinde?«

»Nohn«, sagte ich. »Und wenn ich schon eure Aufgaben erledige, möchte ich dafür bezahlt werden.«

»Du bist nur gierig!«, sagte Patt angewidert.

»Und du wirst einen Führer brauchen. Das ist ein Mann namens Häh aus Nohn. Kann dir jeder zeigen. Habe die Ehre.«

»Ich heiße ja eigentlich Kirwel«, sagte Häh versonnen. »Aber das stimmt, Häh ist einfacher.«

Wir fuhren den Weg zurück, schweigend, und ich hatte keine Angst mehr, rücklings von dem Hochsitz des Schleppers zu fallen. Dann allerdings stand ich vor einem Problem, bei dem ein Scheitern durchaus realistisch war.

Ich nahm einen Fünfzig-Euro-Schein und hielt ihn Häh hin. »Für deine Mühen und deinen Tank«, sagte ich.

»Das geht nicht, das nehme ich nicht.«

»Ich verdiene mit dieser Geschichte Geld. Und da kann ich dir getrost etwas von abgeben.«

»Das nehme ich nicht, so was nicht.«

»Und wenn du das deiner Frau schenkst?«

Er überlegte einen Augenblick und sagte: »Die hat demnächst Geburtstag.«

»Siehst du. Dann kann sie sich doch irgendeinen Fummel kaufen. Oder?«

»Ja, wenn du meinst.« Er lächelte verlegen und nahm das Geld. Und sofort tickerte sein helles Gehirn weiter und er grinste: »Also, wenn du noch mal eine Frage hast ...«

»Vielen Dank, mein Alter.«

Ich bestieg mein Auto, das wesentlich besser gefedert war als sein Dieselross, und machte mich auf den Weg nach Daun.

* * *

Nein, Rodenstock sei nicht mehr auf der Intensivstation, hieß es von einer nervösen Praktikantin mit fast schwarzen Augenringen. Nein, der sei jetzt auf Wachstation, aber ob ich so einfach dahin könne, sei fraglich. Ich solle mal einen Moment warten.

Als der Moment knapp vierzig Minuten alt war, übernahm ich die Leitung des Unternehmens, ließ mir die Wachstation zeigen und ging einfach rein. Dämmerlicht umgab mich.

»Ja, bitte?«, fragte eine männliche Stimme.

»Zu Herrn Rodenstock«, bat ich zaghaft.

»Heh, Baumeister«, sagte eine krächzende Stimme links von mir.

Da lag er in einem Gitterbett und sah aus wie das Leiden Christi zu Pferde. Bleich, blass und hohlwangig, aber edel.

»Sie dürfen nur ein paar Minuten bleiben«, sagte eine energische Stimme. »Sind Sie ein Angehöriger?«

»Oh ja!«, krächzte Rodenstock.

»Was ist denn mit dir? Haben sie dir die Milz rausgenommen?«

»Haben sie nicht. Ist doch auch egal.«

»Völlig egal«, sagte ich. »Was ist sonst mit dir?«

Er versuchte sich zu räuspern. »Na ja, es sind halt Schmerzen.«

»Herr Rodenstock bekommt Morphine«, sagte die männliche Stimme von irgendwoher. »Aber nicht mehr lange.«

Inzwischen konnte ich besser sehen. Rodenstocks Bett war eines von vier Betten, und die männliche Stimme saß schräg links von mir in einem Sessel und wippte mit dem rechten Bein.

»Wie läuft der Fall?«, fragte Rodenstock.

»Mühsam«, sagte ich. »Inzwischen ist ein Jäger erschossen worden. Vorgestern Abend. Da bin ich dran. Aber ohne dich ist es ein blödsinniger Job.«

»Ich komme ja bald nach Hause«, sagte er. Und bei den letzten beiden Worten wurde seine Sprache nuschelig – und er schlief plötzlich ein.

»Ich verschwinde mal wieder«, sagte ich leise. »Richten Sie ihm bitte schöne Grüße aus. Was sagen die Ärzte?«

»Da braucht man Geduld«, sagte der Knabe weise. Ich schätzte ihn auf unter zwanzig. »Ich übermittele die Grüße.«

»Dann übermitteln Sie mal«, sagte ich und verließ die traute Bleibe.

Vor dem Krankenhaus rief ich Emma an und sagte: »Ich soll dich grüßen, ich bin gerade bei ihm gewesen.«

»Kriegt er immer noch das blöde Morphium?«

»Ja, aber nicht mehr lange, haben sie gesagt.«

»Willst du was zu essen? Ich soll dich von Tessa grüßen. Sie ist schon wieder in Trier.«

»Kein Essen, danke. Ich muss jetzt einfach schlafen, verstehst du?«

»Das verstehe ich gut.« Sie zögerte ein wenig, dann sagte sie sehr müde: »Melde dich.«

»Moment mal«, sagte ich. »Hilft es dir, wenn ich bei dir schlafe?«

»Das wäre schön«, antwortete sie einfach.

»Dann komme ich doch.«

11. Kapitel

Wir hockten bis drei Uhr in der Nacht zusammen, und sie erzählte mir von ihrer Angst, ohne Rodenstock leben zu müssen. Nur einmal unterbrach sie sich selbst und ging die Treppe hinauf, weil Tante Liene wie ein trotziges Baby schrie. Dann kehrte wieder Ruhe ein, wir qualmten ihr die Bude voll und machten einfach die Tür zum Garten auf.

»Es ist nicht bloß Liebe«, murmelte sie. »Es ist einfach alles. Er hat mir nie einen Entschluss abgenommen, er hat nie für mich gedacht. Immer nur mit mir, verstehst du? Ich musste richtig begreifen, dass er immer da ist, dass aber immer die Möglichkeit besteht, etwas ganz ohne ihn und seine Hilfe zu tun. Ich würde wirklich gern wissen, wie ich ohne ihn ausgekommen bin, als es ihn noch nicht gab in meinem Leben. Du lieber Himmel, jetzt werde ich kitschig.«

»Durchaus nicht«, widersprach ich. »Außerdem: Warum sollst du auf Kitschiges verzichten, wenn es so war?«

Es ging auf drei Uhr zu, als sie mir das Bettzeug auf das alte Sofa packte. Dann umarmte sie mich, heulte ein wenig vor Erschöpfung, und Tante Liene meldete sich quäkend. Das Leben ging weiter.

»Wenn ich mich richtig erinnere, hat sie heute Geburtstag«, bemerkte Emma. »Sie wird vierundneunzig.«

»Wir verlegen den Sektempfang auf später«, sagte ich.

Als ich am nächsten Vormittag aufwachte, war es elf Uhr, und ich starrte in die rabenschwarzen Augen von Tante Liene. Sie lachte keckernd und sagte schleppend: »Guuden Daach!«, als hätte sie es auswendig gelernt. Sie hatte ihren

Kommandostand in dem alten Ledersessel erobert, und sie war sichtbar gut drauf in ihrem Kissenberg.

»Sie hat dich bewacht«, sagte Emma von irgendwoher. »Kaffee?«

»Das wäre ein Fest.«

Ich blieb liegen und trank den Kaffee laut schlürfend. Tante Liene hatte ihren Spaß. Ich stand auf, zog mich an und sagte, ich müsse an die Arbeit gehen, das sei bei mir so Sitte.

»Grüß mir Rodenstock.«

Zu Hause suchte ich mein Badezimmer auf und aalte mich eine Weile im warmen Wasser. Ich überlegte, wie ich weiter vorgehen könnte, und kam wie üblich zu dem Schluss, dass nur strikte Arbeit auch weiterführte. Punkt für Punkt. In dieser Hinsicht war ich stockkonservativ.

Ich rief Tessa an und fragte: »Ist bei euren Recherchen ein Mann mit dem Vornamen Stefan aufgetaucht? Das ist ein Name, den Blue erwähnt hat, als er über den Eulenhof erzählte.«

»Ja. Ana von Kolff nannte den Namen, aber wir haben nicht in Erfahrung bringen können, wer das ist, und ob er überhaupt existiert. Bei meinen Leuten ist der Verdacht aufgekommen, dass er möglicherweise ein Agent des Verfassungsschutzes sein könnte. Blue hat durchscheinen lassen, dass dieser Mann so etwas wie eine Beraterrolle hatte. Hast du mehr Erkenntnisse?«

»Nein, leider nicht. Hat Blue jemals erwähnt, wo er diesen Stefan getroffen hat? In einem Hotel vielleicht?«

»Einmal war die Rede vom Hotel *Augustiner Kloster* in Hillesheim, dann noch einmal vom Hotel *Panorama* in Daun. Das haben meine Leute abgeklärt. Sie fanden keinen Besucher mit dem Vornamen Stefan. Sonst haben wir keine Einzelheit.«

»Hat Blue mal erwähnt, wie alt dieser Stefan war?«

»Meiner Kenntnis nach nicht.« Sie seufzte und fragte dann:
»Wie geht es dir denn so?«

»Nicht so gut ohne dich.«

»Dann müssen wir diesen Zustand ändern.«

»Das sehe ich ganz ähnlich. Also bis bald. – Halt! Stopp!
Nicht auflegen! Was habt ihr denn für Erkenntnisse über diesen toten Richard Voigt? Der soll doch angeblich Frauen mitgebracht haben, die dann versteigert wurden.«

»Das haben wir auch gehört und notiert. Aber es gibt keinen Zeugen, der das bestätigt hätte. Du musst einfach wissen, dass alle Leute, die zum Eulenhof gehören, nichts aussagen. Sie machen sich steif und sagen abwehrend: ›Davon
weiß ich nichts.‹ Das geht so weit, dass eine Küchenhilfe
erklärte, ohne ihren Anwalt sage sie überhaupt nichts. Seit
der Jäger Marburg den Schulterschuss abbekam, haben die
dichtgemacht. Sie reden nicht mit uns, aber sie sind deutlich
gezeichnet. Einige sind fast panisch. Jetzt der Chirurg
Richard Voigt. Das war eine starke Figur, das war einer ihrer
wichtigsten Leute mit vielen Beziehungen in die rechtsextreme Szene. Sie sind im Ausnahmezustand.«

»Haben diese Jugendlichen, die, wie wir stark annehmen,
Rodenstock und den Fotografen fast zu Tode prügelten,
irgendetwas Verwertbares gesagt?«

»Haben sie nicht. Die schweigen. Das, was sie sagen,
besteht aus einem Satz. Der lautet: ›Wir haben niemanden
verprügelt!‹ Dieser Veit Glaubrecht, der dich schlug, hat auf
die Frage, warum er das getan hat, nur geantwortet: ›Ich
schlage niemanden grundlos!‹ Dabei ist er vorbestraft. Er saß
wegen gefährlicher Körperverletzung drei Jahre im Knast. Er
hatte billigend in Kauf genommen, dass der, den er schlug,
hätte sterben können.«

»Siehst du Lösungsmöglichkeiten?«

»Nein, so recht nicht. Wenn du noch einmal auf den Eulenhof gehst, verliere ich meinen Job und kann als Anwältin für Verkehrsrecht arbeiten. Man würde mir vorhalten, ich hätte dir das ausreden müssen. Verstehst du das?«

»Das verstehe ich, ja. Aber dann darfst du auch nicht leichtfertig sein. Du schwebst ebenso in Gefahr, das ist dir hoffentlich klar. Es wäre ziemlich schrecklich für mich, wenn dir etwas passiert.«

»War das jetzt eine Liebeserklärung?«, fragte sie erschreckt.

»Das war es wohl«, sagte ich.

Sie schwieg sehr lange. Dann sagte sie hastig: »Der tote Richard Voigt war für den Eulenhof eine richtige Katastrophe. Er war ein merkwürdiger Mensch, das stimmt wohl. Seine Eltern leben in Amecke im Sauerland. Die sagen, er sei in den letzten vier Jahren nicht ein einziges Mal bei ihnen gewesen. Und sie hätten auch keine Ahnung, wie er so lebt. Wir glauben das nicht. Voigt betrieb jedenfalls eine kleine Klinik mit vierzehn Betten in der Nähe von Amecke, und er hatte einen verdammt guten Ruf. Er hat eine Warteliste, die ein ganzes Jahr lang ist. Er war zwar teuer, aber gut. Da gibt es eine Sache, für die wir auch einen Zeugen haben, der sich einfach verplappert hat. Voigt hat einmal eine Prostituierte auf den Eulenhof mitgebracht, bei der er Fettgewebe aus den Oberschenkeln und dem Hintern entnommen und damit ihre Brüste vergrößert hatte. Er hat sie wohl regelrecht vorgeführt und genau gezeigt, wie er so etwas macht. Wie in einer medizinischen Vorlesung. Und die Anwesenden hatten ihren Spaß, hat unser Zeuge gesagt. Ich kann mir verdammt gut vorstellen, wie sie gegrölt haben, wie sie jede Falte sehen wollten, wie sie gegeifert haben. Manchmal hasse ich meinen Beruf. Wir haben die Telefonnummer der Frau und ihre Adresse.«

»Kann ich die haben?«

»Ich lege sie dir aufs Fax. Und halt mich nicht weiter von der Arbeit ab.«

»Frauen im Job sind widerlich.«

Ich setzte mich an den Computer und schrieb die Trecker-tour mit Häh auf. Ich schickte den Bericht an die Mordkom-mission und an Tessa. Und natürlich schickte ich den Text auch an Rodenstock, damit er bei seiner Genesung ordentlich Gas gab.

Inzwischen war das Fax von Tessa angekommen. Die Frau hieß Gaby Drechsler. Tessa hatte auch die Handynummer dazugeschrieben. Sie war achtundvierzig Jahre alt.

Ich rief sie sofort an.

»Was willst du? Sag mir erst, was du willst.« Das kam wütend und explosiv.

»Entschuldigung«, sagte ich vorsichtig. »Sie verwechseln mich mit jemandem. Mein Name ist Siggi Baumeister, ich bin ein Journalist.«

»Ah, und was wollen Sie von mir?« Ihre Stimme klang nach vierzig Gauloises ohne Filter am Tag und einer Flasche Korn zum Dessert.

»Mit Ihnen sprechen.«

»Um was geht es denn?« Zumindest eine Spur Neugierde.

»Es geht um Doktor Richard Voigt. Der hat Sie einmal mit-genommen in die Eifel. Zu seinen Freunden hier.«

»Ach, der Ritchie. Ja, und?«

»Ich würde darüber gern mit Ihnen sprechen.«

»Interview, oder so was?«

»Ja, genau.«

»Was zahlen Sie mir? Also, keine versteckte Kamera oder so was. Und auch keine heimlichen Höraufnahmen für das Radio. Das habe ich nicht so gerne.«

»Damit habe ich kein Problem. Was verlangen Sie denn?«

»'nen Hunni?«

»Einverstanden. Und wo?«, fragte ich.

Sie überlegte einen kleinen Moment, dann sagte sie: »Letzter Rastplatz auf der A1 in Richtung Eifel. Heute einundzwanzig Uhr?«

Unwillkürlich hatte ich den Eindruck, dass sie so eine Art von Verabredung nicht zum ersten Mal traf. Das kam einfach zu routiniert rüber. »Einverstanden«, sagte ich, »bis heute Abend dann.«

Nur wenige Augenblicke später meldete sich mein Festnetzanschluss.

Emma nuschelte: »Kannst du mich ins Krankenhaus fahren?« Ihre Stimme war fast weg, sie klang rau und brüchig.

»Natürlich. Etwas Besonderes?«

»Ja. Sie sagen, er hatte eine Hirnblutung.«

»Ich komme.«

Ich schimpfte laut vor mich hin, während ich meine Sachen in eine Weste steckte. »Rodenstock, du blödes Stück ...« und Ähnliches. Ich fuhr nach Heyroth, Emma stand schon vor dem Haus.

»Entschuldige, ich wollte nicht fahren, ich bin nervös, und manchmal glaube ich, ich sehe doppelt.«

Ich fuhr schnell, als könnte ich damit etwas ungeschehen machen. Sie schickten uns zur Intensivstation, und ich musste warten, nur Emma durfte hinein. Das dauerte zehn quälend lange Minuten. Dann kam sie wieder auf den Flur und hatte ein verheultes, totenblasses Gesicht.

»Wir können fahren«, sagte sie schwach. »Da kann man sowieso nichts machen. Sie sagen, man muss abwarten. Sie wissen nicht, warum das passiert ist, sie sagen, so etwas passiert schon mal. Verdammt.«

»Wird so etwas denn operiert?«

»Sie sagen nein. Sie werden versuchen, es zu lokalisieren und können dann entscheiden, was zu tun ist.«

»Ist es eine große Blutung?«

»Sie sagen nein. Kannst du mich nach Hause fahren?«

»Selbstverständlich.«

»Ich habe eine Kerze angezündet. Für Tante Liene. Zum Geburtstag. Ich habe vergessen, sie auszublasen. Hoffentlich ist nichts passiert.«

Es war nichts passiert. Tante Liene saß in ihrem Kissenberg und schaute in die Kerzenflamme. »Was ist mit ihm?«, fragte sie.

»Ein kleiner Rückschlag«, erklärte ich. »Aber das schaffen wir schon. Wir haben das immer geschafft. Und herzlichen Glückwunsch zum Geburtstag, Tante Liene!«

»Vier-und-neun-zig«, sagte sie bedächtig. »Das ist a schweres Wort.«

»Kann ich einen Kaffee haben?«, bat ich.

»Ich muss schlafen«, sagte Emma verbissen. »Ich bin so nervös, dass ich nicht einmal in Ruhe sitzen kann.« Sie fummelte an der Kaffeemaschine herum. »Das ist doch nicht normal.«

»Im Augenblick ist nichts normal«, sagte ich. »Ich fahre mal eben heim. Ich glaube, ich habe noch Schlaftabletten.«

Ich fuhr heim, holte diese Tabletten und brachte sie zu Emma nach Heyroth.

»Ich weiß nicht, ob sie etwas taugen. Lies den Beipackzettel«, riet ich. »Aber du solltest zusehen, dass du wenigstens etwas Schlaf bekommst. Wie lange hast du nicht mehr richtig geschlafen?«

»Seit Tagen. Vier? Ja, wahrscheinlich. Aber ich kann nicht schlafen, ich muss doch sofort im Krankenhaus sein, wenn irgendetwas ist.«

»Spätestens wenn sie anrufen, wirst du wach«, sagte ich. »Und du tust Rodenstock keinen Gefallen, wenn du hilflos herumruderst. Also, nimm so ein paar Dinger und gib Ruhe.«

»Wenn du meinst«, sagte sie. Aber das klang nicht sehr überzeugend.

»Ich habe immer Deutsch geübt«, sagte Tante Liene sehr laut. »Ich wollte die furchtbare Mörder beschimpfen, die verstehen nur deutsch. Ich habe geübt. Mit Büchern.«

»Du kriegst jetzt ein Glas Sekt«, sagte Emma.

»Gut, dann bin ich betrunken«, lachte Tante Liene. Doch sie wurde ganz unvermittelt ernst: »Er kommt zurück«, sagte sie. »Ich weiß das.«

Emma ging zu ihr und umarmte sie. »Na sicher«, sagte sie. »Na sicher.«

»Ich muss weiter, Leute. Wenn irgendetwas ist, bin ich erreichbar. Und du solltest in diesem Zustand kein Auto fahren, Emma.«

»Ja«, murmelte sie etwas kläglich.

Unterwegs nach Hause rief ich Tessa an und erzählte ihr von Rodenstocks plötzlicher Hirnblutung. »Im Augenblick können sie gar nichts tun«, schloss ich meinen Bericht, »nur abwarten.«

Tessa atmete schwer, dann fragte sie: »Und wie geht es dir?«

Ich antwortete nicht. Stattdessen fragte ich: »Kannst du mir eine Liste der Bewohner des Eulenhofs schicken? Ich brauche eine Liste, aus der hervorgeht, welche dieser Leute körperlich fit sind und angreifen könnten. Gibt es so etwas?«

»Ja, so etwas habe ich. Ich lege sie dir aufs Fax.« Nach einer kurzen Pause setzte sie hinzu: »Baumeister, warum fragst du nach möglichen Angreifern? Du willst doch nicht etwa wieder auf den Eulenhof? Wir hatten das doch geklärt!« Ihre Stimme wurde höher, nervöser.

»Will ich nicht«, beruhigte ich sie. »Versprochen. Gibt es dort, außer Veit Glaubrecht, auch Vorbestrafte?«

»Steht alles auf der Liste.«

* * *

Mein Zuhause kam mir kalt und abweisend vor. Im Fernsehen beschäftigten sich nahezu alle Sender mit dem sogenannten Jahrhundert-Hochwasser im deutschen Osten. Darüber hinaus nur das übliche Hickhack in der Politik, bei dem alle mitmachten – nur unsere Kanzlerin nicht. Sie besuchte stattdessen das Katastrophengebiet, wo sie eine sehr ernsthafte Miene zeigte.

Dann rief Bodo Lippmann an. Er klang verunsichert, als er sagte: »Jung, hör mal du, ich hatte einen merkwürdigen Besuch. Da kam ein Mann auf den Hof. Ganz normaler bürgerlicher Typ. So um die fünfundvierzig. Hat mich gefragt, was ich über den Eulenhof weiß.«

»Was hast du geantwortet?«, fragte ich.

»Erst mal nichts. Ich habe gesagt, ich weiß nicht viel. Ich habe gesagt, ich hätte den verprügelten Fotografen erlebt und dass mir das reicht. Außerdem, habe ich gesagt, halte ich mich da raus. Ständig über Nachbarn zu reden, die ich eigentlich nicht kenne, wäre auch nicht schön, hab ich gesagt.«

»Hat er gesagt, wie er heißt und woher er kommt?«

»Er hat mir eine Visitenkarte hiergelassen. Da steht Stefan Zorn drauf. Er sagte, er käme vom Innenministerium in Mainz, und er wollte sich mal umhören. Er hätte gehört, die vom Eulenhof wären Neonazis.«

»Innenministerium? Hör mal, da würde ich aber vorsichtig sein.«

»Ich bin ja vorsichtig«, sagte er mit einem Lachen. »Und weißt du, nach wem er mich besonders fragte?«

»Nein, aber du wirst es mir sagen.«

»Nach Paul Henrici, genannt Blue. Ja, habe ich gesagt, der wurde ja erschossen. Das hätte er auch gehört, sagte er. Ob denn Blue jemals auf meinem Hof gewesen sei, wollte er wissen. Nein, habe ich gesagt. Ob ich denn wisse, ob Blue einen Freund auf dem Eulenhof gehabt hat. Ich hab gesagt: ›Das ist aber eine merkwürdige Frage! Wenn der niemals auf meinem Hof war, wie soll ich wissen, ob der einen Freund auf dem Eulenhof gehabt hat. Ich habe ja nicht einmal gewusst, wie dieser Blue ausgesehen hat!‹ Wäre ja nur so eine Frage gewesen, meinte der dann.«

»Das ist wirklich komisch«, sagte ich. »Steht auf der Visitenkarte eine private Adresse?«

»Nein, keine. Da steht nur *Stefan Zorn, Berater*. Und eine Handynummer. Aber er kommt morgen noch mal wieder, hat hier noch zu tun, hat er gesagt. Nachmittags gegen vier. Kannst du kommen?«

»Das tue ich, Bodo, auf jeden Fall. Danke für die Nachricht! Bis dann.« Ich legte auf.

»Sieh an, das ist der erste Stefan in dem Fall«, sagte ich laut in die Stille meines Hauses. »Stefan, der Berater von Blue. Das wäre ja zu schön.«

Diese Geschichten, die in der Eifel spielten und immer mit dem Elend von Menschen zu tun hatten, machten atemlos. Man hielt einen Moment inne, weil zwei oder drei Stunden nichts zu tun war, und war verstört, weil man nicht weiterrennen musste, weil da eine Lücke war, weil man eigentlich Pause hätte machen können, um irgendetwas in Ruhe zu überlegen oder nach einem Buch zu greifen. Kurzum, es war sehr plötzlich still, aber man dachte ständig: Möglicherweise versäume ich jetzt etwas, möglicherweise passiert da draußen irgendetwas, das ich hautnah mitkriegen sollte. Das war Stress, selbstgemachter Stress.

Da hockte ich also, hatte gut zwei Stunden Zeit, ehe ich auf einem Autobahnrastplatz eine Prostituierte treffen sollte, und spürte, wie ich hastiger atmete. Das waren so die Momente in meinem Leben, die ich liebte, weil sie zeigten, dass ich zuweilen strohdumm war.

Ich stopfte also eine Pfeife, eine Jahrespfeife aus 2013, ein durchaus eigenwilliges, tiefbraunes Stück Holz mit schöner Maserung. Ich zwang mich zur Ruhe, ich nahm eine nicht geöffnete Dose edlen Tabak von *Planta*, freute mich auf den Genuss und sagte mir: Sachte, Baumeister, sachte! Komm runter auf den Teppich, es ist alles gar nicht so eilig, das Leben kann zuweilen auch durchaus langsamer laufen, und du verpasst trotzdem nichts.

Dann schrillte mein Festnetzanschluss und versaute meinen Start in die erhoffte Langsamkeit. Ich griff zum Hörer und schnarrte: »Baumeister hier, was kann ich für Sie tun?«

»Mein Name ist immer noch Raimund Oster. Sie erinnern sich?«

Ich war im ersten Moment überfordert und sagte: »Helfen Sie mir.«

»Ich hatte wie Sie eine tote Katze bei mir im Hauseingang hängen. Und ich hatte mit einem Siebzehnjährigen zu tun, der bei einer Diskussion von mir verlangte, Beweise für die Ermordung von sechs Millionen Juden vorzulegen.«

»Ich bin wieder im Bilde. Sie sind Pfarrer in Gerolstein, wir hatten telefoniert. Und dieser Siebzehnjährige wohnt auf dem Eulenhof. Richtig? Entschuldigen Sie, meine Vergreisung beschleunigt sich.«

»Ich rufe Sie an, weil ich wissen möchte, wie es Ihrem Freund geht.«

»Danke, nicht so gut. Es sah anfangs gut aus, aber dann erlitt er im Krankenhaus eine Hirnblutung. Und wie das ausgeht, steht in den Sternen.«

»Ich werde für ihn beten«, bemerkte er trocken.

»Ich danke Ihnen«, erwiderte ich.

Er wartete eine Weile, dann bemerkte er vorsichtig: »Da wäre noch etwas, das eventuell wichtig sein könnte.«

»Nehmen Sie keine Rücksicht«, ermutigte ich ihn.

»Mich lässt die Sache nicht los, und mir ist ein Zusammenhang eingefallen, der für Sie von Interesse sein dürfte. Dieser Oliver ist ja nur ein Teil des Trios auf dem Eulenhof. Sein Bruder Hannes ist der andere Zwilling. Und dann gibt es eine Sechzehnjährige namens Meike.«

»Richtig. Diese Meike, so sagte mein Freund im Krankenhaus, hat besonders wild und heftig zugeschlagen.«

»Das habe ich auf Facebook gelesen. Aber die drei waren einmal vier. Ich nehme an, das wissen Sie nicht.«

»Davon habe ich nichts gehört«, bestätigte ich.

»Ein gewisser Kevin gehörte dazu, ein Siebzehnjähriger aus Mürlenbach, hat etwa ein Jahr lang auf dem Eulenhof gelebt.«

»Wie kam es dazu?«

»Die Eltern trennten sich. Es gab sehr viel Streit. Kevin hat das nicht ausgehalten. Irgendwann haben die Leute auf dem Eulenhof gesagt: ›Dann kann er bei uns wohnen, bis sich sein Zuhause wieder beruhigt.‹«

»Also erweiterte Nachbarschaftshilfe?«

»Richtig«, sagte er. »Erwartet man eigentlich nicht von so einer abgeschotteten Gruppe, aber Kevin wohnte dann auf dem Eulenhof. Die Jugendlichen dort sind auf die Idee gekommen, Kevin zu helfen. Jetzt lebt er bei seiner Mutter. Kann ich Ihnen die Adresse und die Telefonnummer geben? Sie heißt Kaufmann, Grete Kaufmann.« Er gab mir die Telefonnummer, die ich auf einem Zettel notierte. »Vielleicht lohnt sich ein Gespräch. Und dann ist noch etwas wichtig: Sie sollten zunächst mit der Mutter reden, nicht mit Kevin. Der Junge ist schwer nervös und reagiert heftig.«

»Was wird Kevin denn erzählen?«

»Wie Jugendliche dazu erzogen werden, Menschen halb totzuprügeln. Die Betonung liegt auf halb.«

12. Kapitel

Ich ging sorgsam vor, damit mich keine Überraschung treffen konnte. Ich fuhr auf die A1 Richtung Köln, wendete dann an der Ausfahrt Nettersheim und fuhr zurück, um mir den Parkplatz in Fahrtrichtung Eifel genau anzuschauen. Er hieß *Grüner Winkel*.

Der Platz war groß und bei Truckern, vor deren Durchquerung der Eifel, sehr beliebt. Der Grund war ganz einfach: Man hatte beim Ausbau des Rastplatzes schwere und hohe Schallwände zur Autobahn hin aufgestellt, sodass der Platz verhältnismäßig ruhig war. Es war üblich, dass es hier abends gegen einundzwanzig Uhr schon so voll war, dass selbst der gemeine PKW-Fahrer nur mit Glück einen Platz finden konnte.

Es gab allerdings um die Parkplätze auf der A1 in Richtung Eifel immer schon heftige Gerüchte, und mindestens ein Gerücht davon war triste Wirklichkeit: Drogen.

In Richtung Holland war der Weg Teil der sogenannten Heroinroute, die vom Balkan herführte. Umgekehrt gingen chemische Seelenaufheller aus den Drogenküchen nach Osten und Süden: Amphetamine aller Sorten und Qualitäten. Außerdem ging Kokain von West nach Ost. Auf einer beliebigen Straßenkarte Westeuropas konnte man die A1 und die A61 als direkte Verbindungslinien ausmachen. Hinzu kam noch die A4 in Richtung Aachen. Tummelplatz der Drogenkuriere, die schon seit vielen Jahren an schnellen, möglichst gefahrlosen Verbindungen interessiert waren.

Ich war zwanzig Minuten vor der Zeit an Ort und Stelle und brachte mich so zwischen den parkenden Fahrzeugen in

Stellung, dass ich von allen Seiten gut zu sehen war – dicht vor dem Toilettenhäuschen. Gaby Drechsler wusste mein Kennzeichen, und ich ihres aus Köln.

In den ersten zehn Minuten kamen etwa zwölf LKW auf den Rastplatz gerollt, die einen Platz suchten und gleich wieder weiterfuhren, weil sie keinen fanden. Es kamen sechs oder sieben PKW, drei blieben trotz der Enge stehen, die Fahrer stiegen aus, vertraten sich die Beine oder rauchten in Ruhe eine Zigarette und lasen in einer Zeitung. Es gab LKW-Fahrer, die Kollegen trafen und miteinander redeten. Es gab Leute, die mit Handtuch, Hygienebeutel und in Plastiklatschen dem Toilettenhäuschen zustrebten und einen ruhigen und freundlichen Eindruck machten. Pause im bundesdeutschen Alltag auf einem Rastplatz an der Autobahn.

Zwei Autos weiter, rechts von mir, stieg eine sehr auffällige, große Frau aus einem schwarzen Audi A6 und schlenderte in aller Gemütsruhe auf einen LKW zu, der dem Nummernschild nach aus Rumänien kam. Die Frau trug unter einer wilden, blonden Mähne eine weiße, leicht durchsichtige Bluse, Hotpants aus Jeansstoff und Flipflops an den Füßen. Sie klopfte an die Fahrertür, die Tür ging auf, sie stieg behände ein, die Tür fiel wieder ins Schloss. Totenstille.

Es wurde klar, dass ich mich bewegen musste, denn aus meinem Auto heraus konnte ich zwar viel sehen und erkennen, aber ich konnte die meisten Nummernschilder nicht lesen, und ich sah im Wesentlichen auf die Heckpartien von etwa fünfzehn LKW, konnte aber nicht einsehen, was die Fahrer taten, ob sie ihren Fernseher laufen ließen, ob sie die Vorhänge zuzogen oder schon zugezogen hatten.

Ich stopfte mir also eine Pfeife, zündete sie an und stieg aus. Ich tat das, was Deutsche auf Rastplätzen gemeinhin tun: Ich lächelte freundlich und unbestimmt in alle Himmelsrichtungen und bewegte mich schlendernd und qualmend zwischen all den Fahrzeugen herum. Ein PKW-Fahrer, der sich locker macht und sein nächstes Leben plant.

Der schwarze A6 hatte ein Kölner Kennzeichen und vorne vor der Fahrertür eine Antenne für CB-Funk aufgesetzt. Natürlich! Die meisten LKW-Fahrer hatten diese Geräte auch. Sie dienten im Allgemeinen dazu, vor Polizeikontrollen zu warnen, die neuesten schmutzigen Witze weiterzugeben oder für das größte Schnitzel auf dem Kontinent östlich von Lyon zu werben und natürlich alle Kollegen vor dem nächsten Stau zu warnen. Der Mann, der hinter dem Steuer saß, war ungefähr vierzig Jahre alt. Es war ein schlanker, sehniger Typ mit einem schmalen Gesicht. Unter einem dunklen Sakko trug er einen beigefarbenen, einfachen Pullover. Man konnte sagen: ein Geschäftsmann von heute, ganz normal.

Es waren genau zwölf Minuten vergangen, als die blonde, große Frau von ihrem Besuch in dem rumänischen LKW zurückkehrte und offensichtlich guter Laune war. Sie riss die Tür des A6 auf und tönte ganz fies aus voller Brust: »Dieser blöde Pimperer, diese Ostnull!« Dann zog sie die Tür hinter sich zu, fummelte mit einer Hand an einer Zigarettenschachtel herum und reichte mit der anderen Hand ein paar Geldscheine an den Mann hinter dem Steuer weiter.

Dann schnurrte zu meiner großen Erleichterung ein Fahrzeug auf den Parkplatz, das das richtige Kennzeichen hatte. Ein uralter Ford Kombi, dessen Farbe wahrscheinlich einmal ein dunkles Grün gewesen war, der jetzt aber aussah wie das Malblatt eines Vierjährigen, der zum ersten Mal mit Wasserfarben um sich werfen darf.

Der Fahrer wollte sich offenkundig gleich neben meinen Wagen stellen, was eigentlich nicht möglich war. Aber er setzte sich dem Platzmangel konstruktiv entgegen und parkte mit seiner linken Flanke auf einem kleinen Rasenviereck. Er hatte natürlich auch ein CB-Funkgerät an Bord und eine noch größere Antenne als der Audi A6.

Den Fahrer konnte ich nicht genau erkennen, aber seine Begleiterin schon: ein durchaus ansprechendes, weibliches Profil. Kleine Nase, hochgetürmtes, dunkles Haar. Und weil ich annahm, dass sie mein Nummernschild zur Kenntnis genommen hatte, hob ich schüchtern meine linke Hand und ließ meine Finger auf und nieder wippen. Sie schaute nicht zu mir her.

Dann hatte sie plötzlich das Sprechgerät des Senders vor dem Mund und sagte irgendetwas. Sie lachte laut, wirkte aufgeregt und fröhlich und öffnete die Tür ihres Fahrzeugs.

Sie trug einen Minirock, der nur wenig breiter als ein Gürtel war, hatte aufregend lange und schöne Beine, die in haushohen, schwarzen High Heels steckten. Sie verfügte überdies über eine erstaunliche Oberweite, die ich durchaus als ein eindrucksvolles Mittelgebirge beschreiben würde. Sie ging wie alle lustvollen und kurvenreichen Körper zu gehen belieben: mit spiralförmigen Drehungen des Gesamtensembles.

Da hatte der Körperklempner Richard Voigt aber wahrlich etwas Wundervolles geschaffen!

Gaby Drechsler steuerte auf einen LKW zu, der rechts von mir stand. Es war ein Niederländer, ein ziemlich mächtiger Volvo. Sie stellte sich daneben und klopfte an die Fahrertür. Dann stieg sie geschickt auf, sie hatte das wahrscheinlich schon häufiger gemacht.

Jetzt konnte ich auch ihren Begleiter sehen, der kurz aus dem Ford stieg und sich die Beine vertrat. Er wirkte gelangweilt und gleichzeitig langweilig – ein stumpfes, nichtssagendes Gesicht. Wahrscheinlich ein Opfer seines Berufes, der viel zu selten mit den Kunden in Berührung kam und sich sehr einsam fühlte. Seine schwarzen Haare fielen fast bis auf die Schultern, sie waren strähnig und ungewaschen. Er trug ein schwarzes T-Shirt mit irgendeinem hellen Aufdruck zu einer vollkommen charakterlosen, braunen Jacke. Der Mann war vielleicht fünfzig Jahre alt. Da war der A6-Fahrer aber ein ganz anderer Typ, wesentlich windschnittiger und zielgerichtet auf den großen Erfolg. Allerdings musste ich zugestehen, in der Branche nicht ganz so zu Hause zu sein.

Klein-Gabys Arbeitszeit übertraf die der mächtigen Blonden um genau zwei Minuten. Sie kletterte behände aus dem Fahrerhaus, strich sich das Röckchen glatt und schritt mit sehr scharfen Klacklauten auf ihr Auto zu. Ich erwartete irgendein Signal, aber es kam keines. Nicht einmal ihre Augen strichen über mich hinweg. Dann allerdings, als sie unmittelbar neben mir war, bewegten sich die Finger ihrer rechten Hand auffällig und geradezu wild in meine Richtung.

Natürlich reagierte ich nicht, vermied es sogar, ihr beim Besteigen des Autos zuzuschauen. Arbeitende Menschen haben ein Anrecht auf Diskretion.

Sie zog den Schlag des Wagens hinter sich zu und lächelte mich eine Sekunde lang an. Durchaus nicht unverbindlich. Es war jetzt klar, sie wusste, dass ich wartete.

Ich stopfte also die nächste Pfeife und paffte vor mich hin. Auf dem Rücksitz lag wie immer die letzte Nummer des SPIEGEL, ich blätterte darin, las hier und da ein bisschen, blieb aber nirgendwo richtig hängen.

Dann geschah wieder etwas. Gaby neben mir öffnete die Autotür und trabte auf einen spanischen LKW zu, der auf der Bordwand eine ganz große Bilderreihe mit farbigen Früchten trug. Äpfel, Bananen, Pfirsiche. Und dann, das war etwas verwirrend, trabte die große Blonde auf denselben LKW zu.

186

Die beiden Frauen trafen sich in der Schlucht zwischen den hoch aufragenden Fahrzeugen. Ich hatte gute Sicht auf das Geschehen: Die Blonde rammte ihrer Kollegin beide Fäuste in den Magen und verpasste ihr einen blitzschnellen rechten Haken mitten ins Gesicht. Gaby knickte nach vorne ein, fiel auf die Knie, und die Blonde trat zu. Zweimal, dreimal.

Gleichzeitig ging der Mann aus dem Audi A6 sehr schnell vor meinem Auto vorbei, trat an den Ford Kombi und riss die Türe auf.

Er griff dem Mann hinter dem Steuer um den Hals und riss ihn zu sich. Er sagte laut und scharf: »Hör zu, du Mistkröte, du Schleimscheißer! Ich will euch hier nicht mehr sehen. Nicht noch einmal, sonst landest du in der Müllverbrennung!« Dann trat er zu und schlug zweimal wuchtig mit der Faust nach unten.

Jetzt kam Gaby zurück. Sie ging schief, sie schwankte, hatte Blut im Gesicht, heulte laut und hemmungslos.

Der Mann, der zu der Blonden gehörte, sagte leise, aber heftig in Gabys Richtung: »Du gehörst in ein Altenheim, du billige Schlampe. Ich will euch hier nicht mehr sehen. Sag das dem Weichei da!« Dann ging er wieder vor meinem Wagen her zu seinem A6.

Die große Blonde kam zur gleichen Zeit zurück, wahrscheinlich hatte der LKW-Fahrer von seinem Glück überhaupt nichts gemerkt. Da saßen sie also in dem schicken, schwarzen Fahrzeug, schauten unschuldig in den Abend und arbeiteten zügig an der Ausdehnung ihres Gewerbes.

Gaby wimmerte laut: »Ach, Kalli, mein Kalli« und ging schluchzend in die Knie. Sie verschwand aus meinem Blickfeld.

Dann erschien ihr Kopf, sie sah mich an und sagte mit großen Augen: »Er hat doch Asthma! Kannze ma helfen?«

Ich eilte zu ihnen hinüber.

Kalli lag auf dem Asphalt, gekrümmt wie unter großen Schmerzen. Er war totenblass und hielt die Augen geschlossen.

»Habt ihr Wasser im Auto? Da ist zu viel Blut«, sagte ich. »In deinem Gesicht auch.«

»Ja, ja ...« Sie reagierte fahrig, öffnete eine hintere Tür des Kombis und kramte herum. Kurz verschwand sie ins Auto, kam dann aber mit einer großen Plastikflasche Wasser und einer großen Pappschachtel mit Hygienetüchern wieder zum Vorschein.

»Mach mir ein paar Tücher nass«, sagte ich. »Und wenn er Asthma hat, muss er doch ein Spray bei sich haben, oder?«

»Ach, ja«, sagte sie mit leichtem Nuscheln. »Ach ja. Das hab ich jetzt vergessen. In seiner Jacke, oben.«

Ich fummelte an Kallis Jacke herum und bekam den kleinen Behälter zu fassen. »Mach mal seinen Mund auf.«

Sie war gestresst, fummelte unbeholfen in Kallis Gesicht herum, sie bekam das nicht hin.

»Umgekehrt«, entschied ich schnell. »Ich drücke den Mund auf, und du sprayst das Zeug rein.«

Es klappte, sie sprühte drei- oder viermal. Kalli schluckte, atmete durch den Mund und schloss dann erleichtert seine Lippen. Er krächzte.

Da waren schnelle Schritte hinter uns, eine Frau fragte: »Jemand verletzt? Kann ich irgendwie helfen?«

»Alles okay«, sagte Gaby sehr schroff.

»Ich wollte ja nur helfen«, erwiderte die Frau beleidigt und zog ab.

»Du hältst dich am Auto fest, ich hebe dich jetzt hoch«, sagte ich deutlich und laut zu Kalli.

Ich war stinksauer. Ich hatte nur etwas wissen wollen, kniete jetzt aber auf dem Asphalt eines Rastplatzes und kümmerte

mich um Arbeitsopfer auf dem Markt des deutschen Lustge-
werbes. Irgendwie lief das nicht so, wie ich geplant hatte.

Ich hievte Kalli an, zum Glück half er mit. Er stützte sich
auf dem Auto ab und sagte: »Puhh!«

»Wir müssen hier aber weg!«, drängelte Gaby. »Hier können wir nicht bleiben. Sonst kommt dieser Irre wieder.«

»Der kriegt ein Messer zwischen die Rippen!«, sagte Kalli
trotzig.

»Ach, halt den Mund!«, fuhr ich ihn an. »Der hat euch
gezeigt, wo Bartel den Most holt, und jetzt seid mal ruhig.
Haut hier ab, und zwar schnell.«

»Ja!«, sagte Gaby und nickte. Ihre Nase hatte aufgehört zu
bluten.

»Wo wohnt ihr denn?«

»In Holweide«, antwortete Gaby.

»Wir können es auch hier machen«, sagte ich. »Aber dann
kommt diese schnelle Eingreiftruppe und schlägt euch krankenhausreif.«

»Ja«, sagte Gaby wieder.

»Was können wir auch hier machen?«, fragte Kalli misstrauisch.

»Er will was wissen. Von Ritchie«, erklärte Gaby. »Also,
dann machen wir es in Holweide.«

»Wieso Ritchie?«, fragte Kalli.

»Fahrt vor mir her!«, entschied ich.

»Er bezahlt doch auch«, sagte Gaby zu Kalli, dem die Sache
überhaupt nicht zu schmecken schien.

»Also los!«, bestimmte ich.

Sie fuhren vor mir her, und ihr Auto erwies sich als ein
Museumsstück. Es erreichte die Achtzig-Kilometer-Marke
nur mühsam, und der Auspuff war kaputt. Er röhrte entsetz-
lich. Er röhrte bis Holweide.

Ihre Wohnung lag in einem Betongebirge an der Straße nach Köln. Sie erwies sich als Einraumwohnung mit Kochnische und einem Bad, in dem man den Lokus nicht erreichen konnte, es sei denn, man drehte eine Pirouette.

»Also, ich habe nichts im Haus«, erklärte Gaby. »Ich könnte dir ein Spiegelei auf eine Scheibe Brot legen.« Sie goss sich aus einer Flasche eine klare Flüssigkeit in ein Wasserglas und trank es in einem einzigen Zug leer.

»Nicht das auch noch«, widersprach ich energisch.

»Also, ich gucke ein bisschen *Sky*«, stellte Kalli fest.

Es gab zwei Sessel. In einen davon setzte sich Kalli vor den Fernseher. Gaby behalf sich, schob den zweiten Sessel neben das Bett und setzte sich auf die Bettkante. »So geht's«, meinte sie. Dann goss sie sich erneut eine große Portion aus der Flasche ein.

Ich saß also mit dem Rücken zum Fernseher und starrte auf Gabys Knie.

»Nimm die Kopfhörer«, sagte sie und drehte sich eine Zigarette.

Kalli gehorchte.

»Also, Gaby«, sagte ich vorsichtig. »Ich muss erst einmal etwas loswerden. Wahrscheinlich lest ihr keine Zeitung und hört auch nicht die Nachrichten. Ritchie ist nämlich tot.«

»Wie bitte?«, fragte sie erschreckt.

»Jemand hat ihn im Wald in der Eifel erschossen. Deswegen muss ich mit dir sprechen. Wie bist du an Ritchie gekommen? Hast du ihn gesucht, oder hat er dich angesprochen?«

»Ach Gott, das tut mir aber leid. Also, er hat ein Casting gemacht«, sagte sie. »Das lief unten in einer der Kneipen in der Altstadt. Er hatte so'n Nebenzimmer gemietet, man konnte da reingehen, und er hat dich beguckt. Bei mir hat er gesagt: ›Das ist sehr gutes Material.‹ Na, meine Figur meinte er.«

Richard Voigt hatte keine Wunder an ihr vollbracht. Er hatte ihren Busen vergrößert, er hatte ihr an den Oberschenkeln und am Hintern Fett entnommen. Aber er hatte ihr Gesicht nicht berührt. Und das sah jetzt erschreckend alt aus, wie sechzig Jahre. Gaby war durch den Angriff auf dem Rastplatz total genervt und sehr müde, und sie hatte dunkle Ringe unter den Augen. Sie war eine zerschlagene Frau mit lebenslangen schlechten Erfahrungen, ihr Gesicht war hager und gezeichnet von Alkohol und sämtlichen vorstellbaren Prüfungen. Eines ihrer Hauptprobleme hieß wohl Kalli.

Ich durfte sie nicht scheuchen, ich musste ihr ein wenig Ruhe geben, sie sollte nicht misstrauisch sein. »Lass dir Zeit«, sagte ich deshalb. »Wir müssen uns nicht beeilen. Und hier ist erst einmal dein Geld.« Ich legte den Hundert-Euro-Schein behutsam auf ihr rechtes Knie.

»Ja«, sagte sie unbestimmt, nahm das Geld und legte es auf eines der Kopfkissen. »Was is'n da passiert? Weiß man das schon?«

»Man weiß noch gar nichts«, antwortete ich. »Nur dass er erschossen wurde – von jemandem, der das gut gekonnt haben muss, das Schießen. Wann war denn dieses Casting in der Kneipe?«

»Das ist jetzt fast drei Jahre her. Und ich bin ja auch mit seiner Arbeit zufrieden. Na, er ist ja ein guter Arzt.«

»Ohne Zweifel«, bemerkte ich. »Aber darum geht es jetzt gar nicht. Wie sah denn dein Vertrag mit Ritchie aus?«

»Wir hatten keinen Vertrag. Alles mit Handschlag. Er sagte: ›Ich zahle alles, du kriegst ein Bett bei mir, ich behandele dich. Alles kostenlos. Dann darf ich meine Arbeit an dir ein paarmal rumzeigen.‹ Und das war es dann schon.«

»Und das Rumzeigen war dann auch in der Eifel, oder?«

»Ja, genau. Obwohl mein Baby ja dagegen war.«

»Dein Baby?«

»Na, Wolle. Das ist mein Sohn. Der is jetzt vierundzwanzig, und wir sehen uns ziemlich oft. Aber meistens hat er keine Zeit, weil er arbeiten muss.«

Über dem Bett hing ein großes Bild an der Wand, ein Druck, sicher zwei mal zwei Meter groß. Rechts darauf saß ein Krieger mit rotem Bart und in voller Rüstung auf einem Scherensessel. Ihm zu Füßen eine junge, grellblonde Frau, ebenfalls in Rüstung und mit einem gewaltigen Schwert an der Seite. Die Frau hatte Riesenbrüste, die nur mühsam vom Metall verdeckt waren. Sie kniete vor dem Mann, als wollte sie ihn anbeten. Und zwischen den beiden, im Hintergrund, ein Drache mit einem furchterregenden Gebiss und strahlend gelben Augen, ein richtig liebes Tierchen, auch in voller Rüstung. Das Ganze waberte in einem mystischen blauen Nebel.

Gaby folgte meinem Blick und sagte leicht spöttisch: »Kalli mag so was.«

»Also gut, du hast bei dem Casting gewonnen, er hat an dir herumoperiert. Wie oft hat er dich vorgezeigt? Und wo?«

»Hm, drei-, viermal.«

»Einmal in der Eifel, das wissen wir. Was lief da ab? Und langsam, wir haben ja Zeit. Er hat dich in seinem Auto mitgenommen, nicht wahr?«

»Ja, ja. Er hat ja einen Porsche, unsereiner fährt ja selten mit so was. Das war ein Bauernhof, aber ich weiß nicht mehr, wie der heißt.«

»Fand das abends statt?«

»Ja. Aber wir waren schon mittags da. Zum Kaffee. Es gab Kuchen und so, alles richtig freundlich. Und Ritchie hat mich vorgestellt und gesagt, wir seien Freunde und so. Er sagte: ›Meine Vorzeigepuppe.‹« Sie lächelte in der Erinnerung.

»Sind denn noch Leute in deiner Erinnerung? Kannst du dich an bestimmte Leute noch erinnern?«

»Eigentlich nicht. Außer an Weidi. Der war so ein Großer mit Bart. Der hatte da das Sagen, der bestimmte, was ablief. Na, und dann noch das Mädchen.«

»Kannst du dich erinnern, wann die Veranstaltung abends anfing?«

»Ich denke ma, das war so gegen acht Uhr. Ich hatte ja ein eigenes Appartement, ich hab in Ruhe geduscht und so.«

»Wie sah der Raum aus, in dem das ablief?«, fragte ich.

»Hm, das war ein sehr großer Raum. Da war ein Riesenkamin, und der brannte. Das weiß ich genau, weil ich noch gesagt habe: ›Da hätte ich mich ja gar nicht erst anzuziehen brauchen.‹ Also, es war schön mollig warm. Und alle haben gelacht und geklatscht.«

»Gab es denn etwas zu essen oder zu trinken?«

»Klar. Da stand ein Riesentisch mit vielen Stühlen. Und erst gab's was zu essen und zu trinken. So viel du wolltest, egal was. Ich hab nur Champagner getrunken. Ganz wenig. Und gegessen hab ich nur 'n Stück Wurst. Sie hatten überm Feuer im Kamin einen Rost liegen, die grillten da, und ein Mann in einer Kochuniform hat bedient.«

Ich erinnerte mich an den Riesentisch, von dem sie sprach, ich erinnerte mich an Ulrich Hahn und Veit Glaubrecht, die mich in diesem Raum begrüßt hatten, ehe wir in Blues kleines Appartement gegangen waren. Ich spürte, wie ich wütend wurde und plötzlich hastiger atmete. »Gut. Du hast also gegessen und getrunken. Und dann folgte dein Auftritt. Wie genau ging das vonstatten?«

»Na, Ritchie stand auf. Ich stand auf. Ich musste mich ausziehen und auf den Tisch klettern. Das Geschirr und so war schon abgeräumt, da standen nur noch die Gläser. Bei den

Männern waren das die Humpen. So sagten die. Humpen. Die ham fast alle Bier getrunken.«

»Du hast also nackt auf dem Tisch gestanden. Richtig?«

Ich rief mir innerlich zu: Baumeister, treib sie nicht. Es ist erniedrigend genug, sich daran erinnern zu müssen.

Ich machte eine Pause, und sie trank wieder, diesmal aus der Flasche. Es war Korn.

»Hat Ritchie dich eigentlich bezahlt?«

»Ja klar, hat er. Ich kriegte 'nen Tausender. Aber den kriegte ich von diesem Weidi.«

»Erst hat Ritchie was erzählt, oder?«

»Klar. Er hat erst mal erzählt, wie viele Frauen im Jahr diese Eingriffe vornehmen lassen. Was sie korrigiert haben wollen, und was nicht. Jede Menge Zahlen. Weltweit, nehme ich mal an.«

»Und du hast auf dem Tisch gestanden?«

»Nee, hab ich nicht. Ich musste den Tisch langsam rauf und runter gehen, rauf und runter, barfuß. Dann kriegte ich High Heels. Rot. Ich habe gedacht, gleich knicke ich um. Die Kerle haben gegröhlt. Und dann musste ich wieder rauf und runter gehen. Ritchie hat genau erklärt, was er an mir operiert hat.«

»Weißt du noch, wie lange das dauerte?«

»Weiß ich wirklich nicht. Er hat dann gesagt, wo man genau sehen kann, wie alt ich bin. Und wo man das nicht sehen kann.« Sie war jetzt totenblass, und ihr Atem ging heftig.

»Er hat also den Unterschied zwischen … na ja, zwischen deinem Gesicht und den operierten Stellen gezeigt, nehme ich an. Dann war da Schluss, du bist zurück in dein Appartement.«

»Nein, nicht so schnell.« Sie wollte es sich jetzt selbst erzählen. Es hatte den Anschein, als wollte sie sich selbst bestrafen mit ihrer Erzählung. Sie wirkte wie paralysiert, während sie weitersprach: »Dann sind alle raus, bis auf Weidi und den einen, den sie Veit genannt haben. Dann habe ich Weidi geritten und musste ihn … ich musste ihn peitschen. Auf dem Tisch. Und dieser Veit gab die Kommandos.« Ihre Stimme war ganz dünn jetzt, Gaby atmete kaum noch.

»Nun ist es gut«, sagte ich. »Du hast den Tausender, und Ritchie hat dich irgendwann nach Hause gefahren.«

»Ja.«

»Warum machst du dich kaputt?«

»Wir haben kein Geld. Kalli kriegt nur Hartz IV, sonst haben wir nichts. Ich geh zum Sozialamt, krieg manchmal eine Hilfe. Aber sie sagen, ich kann ja arbeiten gehen, muss nur suchen.«

»Warum denn Kalli?«

»Na, wir waren mal verlobt. So mit siebzehn. Ich hab schon mit dem im Sandkasten gespielt. Wir leben erst seit vier Jahren zusammen. Das Leben ist eben manchmal so.« Dann begann sie zu weinen.

»Nur noch eine Frage. Du hast ein Mädchen erwähnt, das dabei war. Weißt du, wie die hieß?«

»Ja, das weiß ich. Meike heißt sie. So was vergisst du nicht. Weidi sagte: ›Meike, das passiert mit einer deutschen Frau, die keine Selbstachtung hat.‹ Ich dachte, ich steh im Wald.« Dann weinte sie so laut, dass sogar Kalli es hörte. Er starrte uns vorwurfsvoll an, weil er sich gestört fühlte.

Ich sagte hastig: »Macht es gut, Leute« und stürmte aus der Wohnung.

13. Kapitel

Ich fuhr durch die Nacht, grenzwertig langsam, ich war benommen und klemmte mich hinter einen LKW. Ich hatte einen gewaltigen Krach mit dem alten Mann da oben und wusste gleichzeitig, dass der nicht helfen würde.

»Du könntest diese miesen Stücke Leben eigentlich aussparen, verdammt noch mal! Was tust du denen an?«

Dann gab ich Gas und fuhr zügig durch bis Daun. Ich wollte Rodenstock guten Tag sagen und fragen, wie es ihm ging. Ich hatte aber vergessen, dass Krankenhäuser nachts ihre Türen geschlossen hielten. Also klingelte ich und musste lange warten, bis ein junger Mann erschien, der mir öffnete und etwas fassungslos fragte: »Was wollen Sie denn hier?«

»Rein! Einen Verwandten besuchen, der wohl auf der Intensivstation liegt. Ein Mann namens Rodenstock.«

»Hat man Sie benachrichtigt?«, fragte er misstrauisch. Er hatte das im Gesicht, was wir in meiner Jugend einen »spationierten Bart« nannten – hier ein Haar und dort ein Haar. Und er wirkte traurig.

»Hat man, gewissermaßen«, bemerkte ich. »Der Name ist Rodenstock.«

»Aber das geht doch nicht, mitten in der Nacht.«

»Die kennen auf der Intensivstation doch wahrhaftig nicht Tag oder Nacht«, wandte ich ein.

»Ich telefoniere erst mal«, drohte er und schlurfte davon. Nach einer Weile kam er wieder und sagte todmüde: »Aber nur kurz.«

»Kurz!«, versprach ich.

Ich war sofort wieder ein wenig fröhlicher und wusste, dass dieser Besuch bei meinem besten, väterlichen Kumpel mir gut tun würde. Nach all dem Elend. Ich wollte Holweide so schnell wie möglich vergessen. Und Rodenstock würde es aus der Langeweile reißen, hoffte ich.

Erst einmal musste ich einen dieser weißen Plastiküberzüge anlegen, ich sah aus wie Mephisto. In dem Raum herrschte das übliche Halblicht. Drei Betten jetzt, Rodenstock in der Mitte, und immer noch ein Mensch an der Maschine.

Aber Rodenstock war wach und aufmerksam. Er fragte: »Wieso kommst du denn nachts?«

»Ich habe tagsüber keine Zeit«, gab ich zur Antwort.

»Du sollst nicht lügen«, mahnte er. »Woher kommst du?«

»Die Frage ist nicht genehmigt. Wie geht es dir? Ich merke schon: sehr gut, sonst wärst du schlechter drauf.«

»Es geht ihm gut, es geht ihm sehr gut. Er hat schon von einem Wiener Schnitzel gefaselt.«

Ich wusste nicht, wer da sprach, und fragte: »Hat er das wirklich?«

»Hat er«, sagte der Mann links von Rodenstock und lächelte.

Eine Schwester murmelte freundlich: »Etwas leiser, Leute, sonst höre ich meine Maschinen nicht.« Sie saß in einer leicht erhöhten Position und hatte eine Komplettanlage für großes Orchester vor sich.

»Emma hat mir heute gesagt, ich kriege jeden Tag ein Wiener Schnitzel, wenn ich heimkomme.«

»Das überlebst du nicht«, urteilte ich. »Wie geht es dir wirklich?«

»Richtig besser«, antwortete er. »Wirklich.«

»Was ist mit der Blutung?«

»Weg!«, sagte er grinsend. »Ich habe sie verscheucht.«

»Er ist der größte lebende Mediziner«, sagte der Nebenmann, den ich auf etwa vierzig Jahre schätzte. »Er verfügt über sagenumwobene Selbstheilungskräfte.«

»Jetzt mal im Ernst, wo warst du?«, fragte Rodenstock nachdrücklich.

»Bei einer Dame des Gewerbes in Köln-Holweide. Es war traurig, wie das manchmal so ist. Deprimierend. Aber auch lehrreich.«

»Kommst du voran?«

»Nur mühsam. Wir haben keine Zeugen, und wir kriegen kaum Beweise.«

»Das habe ich mir gedacht«, sagte er. »So ist das bei diesen Leuten immer. Wie geht es Tessa?«

»Eigentlich gut, aber sie hat zu viel am Hals. Und so haben wir kaum Zeit für uns.«

»Das legt sich«, sagte er. »Ich wäre jedenfalls froh, wenn ich bei euch da draußen mitmachen könnte.«

»Das kannst du ja, wenn du hier fertig bist.«

»Sie wollen ihn in die Reha schicken«, sagte der Nebenmann in größter Erheiterung.

»Und er will das nicht«, komplettierte ich.

»Natürlich nicht«, murmelte Rodenstock mit einem Lächeln. »Aber ich werde hingehen. Ich bin eine ziemlich alte Maschine, und ich brauche sehr viel Pflege.«

»Ich biete dir jeden Tag einen Bauchtanz zum Einschlafen«, bot ich an.

Am dritten Bett summte plötzlich irgendetwas sehr laut. Dann kamen elektronische Laute in sehr schneller Folge. Lichter flackerten. Das Ganze sah sofort sehr dramatisch aus.

»Sie müssen jetzt rausgehen«, sagte die Schwester hart.

Ich gehorchte und sagte nur noch schnell: »Bis bald.«

Die Nachtluft tat mir gut, sie war frisch und belebend. Ich fuhr langsam nach Hause, und es schmerzte ein wenig, dass niemand da war, der mir einen guten Morgen wünschte. Wieso, zum Teufel, war ich für die Menschen in meiner Umgebung so kompliziert?

In der Zwischenzeit war ein Fax von Tessa angekommen. Die Liste der Leute, die auf dem Eulenhof wohnten. Sie war sehr lang. Ich war zu müde, sie zu lesen, ich ging ins Bett, und es dauerte nicht lange, bis ich einschlief.

* * *

Ich hatte irgendetwas Bedrückendes geträumt, aber ich wusste nicht mehr, was genau das war, als ich gegen acht Uhr aufwachte. Ich stand auf und duschte lange, dann machte ich mich an Tessas Liste der Menschen auf dem Eulenhof.

Der Eintrag hinter Ulrich Hahn lautete: *Vorbestraft wegen gefährlicher Körperverletzung im Alter von 19 Jahren. Vorbestraft wegen Betrugs und Urkundenfälschung im Alter von 22 Jahren. Danach keine bekannten Strafen mehr. Angeblich Chef der Unternehmung Eulenhof, führt die Bezeichnung Geschäftsführer. Scheint vorgeschoben. Der tatsächliche Chef ist der Jurist und Immobilienmakler Weidemann. (Siehe Weidemann: Weidemann vor vier Jahren vorbestraft wegen übler Nachrede, Beleidigung, ein Jahr Haft auf Bewährung. Ständige beratende Funktion in der NPD bis hinauf in die bundesdeutsche Parteispitze.)*

Bei Veit Glaubrecht sah die Liste düster aus: *28 Jahre alt. Vorbestraft. Jugendstrafe im Alter von 16 Jahren wegen Körperverletzung. Vorbestraft wegen Körperverletzung im Alter von 17, 18, 20 Jahren, davon zwei Fälle bei Frauen aus dem Milieu. Vorbestraft wegen gefährlicher Körperverletzung im Alter von 26 Jahren. Er nahm billigend in Kauf, dass das Opfer hätte sterben können. Drei*

Jahre Gefängnis, abgesessen. Vorbestraft wegen Bandenkrimina-
lität, Einbruch, Schwerem Einbruch zu zwei Jahren Haft auf
Bewährung. Gilt als extrem jähzornig. Wird als Marketingchef des
Eulenhofs ausgewiesen, wahrscheinlich eine Tarnung. Keinerlei
Unterlagen zu diesem Beruf vorhanden. Interne Einschätzung:
sehr gefährlich.

Dann kam Gerhard Wotan Hahn, der Bruder von Ulrich
Hahn: *26 Jahre. Keine Vorstrafen, nicht auffällig geworden. Real-*
schulabschluss in Dortmund. Seitdem auf dem Eulenhof in allen
möglichen Funktionen, aber nicht leitend. Hilfsfunktion als Ober
im Restaurant, als Leiter der Gästebetreuung, zuständig für die
Sauberkeit der Anlage, sehr häufig Großeinkauf bei Metro in Köln,
auch als Zimmerkellner tätig. Wird nachweisbar über die offizielle
Angestelltenliste des Hotelbetriebes bezahlt. Sehr zurückhaltend,
bisher nicht öffentlich aufgefallen.

Das Fax listete Blue mit den folgenden Angaben: *Paul Hen-*
rici (20), genannt Blue. Erschossen durch unbekannt. Tätig in ver-
gleichbaren Positionen wie Gerhard Wotan Hahn. Scheinen
befreundet gewesen zu sein. Betrieb des Eulenhofes gibt an, Blue sei
seit etwa zwei Jahren überhaupt nicht mehr für den Hof tätig gewe-
sen. Es gibt widersprechende Aussagen (siehe Ana v. Kolff, gleiche
Liste). Hierfür keine Nachweise. Wahrscheinlich monatlich in bar
bezahlt durch Weidemann, (s.u.).

Bei Weidi wurden Tessas Aufzeichnungen höchst interessant: *Hagen Weidemann (64), genannt Weidi, Rechtsanwalt, gebo-*
ren in Hamminkeln, Niederrhein. Ledig. Gibt Eulenhof als ersten
Wohnsitz an, andere Wohnsitze nicht bekannt. Gilt als der mäch-
tigste Mann auf dem Eulenhof, als eigentlicher Chef. Wahrschein-
lich machte er es erst möglich, den Hof zu kaufen, auszubauen und
zu betreiben. (Familie Hahn besaß keinerlei Barmittel und hatte kei-
nen Zugang zu Gewerbekrediten!) Frühe Konzentration auf Immo-
bilienhandel und -besitz. Enge Anlehnung an rechte Kreise, an

NPD, an »Thüringer Heimatschutz«, an »Kameradschaft Aachen-
Land«, an rechte Studentenvereinigungen (Burschenschaften) in
Dresden, Weimar, Jena u.a. Direkter Unterstützer ultrarechter
Kreise. Sehr schwer zu fassen, weicht aus, redet Anwaltsdeutsch.
Einer seiner markantesten Sätze lautet: »Wir sind immer noch
ungeheuer stolz auf den deutschen Landser, der im Zweiten Welt-
krieg jeden Tag gegen jeden Feind Heldenhaftes leistete.« Interne
Einschätzung: Sehr gefährlich. Bei insgesamt drei Steuerprüfungen
keine Vorwürfe oder Unsicherheiten seitens der Finanzbehörden.
Weitergegeben an Staatsanwalt für Wirtschaftsvergehen mit der
Bitte um zusätzliche Nachforschungen.«

Da hockte ich und begriff die Unsicherheiten, in denen
Tessa leben und arbeiten musste. Was in dem Durcheinander
war zu beweisen? Wie konnte sie vorgehen? Was war eine
Straftat? Wie war sie beweisbar? Was sollte man denn tun mit
einem Jugendlichen, der von seinem Lehrer forderte, den
Mord an sechs Millionen Juden zu beweisen? Der behauptete, der gesamte Holocaust sei getürkt worden, eine Fäl-
schung! Sollte man ihn etwa bestrafen? Bestrafte man auch
einen mittellosen Schauspieler, der gegen ein Honorar Texte
aus Hitlers *Mein Kampf* vorlas? Bestrafte man den, der das
anzettelte? Und was, wenn man über die Grenze in die
Lächerlichkeit rutschte?

Ich machte mich daran, meine Erlebnisse mit Gaby Drechsler und ihrem Kalli schriftlich festzuhalten. Es bereitete mir
große Mühe, in diese Tiefen menschlicher Existenz hinabzu-
steigen. Da wurde eine Frau, die ohnehin eine schwierige
soziale Stellung hatte, als »Material« bezeichnet und auch
genauso behandelt; benutzt, beschmutzt, weggeworfen.

Ich brauchte zwei Stunden, um das alles aufzuschreiben,
und ich wusste nicht, ob das im Rahmen des Eulenhofs überhaupt eine Rolle spielen würde. Vielleicht war es nur Bei-

werk, zu wenig Fleisch an einem dünnen Knochen. Aber es zeigte in jedem Fall die Verachtung, mit der man auf dem Eulenhof den Menschen begegnete, die nicht die Gnade genossen, zur Elite zu gehören.

Ich schickte auch diesen Text wieder an Kischkewitz, an Tessa und an Rodenstock. Natürlich wusste ich nicht, wann es ihm erlaubt und möglich sein würde, seine E-Mails abzurufen, aber es gab mir dennoch ein gutes Gefühl, die ganzen ungeschminkten Informationen rund um den Eulenhof in Rodenstocks Postfach zu wissen.

Als Tessa anrief, war es etwa elf Uhr. Draußen war schönes Wetter; viel Sonne, ein paar Schäfchenwolken, es hätte ein idealer Eifeltag werden können.

»Du musst dich festhalten«, sagte sie düster. »Es gibt ein Schreiben des Eulenhofs an das Ministerium für Bildung in Mainz, an die Leitung eines der Gymnasien in Daun und an alle Lehrer des Gymnasiums. Alle Briefe per Einschreiben. Ich lese vor: *Wir sind empört über die vielen vorgetragenen Bemerkungen in den Oberklassen Ihrer Schule, mit denen drei Gymnasialschüler der oberen Klassen in Daun öffentlich beleidigt wurden, sie seien, so wörtlich, »eine Prügeltruppe des Eulenhofs«, sie seien »eine Prügeltruppe der Neonazis in Bongard«, oder sie seien »eine außer Rand und Band geratene SS-Nachfolge-Schläger-Einheit.« Wir verlangen, dass sich die Schulleitung, die Lehrer und alle dies betreffenden Schüler der drei oberen Klassen bedingungslos und öffentlich für die haltlosen Beschimpfungen entschuldigen. Die Entschuldigung muss sowohl durch Erscheinen in einer in dieser Gegend verbreiteten Tageszeitung erfolgen, als auch auf den allgemein zugänglichen Seiten der Schule im Internet sowie in Sozialen Netzwerken wie Facebook und Twitter einsehbar sein. Es handelt sich bei den o.g. öffentlichen Beschimpfungen um eine Hetze, die das Sittengesetz unserer Gesellschaft bedroht. Der angerichtete Schaden ist jetzt schon immens. Wir behalten uns ausdrücklich weitere rechtliche Schritte vor. Mit freundlichen Grüßen! gez. Dr. Hagen Weidemann, Eulenhof, Bongard.«*

»Moment mal«, fragte ich scharf. »Hat Hagen Weidemann einen Doktortitel? Kann er den Juristen geben?«

»Er hat einen Doktortitel, kein Zweifel. Und er kann, da er Doktor der Rechte ist, einen solchen Brief schreiben und für die drei Schüler im Eulenhof Protest einlegen, sie vertreten und für sie streiten. Er ist als Anwalt zugelassen.«

»Verdammt. Was machst du jetzt?«, fragte ich.

»Ich halte mich zunächst an meinen Auftrag der rechtlichen Aufklärung und mische mich in diese Schulgeschichte nicht ein. Ich bin Staatsanwältin. Ich beginne allerdings zu begreifen, auf was wir uns da eingelassen haben. Ich weiß definitiv, dass in Daun unter den Jugendlichen viel über die Sache geredet wird. Das Gefasel von den SS-Nachfolge-Schlägern ist belegt. Die drei Schüler vom Eulenhof sind mindestens zwei, wahrscheinlich sogar drei Tage lang in der Schule und in der Öffentlichkeit angepöbelt worden. Dabei gibt es immer noch keine harten Beweise gegen die drei vom Eulenhof. Wir haben nichts. Rodenstock sagt, die Schlimmste sei ein Mädchen gewesen. Aber er sagt auch, dass sie ihr Gesicht geschwärzt hatte! Auch der Fotograf vom SPIEGEL spricht in seiner Aussage von einer ›deutlichen Gesichtstarnung‹. Aus einer Gegenüberstellung kann ich also kein Kapital schlagen, das würde mir auch verboten werden. Ich habe keine Ahnung, wie die Schule sich verhalten wird. Das kann verdammt mies werden. Und ich hänge hier und kann nicht einmal in Ruhe überlegen, weil hier alle wie die Hühner herumflattern und ›Ogottogott‹ schreien, weil unsere Nachforschungen und Aufklärungen enorm belastet sind. Ich kämpfe um Fakten, um Zeugen, um mögliche Beweise und habe bisher nicht viel vorzuweisen.«

»Dann besorg dir jemanden für die Kinder und komm hierher. Ich flattere auch nicht wie ein Huhn.«

»Meinst du das ernst?«

»Ja, natürlich.«

»Ich guck mal.« Das klang sehr hell und kam von tief innen. Sie legte auf.

Ich war noch dabei, die neuen Informationen von Tessa zu durchdenken, da rief Bodo Lippmann an und teilte mit: »Jung, hör mal, dieser Knabe, der vom Innenministerium in Mainz, hat für heute Nachmittag abgesagt. Tut mir leid, daran kann ich nichts ändern. Aber da passiert was Komisches: Genau dieser Mann schleicht hier durch den Busch. Ganz sicher. Das ist der Mann. Kein Irrtum möglich, weil du es doch immer so genau haben willst.«

»Wo genau schleicht der herum?«

»Wenn du dich erinnerst, von meinem Hof senkrecht über die Straße, über die Wiese hinauf in den Wald. Du bist dann ungefähr dreißig Meter über dem Eulenhof, und der liegt nach rechts ungefähr dreihundert Meter weg. Kannst du folgen?«

»Klar, Bodo, das schaffe ich noch.«

»Ich frag nur, weil die Meisten kommen bei solchen Angaben nicht mit. Du findest in dem Gebiet keine Straße, die nächste ist die B 421 nach Kelberg. Aber, wenn du es weißt, kommst du auf einem Wirtschaftsweg dahin. Und der läuft von der Höhe bei dir in Brück durch die große Senke, dann in einem Bogen nach links, danach in einem weiten Bogen nach rechts. Da endet der Wirtschaftsweg, und da treffen drei Wege aufeinander. Du nimmst den mittleren. Der führt zu einer großen Koppel, da habe ich vier Kutschpferde stehen. Du bist dann im Rücken vom Eulenhof, nur zweihundert Meter durch den Waldstreifen. Sind Fichten, Birken und

Krüppeleichen. Und pass auf bei hellgrünem Gras. Das ist die Bewachsung bei Quellgebieten. Musst du umgehen, die sind extrem tief da in dem Streifen.«

»Bodo«, sagte ich langsam und misstrauisch, »was sollen diese genauen Angaben? Bist du die Strecke selbst abgegangen? Du hast doch bei deinem Betrieb gar keine Zeit für so was. Was soll das?«

Er schwieg eine Weile. »Du hast doch bestimmt von dem Brief gehört, den der Eulenhof an die Schule geschrieben hat, oder? Hast du. Wir haben das heute sofort erfahren, mein Ältester geht auf die Schule. Das ist doch so was wie Krieg, oder? Wie soll denn die Schule da rauskommen? Die kann doch nichts dafür, wenn so Gerüchte durch die Luft fliegen. Die drei vom Eulenhof verlieren auf jeden Fall ein Schuljahr. Das ist doch klar, oder? Und ich denke, wenn sich die Situation zuspitzt, gehen die vom Eulenhof voll auf Konfrontation. Und dann bin ich hier im Weg. Ist das klar, weißt du, was ich meine? Ich habe bestimmt: Meine Familie geht den Weg, den du umgekehrt nimmst. Ich gehe einfach davon aus, dass es eines Tages kracht. Ich weiß nicht wie, und ich weiß nicht wann. Aber es wird krachen. Und wenn sie eine SEK-Einheit schicken. Klar?«

»Bodo, übertreibst du nicht ein wenig?«

»Nein«, sagte er bestimmt. »Bei uns ist jetzt die Luft vergiftet. Wir haben einen angeschossenen Jäger, wir haben einen toten Jäger, wir haben einen jungen Mann, der erschossen wurde. Ich glaube der Zeitung, die geschrieben hat, dass der regelrecht hingerichtet wurde. Du bist besinnungslos geschlagen worden. Das alles kannst du nicht mehr aus der Welt reden. Jetzt werden Jugendliche vom Eulenhof als SS-Schläger bezeichnet. Wir haben zwei Männer, die beinahe zu Tode geprügelt worden sind. Ein unsauberer Schlag, und dein Freund Rodenstock wäre nie wieder aufgewacht. Und du meinst, ich übertreibe?«

»Ja, du hast recht. Entschuldige. Melde dich bitte, wenn irgendetwas ist.«

»Das ist doch alles Scheiße!«, murrte er und unterbrach das Gespräch.

Als Nächstes holte ich das Zettelchen hervor, auf dem ich die Telefonnummer von Grete Kaufmann notiert hatte. Damit durfte ich nicht länger warten, Raimund Oster hatte mir den Tipp gegeben, mit der Mutter von Kevin zu reden, jenem Siebzehnjährigen, der ein Jahr lang auf dem Eulenhof gelebt hatte. Der Priester hatte zuversichtlich geklungen, dass hier etwas in Erfahrung zu bringen sei.

»Kaufmann«, meldete sie sich sehr sachlich.

»Mein Name ist Baumeister, Siggi Baumeister. Ich bin Journalist. Raimund Oster aus Gerolstein hat mich auf Sie aufmerksam gemacht. Ich soll Sie herzlich grüßen.«

»Ah! Der gute Herr Pfarrer aus Gerolstein. Dankeschön! Um was geht es denn? Wie kann ich Ihnen behilflich sein?«

Ich kam sofort zum Punkt: »Ihr Sohn hat ein Jahr lang auf dem Eulenhof gelebt. Ich wollte Sie um ein Gespräch mit ihm bitten. Natürlich sollen Sie dabei sein. Glauben Sie, das geht?«

»Ohhh«, sagte sie lang gedehnt. »Das kommt im Moment aber gar nicht gut. Da erwischen Sie uns auf dem falschen Fuß. Sie haben ja sicher von dem Brief gehört, der an das Gymnasium geschickt wurde? Also, mein Kevin ist davon schwer betroffen. Er sagt: ›Die haben alle keine Ahnung, was da wirklich läuft.‹ Also, ich glaube nicht, dass er mit Ihnen sprechen will. Zurzeit will er mit niemandem sprechen, glaube ich. Er ist muffig und unhöflich.«

»Soll mich das jetzt abschrecken?«

Sie lachte. »Nein, nein. Aber Sie kennen sicher Siebzehnjährige, wenn sie sauer und störrisch sind.«

»Frau Kaufmann, dass er sauer und störrisch ist, kann ich ja akzeptieren. Aber wenn er sich einem Gespräch verweigert, dann muss er selbst mit den Folgen leben. Und die Folgen könnten ziemlich beschissen sein. Wir haben viele Gerüchte und nur sehr wenige klare Worte. Es gibt bis heute drei Schwerverletzte und zwei Tote, die kann man nicht so einfach totschweigen, um das hässliche Wort zu gebrauchen. Es ist anzunehmen, dass Ihr Sohn einiges aufklären könnte. Und ich bin ganz sicher, dass die Mordkommission auf ihn zukommen wird. Die ermitteln nämlich, und da kennen die kein Pardon. Dann wird er nicht mehr schweigen können, es sei denn, er reitet sich zielsicher ins Verderben. Frau Kaufmann, Ihr Kevin hat eine Schlüsselposition.«

»Aber das sind seine Freunde, Herr Baumeister«, bemerkte sie vorwurfsvoll und hastig.

»Ja, natürlich. Ihr Sohn braucht Sicherheit. Ich filme nicht, ich nehme keinen Ton auf, ich gebe Ihnen die schriftliche Erklärung, dass kein Wort über ihn ohne seine Zustimmung irgendwo erscheint. Ich will mit seiner Hilfe den Vorhang heben, der vor dem Ganzen hängt.«

»Wenn Sie meinen …« Das klang zögerlich.

»Ich gebe Ihnen meine Nummern und würde Sie bitten, mich anzurufen, wenn Ihr Sohn seine Entscheidung getroffen hat. Er selbst kann mich auch anrufen, und Sie können bei dem Gespräch selbstverständlich dabei sein. Wenn das in den beiden nächsten Stunden erledigt werden könnte, wäre ich Ihnen dankbar. Ich muss sonst andere Wege gehen.« Ich dachte wütend: Friss oder stirb! Und ich hängte noch einen Satz an: »Ihr Sohn kann die Sache erklären, aber er kann sie nicht mehr verhindern, Frau Kaufmann.«

»Wie meinen Sie denn das?«

»Es ist ganz einfach«, antwortete ich. »Die Schule wird aufgefordert, sich für etwas zu entschuldigen, was sie gar nicht verursacht hat. Sie selbst hat diese Gerüchte von den SS-Schlägern nicht verbreitet. Es geht um Jugendliche, die andere Jugendliche auf übelste Art und Weise anpöbeln. Gerüchte kochen hoch, die Stimmung ist sehr schlecht. Aber Klarheit kann nur kommen, wenn einer dieser Jugendlichen erklärt, was da eigentlich im Hintergrund abläuft. Und dieser Jugendliche könnte Ihr Sohn Kevin sein. Immer vorausgesetzt, er hat den Mut.«

»Kann ich denn Ihre Telefonnummer haben?«

Ich diktierte ihr, was sie wissen musste, und beendete das Gespräch.

Dann rief ich Tessa an, um zu erfahren, wie ihre Planung aussah. Sie nahm das Gespräch an und sagte ohne Einleitung: »Ich bin mit dem Auto unterwegs zu dir, ich will ein Glas Sekt und dann nicht mehr gestört werden.«

»Immer diese Alkoholiker«, bemerkte ich.

Ein paar Minuten später schrillte das Telefon schon wieder, und ich begann den Apparat zu hassen.

Bodo Lippmann stieß aufgeregt hervor: »Also, für uns hat er keine Zeit. Aber er strolcht schon wieder da oben über dem Eulenhof herum. Man sollte den Leuten auf dem Eulenhof Bescheid geben, dass die ihm ein paar Schläger schicken, verdammt noch mal.«

»Gib mir erst einmal seine Handynummer. Die auf der Visitenkarte.«

Er diktierte sie. »Willst du etwa dahin?«

»Oh ja«, erwiderte ich. »Jemand, der freiwillig da oben herumläuft, ist entweder nicht ganz dicht, oder er macht das beruflich.«

»Nimm aber einen Knüppel mit«, sagte er.

»Komm lieber mit einer Zugmaschine vorbei, dann kannst du mich aus dem Quellwasser ziehen.«

Er schwieg eine Weile, begann dann ganz hoch zu lachen und stellte fest: »Man sieht sich.«

Bevor ich losfuhr, ging ich noch in die Küche, werkelte etwas herum und hinterließ Tessa eine Notiz: *Der von Ihnen bestellte Sekt steht im Eisschrank.*

14. Kapitel

Die reizvollsten Strecken in der Eifel sind die, die nur für den landwirtschaftlichen Verkehr freigegeben sind. Aber man kann sie auch zu Fuß machen und hat dabei den Vorteil, allein zu sein.

Ich kam sehr schnell voran, schließlich war ich den Weg schon einmal gefahren und hatte die Wegbeschreibung von Bodo im Kopf. Das Wichtigste war, sein Auto zu finden, was mir ohne Probleme gelang.

Es war ein Golf, und er hatte ihn so geparkt, dass er nur von Leuten gefunden werden konnte, die sich bestens auskannten. Der Wagen war vom Weg aus nicht zu erkennen. Erst wenn man den Weg bis zu einem Punkt fuhr, der weit ab von jedem möglichen Ziel lag, sah man ihn hinter einigen Schlehenbüschen stehen. Der Parkplatz verriet, dass der Mann es gewohnt war, sich in freier Wildbahn zu tummeln. Das Auto war von einem unauffälligen Grau und hatte ein Mainzer Kennzeichen. Ungewöhnlich war die stark profilierte Bereifung für raues Gelände. Die Maschine musste schon seit vielen Stunden hier herumstehen, die Kühlerhaube war kalt. Soweit ich sehen konnte, war der Wagen innen steril sauber, keine Hinterlassenschaft, nicht einmal ein gebrauchter Aschenbecher oder ein Bonbonpapier. Vielleicht war der Mann Veganer und humorlos.

Ich ließ die Luft aus dem hinteren linken Reifen ab, damit er mir nicht entwischen konnte, falls er die Absicht hatte, sich kommentarlos zu entfernen. Meinen eigenen fahrbaren Untersatz stellte ich gute zweihundert Meter weiter ab.

Dann bewegte ich mich langsam auf seinen wahrscheinlichen Standpunkt zu, der irgendwo oberhalb des Eulenhofs liegen musste. Wenn ich an diesen Mann dachte, den ich nicht kannte und den ich nie gesehen hatte, empfand ich zunehmend ein Gefühl nagender Unsicherheit und Neugierde. Wie konnte das angehen, dass jemand aus diesem Wald heraus zu irgendeiner Erkenntnis über die Bewohner des Eulenhofs kommen wollte? Ich dachte, das sei grenzenlos dumm – oder naiv. Es gab nur eine Möglichkeit, die mir einleuchtete: Der Mann wollte jemanden aus dem Eulenhof treffen, musste aber stundenlang warten, ehe sich eine Möglichkeit zu einem Treffen ergab.

Es war wichtig, nicht schnell zu gehen und fast lautlos zu sein. Wenn du schnell sein willst, kannst du nicht leise sein, und schon ein flüchtendes Karnickel kann dich verraten.

Als Erstes sah ich ein Reh, das am Rande des Waldstreifens äste. Es hob den Kopf und sah in meine Richtung, reagierte aber nicht überrascht, flüchtete auch nicht, es äste weiter. Dann sah ich drei weitere Tiere der Gruppe ungefähr achtzig Meter entfernt. Auch sie schienen mich zu bemerken, waren aber nicht beunruhigt, obwohl der Wind sanft von mir zu ihnen hinwehte. Ansonsten war es still, kein Laut war zu hören.

Dann erlebte ich die erste, geradezu wirre Überraschung des Tages. Rechts in meinem Blickfeld tauchte etwas auf, das dort nicht hingehörte. Es war ein scharf umrissenes Viereck in hellem Grün: Bodo Lippmann auf einem MB-Trac. Er hockte da, grinste mit seinem Keltengesicht und hob grüßend die rechte Hand, als wollte er mir zusichern: Wenn irgendetwas schiefläuft, gebe ich Gas.

Das hatte etwas Rührendes.

Ich ging vorsichtig weiter, immer an dem Waldstreifen entlang, der mich jetzt noch vom Eulenhof trennte. Dann erreichte ich die große Koppel von Bodo Lippmann, auf der die vier Kutschpferde standen. Sie hatten sich, was Pferde so tun, in eine Ecke gedrängt, zwei lagen und dösten, die beiden anderen fraßen. Keine Spur von Unsicherheit, sie hoben die Köpfe in meine Richtung und sahen gelangweilt zu, wie ich am elektrischen Zaun entlangging. Eine warme Sonne schien auf das Ganze herab, friedlicher konnte es nicht sein.

Als ich glaubte, genau oberhalb des Eulenhofes zu sein, drehte ich mich zu Bodo um und zeigte mit ausgestrecktem Arm in den Waldstreifen. Ich sah deutlich, wie er nickte.

Also los. Ich ging zwischen zwei Hartriegelsträuchern in die Fichten hinein. Das Gelände fiel stark ab. Es gab keinen erkennbaren Pfad, und es war sofort dämmrig und kühl. Solange ich unter den Fichten ging, gab es keine Schwierigkeiten. Danach folgten junge Birken und Krüppeleichen, hin und wieder ein Haselnussstrauch. Ich sah das erste Quellgebiet, das Grün der Gräser war beinahe grell. Ich umging es weiträumig, schlug einen Halbkreis und erreichte einen schmalen Streifen, der mit alten Buchen besetzt war.

Dort gab es eine kleine Geländefalte, vielleicht einen Meter hoch. Und da saß er und hatte den Rücken gegen einen alten, schon vermoderten Stamm gelehnt. Ich sah seine grauen Haare, ziemlich kurz geschnitten, ich war vielleicht noch zwanzig Meter von ihm entfernt.

Ich rief ihn sofort auf seinem Handy an, selbstverständlich klingelte es nicht. Aber auch den Vibrationsalarm, den ich erwartet hatte, schien der Kerl nicht aktiviert zu haben, denn er reagierte nicht, da war keine Bewegung.

Ich drückte mein Handy aus und sagte halblaut: »Guten Tag, Sir.«

Er bewegte sich nicht.

Ich wiederholte meine Anrede, aber er reagierte nicht. Keine Reaktion, viele Sekunden lang.

Ich rief Bodo an und sagte: »Tu mir einen Gefallen und komm her. Aber bitte zu Fuß. Hier stimmt etwas nicht, und ich weiß nicht, was.«

»Ja«, antwortete er nur.

Ich ging weiter, vorsichtig, Schritt für Schritt. Jetzt wurde es mir unheimlich.

Ich kam von seiner rechten Seite auf den Mann zu und war jetzt schon auf etwa zehn Meter heran. Von dieser Position aus konnte ich sein Gesicht im Profil sehen.

Aber da war kein Profil.

Ich ging direkt zu ihm. Er hatte kein Gesicht mehr.

Ich hockte mich hin und starrte ihn an.

Dann kam Bodo zwischen den Stämmen heran. Es war unglaublich, wie leise er ging, obwohl er so groß und massig war.

»Er ist tot«, sagte ich. »Und ich weiß nicht, wie das angerichtet wurde. Vielleicht wurde er erschlagen, vielleicht erschossen.«

»Ach du herrje«, flüsterte Bodo. Er hockte sich neben mich, seine Miene war blass und angewidert. »Was ist das?«

»Ich nehme an, er wurde erschossen. Kannst du ihn wiedererkennen?«

»Geht so. Es ist jedenfalls seine Weste, so aus Leder und dunkelbraun. Aber, sag mal, wenn er erschossen wurde, dann hätte er da doch nur ein Loch. Oder?«

»Nicht, wenn man das Geschoss anfeilt, sodass es zerreißt und zerfetzt.«

»Was machst du jetzt?«, fragte er.

»Was soll ich schon machen. Die Mordkommission anrufen, die Staatsanwaltschaft anrufen. Wir haben keine Wahl, denke ich.«

»Hm«, grummelte Bodo.

»Ich versuche herauszufinden, wer aus welcher Position geschossen hat. Ich denke, von da unten, ungefähr zwischen den beiden Krüppeleichen und den zwei jungen Birkenstämmen, wo rechter Hand die große Birke steht. Ungefähr achtzig bis hundert Meter. Siehst du das?«

»Sehe ich«, sagte er. »Das könnte hinhauen. Wann ist das passiert? Was glaubst du?«

»Keine Ahnung«, antwortete ich. »Im linken Augenwinkel glänzt noch das Blut. Könnte ziemlich frisch sein. Aber ich weiß es nicht. Wann hat er dich angerufen und den Termin von heute abgesagt?«

»Das muss so eine bis anderthalb Stunden her sein«, sagte er. »Ich weiß noch, dass ich Kraftfutter bestellt habe – sofort danach wohl. Dann habe ich mit dir telefoniert. Also alles in allem anderthalb Stunden.«

»Dann hatte er vor einer Stunde hier eine Verabredung. Mit jemandem vom Eulenhof. So erkläre ich mir das. Was ist mit dir?«

»Was soll mit mir sein?«, fragte er zurück.

»Ich will nur wissen, ob du hierbleibst. Oder musst du jetzt nach Hause fahren?«

»Ich kann ja anrufen und kurz Bescheid geben«, sagte er.

Ich rief Tessa an, sie meldete sich sofort.

»Bist du bei mir?«, fragte ich.

»Ja, ich bin hier und trinke deinen Sekt.«

»Schluss mit lustig«, sagte ich. »Wir haben einen weiteren Toten. Ich bin oberhalb des Eulenhofs. Der Tote ist ein Mann, den wir als Stefan Zorn kennen. Er sitzt in einem Waldstreifen, unmittelbar dahinter beginnt das Grundstück vom Eulenhof. Es sieht so aus, als hätte ihn ein Dumdumgeschoss im Gesicht getroffen. Ich bin hier mit einem befreundeten Bauern. Der Mann heißt Bodo Lippmann. Er ist wahrscheinlich der Einzige hier, der diesen Mann lebend gesehen hat. Heute Nachmittag waren Zorn, Lippmann und ich verabredet. Für sechzehn Uhr. Der Mann sagte ab. Dann sah ihn Bodo Lippmann aber hier oben am Wald herumgehen und sagte mir Bescheid. Ich machte mich auf den Weg, habe aber nur noch seine Leiche gefunden. Jetzt gerade, vor wenigen Minuten. Wir berühren den Toten nicht. Es ist ratsam, dass du die ersten Leute der Mordkommission von hinten heranschickst, also nicht über den Eulenhof. Sonst hast du kein Überraschungsmoment mehr.« Ich erklärte ihr die Anfahrt von Brück aus. »Und vielleicht noch etwas: Ich glaube, dass der Tote ein Agent des Verfassungsschutzes gewesen ist. Stefan Zorn ist also wohl der Arbeitsname.«

»Einen Stefan Zorn haben wir auch schon geortet. Das Amt hat allerdings bestritten, dass er ein Agent sei.«

»Jetzt ist er jedenfalls tot«, sagte ich. »Das hätte sich dann auch erledigt.«

»Glaubst du, ich kann mögliche Zeugen auf dem Eulenhof isolieren?«

»Das weiß ich nicht genau, aber du hättest auf jeden Fall einen Vorteil, wenn deine Leute plötzlich kommen.«

»Dann bleib, wo du jetzt bist, ich mache mich sofort auf den Weg.«

Wir beendeten das Telefonat, und ich wandte mich an Bodo: »Eine Bitte: Kannst du die Staatsanwältin auf dem Weg hierher abfangen und sie herleiten? Sie fährt einen schwarzen Audi.«

»Das erledige ich«, nickte er und machte sich auf den Weg.

Ich begann, den Toten aus allen Richtungen zu fotografieren, und fing auch das vom Eulenhof ein, was man durch die Stämme sehen konnte. Dabei wurde mir der Umstand klar, dass jemand, der von Stefan Zorn im Wald wusste, ihn durchaus auch vom Eulenhof aus erschießen konnte. Entfernung etwa achtzig bis einhundert Meter.

Die Arbeit war schnell getan. Da ich nicht neben dem Toten warten wollte, ging ich langsam durch den schütteren Wald hinunter bis an den Saum. Auch aus diesem Blickwinkel sah der Eulenhof immer noch sehr stattlich aus. Ich erkannte die Tür zu dem ehemaligen Appartement von Blue, in dem ich niedergeschlagen worden war. Blue schien jetzt eine Ewigkeit her, und ich versuchte einen Moment lang herauszufinden, wie viele Tage seitdem vergangen waren. Sieben? Acht? Neun? Ich wusste es nicht, es war auch nicht wichtig.

Ich konnte die Schießbahn sehen, die sie gebaut hatten. Ein zum Hof hin offenes Viereck aus starken Erdwällen, etwa vierzig Meter lang. Für einen Schützenverein, der keiner war. Und da war auch das Rund aus einfachen Bänken, das sie um eine Feuerstelle herum gebaut hatten. Wahrscheinlich um aus *Mein Kampf* vorlesen zu lassen und dann die erste Strophe des Deutschlandliedes zu singen. Sonnwendfeier, Wotan-Abende, die öffentliche Besichtigung der operierten Gaby Drechsler. Juden raus! Hitler war einer der bedeutendsten Deutschen! Das Anwesen hatte in kurzer Zeit wahrhaftig schon vieles erlebt.

Es dauerte sehr lange, bis ich den Motor von Bodos MB hörte. Ich ging langsam durch das Buschwerk und den Wald hangaufwärts, und ich freute mich, Tessa zu sehen.

Dann hörte ich die Polizeisirene und erschrak. Ich verstand das nicht. Unfall auf der Straße unten? Irgendetwas Plötzliches? Aber dann begriff ich, was Tessa beabsichtigte. Sie schickte einen Streifenwagen auf den Eulenhof, der die gesamte Anlage queren und das Anwesen auf der Rückseite dichtmachen sollte. Somit war der Fluchtweg nach hinten in den Wald versperrt. Über die offenen Felder zu den Seiten war eine Flucht ohnehin ausgeschlossen. Die Frau Staatsanwältin war wirklich gut, sie dachte strategisch. Der Streifenwagen ließ noch die blauen Lichter kreisen, als er aus der Anlage herausgeschossen kam und zwischen Schießstand und Lagerfeuer Stellung bezog. Dann herrschte Stille.

Als ich den Toten erreichte, sah ich Tessa in ein leises Gespräch mit Bodo vertieft. Sie wie immer mit schnellen Handbewegungen, mit einer stark angestrengten Miene. Der riesige Bodo stand ein wenig vornüber geneigt, schaute von weit oben auf Tessa herab, als wäre sie ein besonderer Vogel. Bodo machte den Eindruck eines überforderten Schülers vor seiner Lehrerin, als müsste er sich unglaublich anstrengen, irgendetwas zu verstehen.

Tessa hörte auf, mit Bodo zu sprechen, sah mich, lächelte und winkte kurz. Sie kniete sich dann vor den Toten.

»Das ist alles sehr unlogisch!«, sagte sie laut.

»Wieso denn?«, fragte Bodo ebenso laut. »Er ist doch tot.«

»Das meine ich nicht.« Sie sah den Toten immer noch an, hob dann eine kleine Kamera und fotografierte ihn. »Wenn ich an die Jugendlichen denke, die angeblich hier in diesem Wald Gewaltorgien feiern, dann wird doch niemals ein Beamter des Verfassungsschutzes ausgerechnet hier hinter der Hofanlage auf jemanden warten. Das widerspricht sich doch. Ein Agent trifft doch seine Quelle niemals in deren Zuhause, oder?«

»Normalerweise würde ich dir recht geben«, sagte ich. »Aber Herr Zorn sitzt hier und ist tot.«

»Ja, ja«, sagte sie und fotografierte wieder. »Vielleicht war es ein Blitztreff, und Zorn hatte keine andere Wahl. Vielleicht war seine Quelle in Gefahr.«

»Hast du mit dem Verfassungsschutz gesprochen?«, fragte ich.

»Natürlich. Den ganzen Weg über von Brück bis hierher. Sie sagen, sie wollen es prüfen. Und wenn sie es prüfen wollen, dann heißt das, dass er ihr Mann ist. Oder ich verstehe die Welt nicht mehr.« Dann wurde sie unversehens heftig und wütend. »Ich verstehe diese Geheimnistuerei nicht. Und das hier ist auch nichts fürs Vaterland. Das ist eine Sache der Strafverfolgung.«

Bodo saß da auf seinem Hintern auf dem weichen Teppich aus alten Tannennadeln, kaute auf einem kleinen Zweig herum und hatte große Augen, die blitzschnell die ganze Welt erfassen wollten. Da zeigte sich kindliches Erstaunen, er erlebte gerade etwas, das er seiner Frau und seinen Kindern erzählen konnte, das war eine ganz fremde Welt. Er trank sie förmlich.

»Kommen jetzt alle deine Leute durch die Anlage?«, fragte ich Tessa.

»Aber ja. Und sie machen an jeder Tür Halt. Das kannst du mir glauben.«

»Ich verteile sehr selten Orden«, sagte ich.

Sie lächelte schnell und war dann wieder ernst. »Herr Lippmann, Siggi, ich muss jetzt etwas fragen. Der Mann hier wurde offensichtlich erschossen. Fällt an dem Toten irgendetwas Besonderes auf?«

»Nichts«, sagte ich. »Mit Ausnahme einer Kleinigkeit. Sein Auto steht oben am Waldrand etwas abseits geparkt. Es ist nicht fahrbereit, der linke hintere Reifen ist platt. Ich habe die Luft herausgelassen, weil ich nicht wollte, dass der Mann uns durch die Lappen geht.«

Tessa sah mich an, neigte kurz zu Gelächter, riss sich aber zusammen.

Bodo betrachtete mich, als wäre ich ihm wildfremd. »Ich habe keine Erfahrung mit so was«, nuschelte er. »Mir fällt an dem Mann nix auf. Wirklich nix Besonderes. Also, ja, er ist tot.«

»So sehe ich das auch«, sagte Tessa. »Dann müssen wir jetzt warten, bis unsere Spezialisten kommen.« Sie holte ihr Handy hervor und begann zu telefonieren, und ich wusste aus Erfahrung, dass sich das in den nächsten zwei Stunden nicht ändern würde. Sie war eine sehr hübsche Handyfrau.

Ich stopfte mir eine Zebrano von *Stanwell*, ein uraltes Stückchen aus den Zeiten, in denen ich wesentlich schlanker gewesen war. Ich paffte blaue Wolken in die Waldluft und dachte darüber nach, was wir wirklich hatten, was gerichtsfest sein würde.

Wir hatten ein wildes Kaleidoskop an Gerüchten, das sich um den Hof der sogenannten Neonazis rankte. Wir hatten zwei Schwerverletzte durch Prügel, wir hatten einen Schwerverletzten durch eine Gewehrkugel, wir hatten drei Tote durch Schusswaffen. Dann konnte Bodo Lippmann aussagen, dass er eine Gruppe um ein Lagerfeuer erlebt hatte, in der ein Hitlertext vorgelesen wurde. Nachteil: Es war eine Darstellung der Gegenseite denkbar, dass der Hitler-Text diskutiert worden sei, um sich geschichtlich damit auseinanderzusetzen. Ich hatte gehört, und zwar direkt von der Mutter des Ulrich Hahn, dass Sprüche wie »Juden raus!« und »Reine Rasse Eifel!« skandiert worden waren. Aber ich konnte das nicht aussagen, ohne die Frau massiv zu gefährden. Und ich hatte ihr mein Wort gegeben, zu schweigen. Es gab weiterhin die Annahme, dass drei Jugendliche vom Eulenhof Rodenstock und den Fotografen des SPIEGEL Guido Perl bis zur Bewusstlosigkeit geprügelt hatten. Ich musste dies als »Annahme« formulieren, weil völlig unklar war, ob Rodenstock und der Fotograf die Jugendlichen mit Sicherheit identifizieren konnten. Es gab die Ehefrau des angeschossenen Jägers Alfons Marburg, die uns fassungslos erzählt hatte, dass sie ihren Mann erlebte, wie er den Holocaust der Nazis leugnete. Würde diese Frau als Zeugin vor Gericht erscheinen? Niemals! Es gab den erschossenen Schönheitschirurgen Doktor Richard Voigt, der eindeutig einen sehr direkten Kontakt zu Burschenschaften im Osten des Landes gepflegt hatte, hierüber zumindest hatte die Staatsanwaltschaft verlässliche Erkenntnisse. Und diese Burschenschafter hatten den Eulenhof besucht, eine große Sause veranstaltet, das Deutschlandlied Strophe eins gesungen. Ich konnte die Stimmen der Verteidiger hören, die sagen würden: »Herr Baumeister, wollen Sie neuerdings in private Sphären eindringen? Das hat doch den Charme von betrunkenen Stammtischen!« Ich konnte hören, wie sie verlangten: »Bringen Sie uns einen direkten Zeugen, Herr Baumeister!« Wir hatten den Chef des Eulenhofs, den vierundsechzigjährigen Doktor Hagen Weidemann, der zweifelsfrei sehr weit rechts und der NPD nahe stand. Wir hatten denselben Weidemann, der einer Sechzehnjährigen anhand einer vorgeführten Nutte beigebracht hatte, dass eine richtige deutsche Frau sich so niemals benehmen dürfe. Würde es Zeugen dafür geben? Antwort: Niemals!

In summa: Wir hatten wenig, eigentlich nur Gerede.

Wir mussten uns darauf konzentrieren, einen oder mehrere Mörder zu suchen. Die, die Blue erschossen hatten. Die, die einen Jäger erschossen und einen weiteren lebensgefährlich verletzt hatten. Und die, die diesen Stefan Zorn hier erschossen hatten.

Und wenn es doch nur einer war? Ein Verrückter, der alle tötete?

Wir wussten nicht viel.

Ich brauchte Hilfe, und ich wusste auch, wie ich die bekommen konnte. Zwei Kollegen von mir hatten ein Buch unter dem Titel *Die Zelle*[1] herausgebracht. Untertitel *Rechter*

[1] *Christian Fuchs, John Goetz, »Die Zelle. Rechter Terror in Deutschland«, Rowohlt, 2012*

Terror in Deutschland. Jemand hatte in einer Tageszeitung geschrieben: *das Beste, was ich je zu diesem Thema gelesen habe.* Ich rief in der Buchhandlung in Hillesheim an und bestellte das Buch.

Dann kam Bodo zu mir geschlichen und fragte schüchtern: »Meinst du, ich kann mal eben nach Hause? Mir wird das hier doch ein bisschen lang.«

»Aber ja. Sag Frau Doktor Brokmann Bescheid, sie wird sicher nichts dagegen haben.«

»Okay, mach ich. Mit dir kann man ja was erleben!«

Der erste Beamte der Mordkommission, der eintrudelte, war ausgerechnet ihr Leiter Kischkewitz. Er zog mit seinem kackbraunen, uralten Mercedes neben den Streifenwagen, stieg aus, drehte sich in alle Richtungen, das Telefon am Ohr, und zog die Schultern hoch.

Ich hörte, wie Tessa in ihr Handy sagte: »Du siehst jetzt den Wald vor dir. Da musst du rein, und dann etwas bergauf bis zu mir. Ich kann den schließlich nicht zu dir runtertragen.« Sie winkte zu Kischkewitz hinunter.

Kischkewitz winkte zurück zu uns in den Wald hinein und lachte unbändig, als sei der Tote hinter dem Eulenhof ein besonders gut gelungener Scherz. Dann machte er sich auf den Weg.

»Was macht ihn denn so fröhlich?«, fragte ich Tessa.

»Wahrscheinlich seine aktuellen Fälle. Zweimal Suizid, zweimal Verdacht auf schweren Raub, einmal Verdacht auf einen Todesengel in einem Altenheim, einmal plötzlicher Kindstod. Seine Spezialisten Todesermittlung kommen aus ihren Klamotten gar nicht mehr raus. Ich würde jetzt gern ein Glas Sekt trinken.«

»Soll ich dir eines holen?«

»Ja, bitte, aber nicht zu kalt.«

Das waren so die Scherze, die wir machten, weil uns der Tod auf die Nerven ging, weil wir uns bemühten, an dem Toten vorbeizuschauen.

Kischkewitz kam ein wenig keuchend bei uns an und sagte ohne Punkt und Komma: »Siggi, kannst du uns mit Fotos aushelfen? Fritz Dengen ist unterwegs, er wird wohl nicht rechtzeitig vor dem Abtransport kommen können.«

»Aber ja«, sagte ich. »Ich kann die wichtigsten Fotos jetzt noch einmal machen und gebe dir dann alle auf einem Stick. Soll ich auf irgendetwas Besonderes achten?«

»Same procedure as every year. Nein, reicht schon.« Er ging zu Tessa, die etwas verloren auf dem Waldboden saß, und murmelte: »Was ist das hier?«

»Ein glatter Todesschuss, würde ich sagen, ein Heckenschütze, ein Sniper, ein Albtraum«, antwortete sie ebenso leise. »Was besonders rätselhaft ist, dürfte seine Position hier im Wald sein. Ich nehme an, dass er ein Beamter des Verfassungsschutzes ist. Ich gehe weiter davon aus, dass er hierhergekommen ist, um jemanden zu treffen. Jemanden vom Eulenhof. Aber warum macht er so etwas? Das ist doch absolut unprofessionell. Man trifft doch seine Quelle nicht ausgerechnet dort, wo jederzeit die Möglichkeit besteht, dass ein anderer das sieht. Denkbar ist, dass es ein schneller Treff werden sollte, ein Treffen in Not, vielleicht war seine Quelle in Gefahr, vielleicht wollte er sie vor der Gefahr warnen. Wie auch immer: Er wurde so sauber abgeschossen wie ein Bambi auf der Kirmes.«

»Vielleicht ist seine Quelle der Mörder«, sagte Kischkewitz beinahe gemütlich. »Das kann doch sein, oder? Er hat sicherheitshalber den erschossen, der alles aufdecken könnte. Ist das abwegig? Nein, ist es nicht. Vielleicht war also nicht nur die Quelle in Gefahr, sondern auch der Agent vom VS? Vielleicht ist jemand vom Eulenhof da unten auf diesen Agenten hier gestoßen. Kann Zufall gewesen sein. Dann hat er den Agenten unter irgendeinem Vorwand hierher bestellt und getötet.« Er stand da und starrte irgendwohin. Dann griff er in sein Jackett, holte eine Schachtel mit seinen furchtbar stinkenden Stumpen heraus und zündete sich einen an.

»Du vergiftest diesen Wald und seine Tiere«, sagte ich warnend.

»Die überleben mich«, grinste er. »Ich soll euch grüßen, ich war eben bei Rodenstock. Er war gut drauf. Auch Grüße von Emma.«

»Was macht Tante Liene?«, fragte ich.

Er lachte unterdrückt. »Sie lebt sich ein, es gefällt ihr immer mehr, sie wird glänzend versorgt, sie ist gut drauf, will gar nicht mehr nach Australien zurück. Es wird zu einer familiären Katastrophe kommen, wenn Rodenstock nach Hause zurückkehrt.« Dann kratzte er sich in seinen grauen Haaren. »Habt ihr daran gedacht, dass da unten in diesem Eulenhof jemand leben muss, der Jäger, insbesondere Jäger aus dem Eulenhof hasst?«

»Ist die Spur verfolgt worden, die besagte, dass Hagen Weidemann angeblich wichtige Zugangsgrundstücke zu Waldgebieten gekauft hat, in denen die neuen, riesigen Windräder geplant werden sollen?«, fragte ich.

»Ja, das stimmt, das haben wir verifiziert«, murmelte Tessa. »Das betrifft wahrscheinlich drei Ortsgemeinden. Ich weiß aber nicht, ob das für uns wichtig ist.«

»Sieh mal einer an: ein richtiger Immobilienprofi«, bemerkte Kischkewitz leise. »Ein Mann mit dem untrüglichen Sinn für Bargeld.« Dann wandte er sich an mich. »Du solltest mal mit dem Bruder vom Ulrich Hahn sprechen, diesem Gerhard Wotan Hahn. Sechsundzwanzig ist der. Für mich ist der der

Einzige auf dem Hof da unten, der relativ unberührt von all dem Durcheinander geblieben ist. Guter Junge, einfach kühl und halbwegs normal. Für einen Pressemenschen bestimmt sehr gut. Mir wäre es sehr recht, wenn du mit ihm sprechen würdest. Wir haben ihn natürlich auch schon verhört, dabei aber wenig in Erfahrung bringen können. Der mauert. Willst du seine Handynummer?«

»Her damit«, erwiderte ich.

Dann trudelten sie alle nacheinander ein: Der Arzt, die Spurenleute, der Bestattungsunternehmer mit Helfer, zwei Fahnder und der unverwechselbare Holger Patt, der die Bühne mit der freundlichen Begrüßung betrat: »Und wieder ist es uns vergönnt, in enger Zusammenarbeit mit vielen ehrbaren Zeugen ein Schützenfest mit Todesfolge aufzuklären und uns so ewigen Ruhm zu sichern!«

»Das halte ich nicht aus«, sagte ich. »Ich fahre heim.«

15. Kapitel

Ich fuhr heim, fertigte mir zwei Spiegeleier auf eine Scheibe Brot und aß lustlos, hörte dazu aber Jacques Loussier mit *Play Bach* – schon vierzig Jahre alt, aber ein Fest für ein Piano mit einem ganz starken Beat und ganz starkem Bass. Johann Sebastian Bach wäre sofort begeistert gewesen. Fazit: Die Spiegeleier hätte ich mir sparen können.

Dann hörte ich meinen Anrufbeantworter ab. Eine Frauenstimme sagte: »Guten Tag, Herr Baumeister, hier ist noch einmal Grete Kaufmann aus Mürlenbach. Wir haben ja schon miteinander gesprochen. Es geht ja um meinen Kevin. Ich habe mit dem jetzt länger geredet, und er meint, wir könnten uns mit Ihnen mal in Verbindung setzen. Der Junge ist schon ganz durcheinander, weil er dauernd gefragt wird, was er denn mit diesen … mit diesen Neonazis da zu tun hat. Er wird schon ganz gezielt bedroht. Und Kevin hat ja mit denen nichts mehr zu tun. Wenn es dabei bleiben kann, dass Sie uns … also, dass Sie uns unsere Sicherheit versprechen bei dem, was Sie schreiben, dann würden wir Sie gerne treffen. Geht das vielleicht bei Ihnen? Also hier bei uns in Mürlenbach geht das einfach nicht. Die Nachbarn achten schon darauf, wer bei uns auf dem Hof parkt. Vielleicht rufen Sie zurück, hier ist Grete Kaufmann. Auf Wiedersehen.«

Ich rief sofort an, das duldete keinen Aufschub. »Frau Kaufmann, Baumeister hier. Selbstverständlich können wir bei mir hier zusammenkommen. Wann passt es Ihnen denn?«

»Abends wäre am besten. Ich arbeite ja noch an der Kasse im ALDI, und da kann ich erst nach Feierabend. Und abends wäre auch gut, weil dann die Nachbarn das nicht so mitkriegen.«

»Morgen Abend neun Uhr bei mir? Ist das gut?«

»Ja, das ist gut. Bis morgen dann.«

Ich war froh, dass das geklappt hatte. Von dem Gespräch mit Kevin erhoffte ich mir einige Einblicke in das Geschehen auf dem Eulenhof, die uns bislang verwehrt geblieben waren. Gleichzeitig drängte sich damit aber eine andere Figur auf, der wir bislang vielleicht viel zu wenig Aufmerksamkeit geschenkt hatten. Von wem mochte Kevin so gezielt unter Druck gesetzt werden, wie seine Mutter gesagt hatte? Wer kam da infrage? Veit Glaubrecht. Ihn hatten wir bislang zwar für eine ganze Reihe von Gewalttaten verantwortlich gemacht, aber dennoch wussten wir wenig über ihn. Mir kam plötzlich die Frage in den Sinn, was wir machen sollten, wenn der sehr jähzornige Veit Glaubrecht ausrasten sollte.

Daraufhin rief ich Kischkewitz an, der noch bei der Bergung der Leiche von Stefan Zorn beschäftigt war, und fragte: »Ich störe ungern, aber sag mir mal: Wie schätzt du den Veit Glaubrecht ein?«

»Du störst nicht. Das zieht sich elend in die Länge hier. Glaubrecht ist garantiert sehr nützlich für den Eulenhof. Er ist vorbestraft, man kann ihn ausnutzen. Er weiß, dass er verloren wäre, wenn er den Eulenhof verliert. Das ist sein Zuhause. Das macht ihn gleichzeitig aber auch gefährlich. Er ist meiner Ansicht nach zu jeder Schand- und Straftat bereit, wenn der Weidemann oder der Hahn das von ihm verlangen. Wir kennen solche Typen: Die sind Zeitbomben, die irgendwann hochgehen. Und dann sollte man weit weg sein.«

»Kann es sein, dass er es war, der Blue erschossen hat?«

»Natürlich, das kann sein, das haben wir in der Kommission auch diskutiert. Und Glaubrecht ist nach wie vor ein

Verdächtiger. Er ist ein gefährlicher Verdächtiger, denn man muss ihm eine solche Tat nicht befehlen, so schätze ich den ein. Wenn Weidemann oder Hahn andeuten, dass Blue für den Eulenhof eine schwere Gefahr darstellt, dann tötet er diese Gefahr. Also Vorsicht.«

»Wie sieht es mit den Außenkontakten der Gruppe aus?«

»Die funktionieren, soweit wir wissen. Die Leute tummeln sich bei *Blood and Honour*, die sind sowohl innerhalb Deutschlands wie auch international gut vernetzt. Da sind laufend Leute, die bei denen Ferien machen und die Nachrichten bringen. Diese Leute sind zum Teil gefährlich, zum Teil aber auch herzlich naiv. Was willst du machen, wenn ein Studienrat dir sagt: ›Deutschland läuft Gefahr, seinen eigenen Charakter zu verlieren!‹ Was willst du machen, wenn dieser Mann sagt: ›Wir müssen uns gegen die Gefahren aus anderen Kulturen wehren!‹ Von da an bis zum ›Juden raus!‹ ist es nur ein kleiner Schritt. Aber du musst auch wissen, Baumeister, dass der Eulenhof gefährlich sein kann. Wenn die um Hilfe rufen, haben sie in weniger als vierundzwanzig Stunden zwanzig bis dreißig gewaltbereite Freunde versammelt, und dann siehst du verdammt alt aus.«

»Hast du die Duisburger Adresse und eine Telefonnummer von der Lee-Ann Hahn, der Exfrau von Ulrich Hahn?«

»Habe ich. Mit der haben wir lange geredet. Warte, ich diktiere sie dir.« Es dauerte nur kurz, dann gab er mir die Daten durch. »Interessante Person, völlig furchtlos!«

»Auch keine Furcht vor dem Eulenhof?«

»Keine Furcht vor dem Hof, vor dem Ehemann, vor Glaubrecht. Dürfte selten sein. Aber als Zeugin völlig unbrauchbar. Sie würde die eigene Familie in Gefahr bringen, wenn sie offen aussagt. Die Frau hat ein kleines Kind! Du wirst sie nicht zitieren können.«

»Das ist mir klar«, sagte ich. »Wie weit seid ihr?«

»Bald fertig«, versprach er. »Warte mal, Tessa will dir etwas sagen.« Er gab das Telefon weiter.

»Baumeister? Also, es ist so, dass die Schule auf diese Protestbriefe aus dem Eulenhof auf keinen Fall vor übermorgen reagieren wird. Das Ministerium hat sich vorbehalten, die entscheidenden Schritte zu planen und umzusetzen. Die drei Schüler aus dem Eulenhof werden wahrscheinlich getrennt und auf verschiedene Schulen außerhalb Dauns verteilt. Da ist so viel Porzellan zerdeppert worden, dass kein Mensch an ein gutes Ende glauben kann. Wahrscheinlich werden die Eltern auf dem Eulenhof sich gegen diesen Schritt stellen, aber das dürfte der leichteste Punkt sein. Tatsache ist: Das Ei ist kaputt und nicht mehr zu reparieren. Die Parteien haben vorläufig für eine Woche ein gemeinsames Schweigen vereinbart, und kein Mensch weiß, ob das gut geht. Die drei Schüler vom Eulenhof sind vorläufig vom Unterricht befreit. Die wenigen Schüler aus Daun, von denen man weiß, dass sie die drei vom Eulenhof wahrscheinlich angepöbelt haben, werden jetzt in die Mangel genommen und um Stellungnahmen gebeten. Die Frist gilt aber auch nur für eine Woche. Ich weiß nicht, ob dieser Frieden hält, aber du solltest das wissen.«

»Das klingt nicht gut. Eine andere Frage: Was hältst du denn von einem gemeinsamen Essen in einer der viel gerühmten Kneipen hier?«

»Das könnte mich interessieren«, sagte sie. »Es dauert auch nicht mehr lange.«

»Das haben mir meine Eltern schon immer versprochen. Bis später!«

Als Nächstes rief ich Lee-Ann Hahn in Duisburg an, von der mir Tilly Hahn, die Oma auf dem Eulenhof, erzählt hatte. Ein Mann antwortete mir abwehrend, er wisse nicht genau, ob sie heute noch erreichbar sei, er kenne ihre Pläne nicht. Ich hinterließ meine Telefonnummer.

Ich setzte mich mit einem Kaffee auf meine Terrasse und sah den Rotschwänzchen zu, die sich übermütig jagten. Die Amseln hatten ihren Kindern das Fliegen beigebracht und konnten endlich etwas für sich selbst tun – sie waren scharf auf meine Regenwürmer. Dann begann es sanft zu regnen, und ich war melancholisch genug, das sehr schön zu finden.

Irgendwann meldete sich mein Telefon, aber ich ließ es klingeln. Ich hatte für heute von Telefonen genug. Dann klingelte es wieder, und ich sagte: »Nein!«, ging aber trotzdem hin.

»Ich habe gehört, Sie haben mich angerufen. Ich bin Lee-Ann Hahn, also die Ex von Ulrich.«

»Danke, dass Sie anrufen. Ich möchte gern mit Ihnen sprechen. Ich möchte herausfinden, was dieser Ulrich Hahn für ein Mensch ist. Und ich möchte herausfinden, warum Sie keine Angst vor dem Eulenhof haben.«

Sie stutzte, dann fragte sie: »Woher wissen Sie das?«

»Vom Leiter der Mordkommission Kischkewitz. Sie haben ihn kennengelernt. Aber ich fürchte, ich muss Ihnen Umstände machen, denn per Telefon oder im Internet führe ich keine Unterhaltung. Ich brauche lebendige Menschen, wenn es eben geht.«

»Sie sind Journalist?«

»Ja. Aber ein altmodischer.«

Jetzt lachte sie kurz, es war ein freundliches Lachen. »Waren Sie etwa auch hinter dem Hof, wo heute der Unbekannte erschossen wurde?«

»Ich bin der, der ihn gefunden hat. Woher wissen Sie davon?«

»Ich bin hier«, sagte sie. »Ich meine, ich bin im Hotel. Ich war heute im Eulenhof, ich wollte meinen Exmann sehen, wir hatten da was zu klären. Das kommt nicht oft vor, aber hin und wieder schon. Plötzlich kam die Polizei mit Riesenbrimborium und, schwups, war ich draußen. Die wollten mich nicht, ich wohne da ja nicht. Ich wusste gar nicht, was eigentlich passiert war.« Sie lachte wieder, kurz und ungezwungen. Die ganze Sache schien sie tatsächlich zu erheitern.

»In welchem Hotel sind Sie denn?«

»Im *Panorama* in Daun. Wenn wir es nicht so kompliziert machen, können wir uns hier treffen.«

»Wann denn?«

»Na, jetzt. Oder? Schließlich bin ich auch neugierig.«

»Das ist sehr gut. Ich bin schon unterwegs.«

Ich schrieb einen Zettel für Tessa: *Treffe kurz die Königin von Saba!* Dann war ich auch schon aus dem Haus.

* * *

Lee-Ann Hahn war eine junge, schlanke Frau mit einer dunklen Herrenfrisur. Die war allerdings so neckisch mit einer Welle vor ihrem Gesicht drapiert, dass sie wie eine Figur von Shakespeare wirkte: Der Schelm, der ewig lacht und auch noch lachen wird, wenn er dem Tod begegnet. Ihre Augen waren dunkelbraun und groß. Sie trug eine enge, schwarze Jeans und ein ebenfalls schwarzes Top dazu. An den Füßen hatte sie Sneakers, schwarz natürlich, sodass die weißen Sohlen wie Ausrufezeichen wirkten. Kein Schmuck, kein Make-up.

Ich hatte sie von der Rezeption aus anrufen lassen, sie war umgehend in der Lobby erschienen. Wir setzten uns in den kleinen, weißen Wintergarten, bestellten Kaffee und Wasser – und sie bestand auf Martini Bianco.

»Sind die wieder in Mode?«, fragte ich. »Früher lebte man gar nicht, wenn man das Zeug nicht Tag für Tag trank.«

»Das weiß ich nicht. Ich mag das Herbe.« Dann lächelte sie mich an. »Also, was ist los auf dem Eulenhof?«

»Das weiß wohl niemand so genau. Menschen sind erschossen worden, Männer wurden von Jugendlichen halb totgeprügelt. Ich selbst habe Ihrem Exmann die Frage gestellt, ob er denn ein Neonazi sei. Daraufhin wurde ich von Veit Glaubrecht zusammengeschlagen, einfach so. Der Eulenhof ist außer Kontrolle geraten, so sieht es aus. Kein Mensch scheint das Chaos entwirren zu können. Für die Eifel ist das alles gar nicht gut. Und, wissen Sie, die Eifel liegt mir sehr am Herzen. Es gab immer das Gerede von den Neonazis, und wahrscheinlich wollte das niemand so ganz genau wissen. Leider. Aber jetzt ist es sehr laut geworden um diesen Eulenhof.«

»Und das können sie gar nicht vertragen«, sagte sie nachdenklich. »Kann ich offen sein, ohne zitiert zu werden?«

»Selbstverständlich.«

»Ich habe erwartet, dass das eines Tages so kommen würde. Also, ich bin zwar nicht deswegen verschwunden, aber ich habe so etwas erwartet. Ich vergleiche den Eulenhof immer mit einem Gewächshaus. Draußen weht ein frischer Wind, es ist kühl und regnet manchmal. Im Gewächshaus ist es immer warm und unnatürlich stickig, abgeschottet, mit komischen Pflanzen drin sozusagen. Es wundert mich überhaupt nicht.«

»Wann sind Sie weggegangen?«

»Kurz nach der Geburt meines Sohnes, der Kleine wird bald drei.«

»Aber Sie treffen den Vater noch?«

»Na ja, so selten wie möglich.« Sie verzog das Gesicht. »Immerhin ist er auch sein Sohn.«

»Und er bezahlt regelmäßig?«

»Ja, das tut er. Aber eigentlich ist das schon eine Lüge, denn mein Exmann würde von sich aus wahrscheinlich keinen Pfennig zahlen. Der Zahlmeister ist Hagen Weidemann. Der befiehlt dem Uli: ›Du zahlst und damit basta!‹«

»Ist Weidemann Ihr Scheidungsgrund?«

Wieder ein kurzes, sehr bitteres Lachen. Dann sagte sie: »Ja und nein. Ich hatte gedacht, Uli würde sich eines Tages lösen und selbst entscheiden. Aber das ist nie passiert. Genau das Gegenteil ist passiert.«

Ich dachte: Schnelle Reaktionen, guter Überblick über die Gesamtlage, kaum Unsicherheiten, sehr eigenwillig. Stichproben ziehen!

»Sie haben Blue gekannt, nicht wahr?«

»Ja, habe ich. Ich war total baff, als er ankam und blieb. Ich dachte: Der ist echt falsch hier, der gehört hier nicht hin. Aber er arbeitete mit. – Sind Sie auf dem Laufenden? Hat man eine Ahnung, wer ihn erschossen haben könnte?«

»Nein, hat man nicht. Haben Sie denn eine?«

Sie sah mich sehr erstaunt an und lächelte. »Ich habe keine Ahnung, wirklich nicht. Und ich werde den Teufel tun nachzufragen.«

»Stimmt es denn, dass Sie keine Furcht vor diesen Leuten haben?«

Sie nahm ihren Martini und nippte daran. »Das hat mit klaren Absprachen zu tun. Zwischen Weidemann und mir. Ich rede nicht über die, und die reden nicht über mich. Deshalb findet dieses Treffen zwischen Ihnen und mir auch nicht statt. Nur harmloser Austausch von Neuigkeiten.«

»Aber ja. Welche Rolle spielt denn die Oma, die Tilly Hahn?«

»Ach, die Tilly.« Lee-Ann machte eine abfällige Handbewegung. »Die hat gar keine Rolle, die wurstelt so vor sich hin. Sie ist ein Schätzchen. Wenn sie wen mag, tut sie alles für ihn. Sie hat ein großes Herz, aber sie hat ihren Ulrich ja an Weidemann verloren. Sie hat eigentlich alles verloren, als ihr Mann bei dem Unfall umkam damals. Sie muss eigentlich todunglücklich sein.«

»Sie hat mir gegenüber angedeutet, dass sie den Slogan ›Reine Rasse Eifel‹ grenzwertig bis lächerlich findet.«

»Ja, das ist typisch Tilly.« Sie lächelte mich an. »Wissen Sie, diese Frau ist eigentlich nicht zu bezahlen, im übertragenen Sinn, meine ich. Sie hat Uli immer gesagt, dass der Zweite Weltkrieg eine reine Idiotie, ein Verbrechen, der helle Größenwahn gewesen sei. Ein Weltkrieg mit 60 Millionen Toten. Ich war selbst dabei. Aber ihr Ulrich verherrlichte alle Landser und redete von Adolf Hitler, als wäre der ein von Gott gesandter Engel. Total abartig. Aber die Tilly hat es ja auch nie leicht gehabt bei dem Mann.«

»Was war mit dem Mann?«

»Ein versoffenes Genie, das hat man gesagt. Aber von Genie habe ich nie was gemerkt. Er hat Tilly geschlagen, übel geschlagen. Auch oft bis ins Krankenhaus. Er hat auch Uli geschlagen, sehr oft. Einmal hat er ihm einen Arm doppelt gebrochen. Immer und ewig Prügeleien, immer und ewig Alkohol, Marihuana, Kokain – alles, was kaputtmacht.« Ihr Gesicht war plötzlich sehr hart und bleich, und sie musste heftig schlucken, weil sie von ihren Gefühlen überwältigt wurde. Ihr Kopf ruckte einige Male sehr schnell hin und her, als müsste sie zur Besinnung kommen.

»War Weidemann der Retter?«, fragte ich.

Sie überlegte eine Weile. »Ja, klar. Das war er wohl. Er bestimmte, wo es langging, er sagte, was zu tun war. Ja klar, er war der Retter in der Not. Und er brachte Geld mit, viel Geld. Er zog sich den Eulenhof genau so heran, wie er ihn haben wollte. Das perfekte Biotop. Da diente einer dem anderen.«

»Und Sie hatten keine Chance gegen diesen Retter?«

Sie schüttelte den Kopf. »Nein, ich hatte keine Chance gegen Weidemann. Aber leider habe ich das viel zu spät gemerkt. Ich war ja auch viel zu naiv. Ich dachte immer: Mein Uli wird das in den Griff kriegen! Ich habe überhaupt nicht verstanden, dass Uli das niemals wollte. Er hat mich einfach angelogen, ich war das Mäuschen für sein Bett. Als ich das begriff, hätte ich ihn liebend gern ermordet.«

»Ist dieser Weidemann gewalttätig?«, fragte ich.

»Ich glaube, ja«, antwortete sie. »Wenn es drauf ankommt, wird er derjenige sein, der seine Knarre zieht und schießt. Haben Sie ihn mal beim Schießen erlebt?«

»Nein, um Gottes willen, nein.«

»Also, damals war das so, dass Weidemann einmal die Woche oder einmal alle vierzehn Tage auf die Schießbahn ging und dann mit allem losballerte, was er zur Verfügung hatte. Mit Pistolen, Revolvern, Gewehren, Maschinenpistolen, mit allem eben. Ich habe das einmal selbst gesehen, und ich habe richtig Angst bekommen. Sie kennen doch sicher den Film *High Noon*. Da schießt der Held nur einmal, und es geht um sein Leben. Als ich Weidemann sah, dachte ich an diesen Film. Er stand da und ballerte auf die Pappkameraden, und im Hintergrund stand Veit Glaubrecht und lud die Waffen nach. Das war abartig, richtig pervers.«

»Wie schätzen Sie den Glaubrecht ein?«

»Der ist richtig gefährlich. Der kann sich nicht beherrschen, der ist ja auch vorbestraft wegen irgendwelcher Gewalttaten.«

»Kann es sein, dass er Blue tötete?«

»Das kann sein, aber das weiß ich nicht. Ich bin auf jeden Fall froh, dass ich nicht mehr dort lebe.«

»Wenn Sie wissen wollen, was auf dem Eulenhof los ist, wen rufen Sie an?«

»Den jüngeren Bruder, den Gerhard. Mit dem kann ich unbefangen reden, und den rufe ich auch an. Ich sage ihm Bescheid und bitte, dass mich Tilly oder eine andere Frau mal anrufen soll. So ein Schwatz unter Weibern. Und das klappt problemlos.«

»Was macht den Unterschied zwischen Ulrich und seinem Bruder Gerhard Wotan?«

»Das ist ganz einfach: Uli ist Weidemanns Zögling, und Gerhard entscheidet selbst.«

»Wieso kann Gerhard selbst entscheiden, wenn der ganze Hof von Herrn Weidemann abhängt?«

»Bei Gerhard ist es genauso wie bei mir. Klare Absprache mit Weidemann, kein Millimeter Unklarheit.«

»Das leuchtet mir nicht ein. Wieso ist Gerhard Wotan dann überhaupt noch auf dem Eulenhof?«

»Er liebt seine Mama Tilly, er will bei ihr sein. Und er weiß auch, dass sie bei Weidemann keine Schnitte kriegt. Er hat dem Weidemann mal gesagt: ›Wenn du meine Mutter anrührst, bist du tot!‹«

»Wie bitte?« Ich war fassungslos.

Sie nickte sehr heftig. »Ich war dabei. Es ging um irgendeine Kleinigkeit. Weidemann wollte nicht, dass Tilly sich um Gäste kümmert, egal, wer das ist. Dabei war Tilly irgendwelchen Gästen gegenüber, die über den Hof liefen, nur freundlich und höflich gewesen. Weidemann schrie Tilly an, sie solle das Maul halten und niemals Gäste anreden. Gerhard war blass, aber ganz ruhig. Dann sagte er das: ›Wenn du sie anrührst, bist du tot!‹ Ich habe in dem Moment zufällig meinen Mann angesehen. Und der war totenblass und stierte seinen jüngeren Bruder an. Er konnte es nicht fassen, er konnte nicht fassen, dass sein kleiner Bruder dem Weidemann so was sagte.«

»Ich habe noch eine eher persönliche Frage, wenn Sie erlauben. Wie kommt es, dass Sie Ihr Kind ausgerechnet Thor genannt haben?«

»Das war nicht meine Idee, und ich hätte mein Kind auch niemals so genannt. Das war Uli, der das wollte. Aber eigentlich war es natürlich im Hintergrund der Weidemann, der das bestimmte. Thor, der nordische Gott mit dem Hammer, die mystische Göttergestalt. So ist es dann passiert. Ich habe jetzt einen Antrag auf Namensänderung gestellt. Das kann man machen, wenn man einen guten Grund hat. Er soll Matthias heißen und niemals Thor.«

»Und wie haben Sie ihn bisher genannt?«

Sie sah mich an, und da war ein belustigtes Funkeln in ihren Augen. »Ich hab ihn niemals Thor gerufen, immer nur Schmitzemann. Oma Tilly hat ihn so genannt, und ich habe gedacht, dass das passt.« Dann lachte sie.

»Kommt es oft vor, dass Ihr Exmann den kleinen Schmitzemann sehen will?«

»Nein, nicht oft. Ich denke, er arbeitet das so ab. Ein Punkt auf seiner Tagesordnung. Vielleicht einmal alle zwei Monate. Und es wird immer weniger. Das ist kein wirkliches Interesse, denke ich.«

»Aber es war ursprünglich eine echte Liebesgeschichte?«

»Ja, das war es. Aber darüber rede ich nicht so gerne.«

»Akzeptiert. Glauben Sie, der Ulrich hat eine Zukunft?«

Sie schwieg sehr lange, dann schüttelte sie den Kopf. »Er ist wie ein Wasserschlauch, er biegt sich bei jedem Druck dahin, wohin Weidemann ihn haben will. Nein, Zukunft hat er nicht. Ganz einfach gesagt: Er hat keine Eier in der Hose!«

»Tut das weh?«

»Immer weniger.« Sie hatte plötzlich einen breiten Mund und war getroffen.

»Tut mir leid, wird nicht mehr vorkommen. Was ist? Essen wir einen Happen?«

Sie sah an mir vorbei, hatte eine Sekunde lang große Augen und sagte: »Ausgerechnet der!«

Ich drehte mich um, und da stand Veit Glaubrecht. Eine große Figur, ganz in Schwarz, mit einem etwas öligen Lächeln. Er kam zu uns an den Tisch, blieb stehen und sagte leicht leiernd: »Lee-Ann, ich soll dir Grüße ausrichten von Ulrich. Er sagt, du kannst morgen früh reinkommen, dann ist er da. Heute ging das ja nicht wegen der Polizei.«

Er trug unter seinem Jackett ein schwarzes T-Shirt, auf dem in Weiß die 88 aufgedruckt war, und er roch sehr stark nach Schweiß.

»Falls ich störe, ich kann um die Ecke gehen«, bemerkte ich hastig.

»Nicht doch!«, sagte sie heftig und hob eine Hand, als wollte sie mich aufhalten. »Wann soll ich kommen?«, fragte sie Glaubrecht sachlich.

»So gegen neun, das würde passen«, antwortete er. Glaubrecht hatte eine sehr hohe Stimme. Und er hatte irritierend helle Augen, was mir auf dem Eulenhof gar nicht aufgefallen war.

»Okay«, sagte sie. »Ich komme dann.«

»In Ordnung. Ich gebe Bescheid.« Das klang sehr förmlich. Er drehte sich um und ging zum Ausgang.

»Das finde ich jetzt gar nicht gut, dass der Sie mit mir zusammen gesehen hat«, sagte ich leise.

»Das bedeutet nichts«, sagte sie milde. »Die würden mir niemals etwas antun, nur weil ich hier mit Ihnen sitze. Und Ihnen auch nicht.«

»Sind Sie sicher?«

»Bin ich«, sagte sie. »Ganz sicher.«

»Das erscheint mir zweifelhaft. Die haben mich nicht nur verprügelt, die haben mir auch eine tote Katze in die Haustür gehängt. Und die Innereien in einer Plastiktüte obendrauf.«

»Das ist Veit, so war er immer schon.«

»Woher kriegt er die Katzen?«

»Kein Problem, denke ich. In der Eifel gibt es Katzen genug.«

»Sie haben anscheinend gute Nerven«, sagte ich.

»Ich habe lange daran gearbeitet«, erwiderte sie. »Das war gar nicht einfach.«

Ich sah sie an und versuchte, in ihren Augen zu lesen. Dann fiel es mir ein, und ich musste unwillkürlich kichern. »Ich verstehe. Sie haben die im Sack. Entschuldigen Sie den Ausdruck.«

»Schon okay«, lachte sie strahlend. »So kann man es nennen. Wenn ich will, wackelt der Bauernhof.«

»Aha«, murmelte ich, und wahrscheinlich sah ich dümmlich aus. »Also dann: Herzlichen Glückwunsch!«

»Aber den Hintergrund verrate ich Ihnen nicht«, stellte sie lachend fest.

»Dann wünsche ich Ihnen eine gute Zukunft, bedanke mich und mache mich vom Acker. Und den Rest will ich gar nicht wissen.«

Ich fand sie richtig gut und dachte: Mehr von der Sorte, und wir bräuchten uns nicht über den Eulenhof aufzuregen.

* * *

Ich bog gut gelaunt auf meinen Hof ein. Tessas Audi stand dort, und im Wohnzimmer brannte Licht. Es war erst halb zehn an diesem Abend, und ich hoffte, er würde noch eine Weile dauern.

Sie saß in einem Sessel und machte einen niedergeschlagenen Eindruck. Sie drehte den Kopf in meine Richtung und formulierte trocken und vollkommen tonlos: »Guten Abend!« Sie sah mich nicht einmal an.

»Was ist passiert?«, fragte ich.

»Also, wir haben eine neue Special Unit am Hals. Landeskriminalamt, Bundeskriminalamt. Wir waren bei Markus Schröder in Niederehe und saßen in dessen Saal. Zunächst ist beschlossen worden, dass wir eine Nachrichtensperre verhängen. Kein Wort mehr zu irgendwem, bis die Leitung des BKA andere Weisungen gibt. Das Bundeskriminalamt hat mich als einzige Person ausgewählt, deren Fragen in den jetzt anlaufenden Ermittlungen jederzeit beantwortet werden. Ausschließlich zur Verwendung in der Sache. Kischkewitz ist stinksauer, und er hat recht. Holger Patt hat vor versammelter Mannschaft skandiert: ›Jetzt kriegen wir alle eine Rassel in die Hand gedrückt und dürfen BUH! machen.‹«

»Wenn ich das richtig begreife, ist das aber auch eine Riesenchance für dich. Seit wann hockst du denn hier?«

Sie sah auf die Uhr. »Seit zwölf Minuten«, sagte sie. »Und wie war deine Königin von Saba?«

»Erfrischend«, antwortete ich. »Ich nehme an, die Frau hat den Eulenhof fest im Griff. Sie weiß wahrscheinlich Dinge, die andere nur ahnen. Bemerkenswerte Person.«

»Kischkewitz hat nach dem Gespräch mit der Frau das Gleiche vermutet. Gibt es auf diesem Anwesen überhaupt einen normalen Menschen?«

»Der Normalste von denen scheint Gerhard Wotan Hahn zu sein, der jüngere Bruder von Ulrich. Seine Ex-Schwägerin Lee-Ann Hahn hat ihn als eine herausragende, bemerkenswerte Person geschildert. Er hat sogar den Weidemann gestoppt.«

»Könntest du mich vorübergehend auch als bemerkenswerte Person empfinden? Ich würde gern mit dir ins Bett gehen und sämtliche Neonazis vergessen.«

»Das ist ein sehr schöner Plan!«, bemerkte ich. »Perfekt formuliert, reif zur sofortigen Umsetzung und umweltverträglich.«

»Schwätzer!«, bemerkte sie verächtlich. Dann grinste sie und schloss die Augen.

16. Kapitel

Der Morgen war deswegen so chaotisch, weil wir beide keinen Wecker gestellt hatten und weil plötzlich jemand unten an der Haustür läutete und damit gar nicht aufhören wollte.

»Was ist das?«, fragte sie undeutlich.

»Die Klingel«, sagte ich. »Jemand will hier rein.«

»Hat du eine Uhr?«

»Es ist halb zehn.«

»Waaas?«, kiekste sie ganz hoch. Dann stürzte sie im Eilschritt aus dem Bett zur Tür, irgendwelche Laken hinter sich herziehend. Die Tür stand offen, und sie war keine Laken gewöhnt. Sie landete also in einer Art Hechtsprung für Komiker auf einem angenehm weichen, roten Läufer.

»Du hast außer den Resten meiner Bettwäsche nichts an«, sagte ich vorwurfsvoll. »Lass mich das machen.«

Ich zog also einen Bademantel über meine dürftige Gestalt und erschien in der Haustür.

Da standen eine Frau und ein Mann. Sie hielt sich einen *Wachturm* vor den Busen, und er sagte mit charismatischem Augenaufschlag: »Dürfen wir mit Ihnen sprechen?«

»Dürfen Sie nicht!«, brüllte ich, schlug die Tür zu, eilte nach oben und rief: »Entwarnung! Entwarnung!«

Tessa stand in meinem Arbeitszimmer inmitten eines großen Haufens Textilien und bemerkte zittrig: »Ich weiß genau, ich hatte Unterwäsche dabei!«

Dann klingelte es wieder, und ich dachte darüber nach, die *Wachturm*-Leute in Quarantäne zu schicken, ihnen vielleicht einen Silvesterkracher an den Körper zu heften oder ähnlich

Gehaltvolles. Es klingelte noch einmal, und weil ich ein höflicher Mensch bin, beeilte ich mich, erneut an meine Haustür zu kommen. Ich riss sie auf und sagte streng: »Das ist im Moment nicht so prickelnd.«

Da stand ein ganz junger, uniformierter Polizist und erklärte scheu: »Könnte ich Frau Staatsanwältin Doktor Brokmann kurz informieren?«

»Kommen Sie herein, junger Mann!«, erwiderte ich leutselig. »Das dauert vielleicht zwei, drei Minuten. Dort hinein und einen Sessel erobern!«

Er war sichtlich verwirrt, folgte aber meinen Anweisungen ins Wohnzimmer und setzte sich.

Ich rannte die Treppe hinauf und sagte: »Die Staatsgewalt sitzt unten!«

In derartigen Situationen sind Frauen wesentlich anpassungsfähiger als Männer. Meine Staatsanwältin fragte: »Seh' ich gut aus?«, und eilte an mir vorbei zur Treppe. Vollständig bekleidet.

Es gab in meinem Wohnzimmer ein Gemurmel, das etwa zwei Minuten dauerte. Dann klickte die Haustür zu, und besagte Staatsanwältin erschien im ersten Stock mit der Bemerkung: »Ich habe aber Wäsche eingepackt, verdammt noch mal.«

»Irgendetwas Besonderes?«, fragte ich.

»Nein«, antwortete sie. »Arbeitssitzung der Leitenden um vierzehn Uhr bei Markus Schröder in Niederehe. Die ganze Special Unit. Blöd so was! Ich vergesse doch niemals Unterwäsche!«

»Was machen wir eigentlich«, murmelte ich, »wenn jemand sagt: ›Der hat eine tiefe persönliche Anbindung an die Staatsanwältin, über deren aktuelle Arbeit er gerade berichtet. Sie wird ihm Dinge sagen, die er sonst nie erfahren würde‹?«

»Was ich dann mache, weiß ich«, erwiderte sie vollkommen sachlich. »Ich gehe zu meinem Vorgesetzten und biete ihm meine Versetzung an. Habe ich dir irgendetwas in diesem Fall an Wissen zukommen lassen, das du eigentlich nicht haben dürftest oder das ich anderen Leuten aus deinem Gewerbe vorenthalten habe?«

»Hast du nicht«, sagte ich.

»Na, also! Hast du gerade etwas von tiefer persönlicher Anbindung erwähnt? Hast du! Vielen Dank.« Dann strahlte sie. »Wir waren gut, nicht wahr?«

»Allererste Sahne«, nickte ich.

»Oh Gott! Ich muss die Kinder anrufen!«

Ich säuberte mich oberflächlich, zog mir für den Tag irgendetwas an und machte mir in der Küche einen Kaffee, mit dem ich mich auf meine Terrasse setzen wollte. Mein Wohnzimmer war schon wieder blockiert von der Staatsanwaltschaft, die ungefähr drei Quadratmeter Unterlagen und Akten in meiner Sitzgruppe um sich ausgebreitet hatte.

»Stör mich jetzt nicht!«, sagte Tessa.

»Ich will nur eine schnelle Durchreise«, bemerkte ich.

Sie antwortete nicht, und ich erreichte ohne nennenswerte Zwischenfälle meine Terrasse. In der Stieleiche, vier Meter entfernt, hüpfte ein unscheinbarer, brauner Vogel herum, ungefähr so groß wie eine Amsel. Ein Kuckuck, dachte ich elektrisiert. Ein Kuckuck in meinem Garten? Dann wollte ich mir eine Kamera holen und ihn fotografieren. Aber das ging nicht, weil mein Wohnzimmer belegt war. Vielleicht gab es bei uns ab sofort einen Gartenkuckuck, die Eifel war ja entwicklungsfreudig.

Ich wählte die Handynummer von Wotan, die Kischkewitz mir gegeben hatte.

Er meldete sich mit: »Gerhard Hahn.«

»Mein Name ist Baumeister, ich bin ein Journalist. Können wir uns treffen und über den Eulenhof reden?«

»Komisch, auf Sie habe ich schon gewartet. Bisher waren sieben Gazetten bei mir und bettelten um ein Interview. Was wollen Sie denn?«

»Nachdem ich einen Toten hinter dem Gehöft gefunden habe und nachdem mir gleich ein paar Leute gesagt haben, mit Ihnen kann man vernünftig reden, will ich versuchen herauszufinden, was da gegenwärtig passiert. Es sind ein paar Tote und ein paar Verprügelte zu viel. Es ist also mein Job, danach zu fragen.«

»Das möchte ich nicht«, erklärte er einfach. »Ich kann zu der politischen Linie des Eulenhofs überhaupt nichts sagen, weil ich nichts damit zu tun habe und auch nichts damit zu tun haben werde. Also, Neonazis hin oder her, damit identifiziere ich mich nicht. Ich lebe hier, ich verdiene hier mein Geld, meine Familie ist hier. Mehr ist nicht.«

»Das glaube ich Ihnen nicht. Wer hat Ihnen denn diesen unglaublichen Vornamen Wotan gegeben?«

»Das war mein Vater, und er war todsicher betrunken. Und im Geburtsregister kommt der Name Wotan auch nicht mehr vor. Ich führe ihn nicht mehr.«

»Dann habe ich ja wenigstens in diesem Punkt Klarheit. Kann ich Ihnen meine Handynummer geben? Und rufen Sie mich an, wenn Sie Ihre Meinung ändern? Oder mich brauchen?«

Das erheiterte ihn ungemein, er begann zu lachen, und das klang sehr sympathisch. »Sie sind ein Scherzbold, nicht wahr? Warum sollte ich Sie bei irgendetwas benötigen?«

»Na ja, never say never«, sagte ich. »Die Erfahrung lehrt, dass so etwas durchaus möglich ist. Ich habe gestern Abend Ihre Ex-Schwägerin kennen gelernt. Die versicherte mir, mit Ihnen könne man vernünftig reden.«

»Ich hörte bereits von dem Treffen«, sagte er.

»Und da mich ein Mitarbeiter Ihres Bruders namens Veit Glaubrecht bei einem Besuch auf dem Eulenhof niedergeschlagen hat, dachte ich, der Bruder des Bruders würde eine Ausnahme machen und mit mir sprechen.«

»Veit hat Sie niedergeschlagen?«, fragte er sehr sachlich. »Das habe ich nicht gewusst. Mit was haben Sie ihn denn aufgeregt?«

»Mit der Bemerkung, ich würde ihm und Ihrem Bruder sowieso nichts glauben.«

»Das ist ja auch sehr unhöflich«, erklärte er flach.

»Dann stellen Sie sich einmal vor, wir würden aus jeder Unhöflichkeit einen Krieg machen«, wandte ich ein. »Wo kämen wir da hin? Ich bin im Übrigen der Meinung, dass der Eulenhof ohnehin am Ende ist. Er implodiert, würde ich mal sagen.«

»Wie kommen Sie darauf?«

»Nun ja. Blue wurde getötet, noch ehe er die Chance bekam, ein Mann zu werden. Doktor Voigt wurde von einem Sniper erschossen. Er war einer, der Frauen ekelhaft vorführte, einer aus einer studentischen Burschenschaft, die Hitler noch immer feiert. Einem Jäger aus Trier zertrümmerte wahrscheinlich derselbe Sniper die Schulter. Der Mann wird wohl sein Leben lang behindert bleiben. Dieser Mann erzählte seiner Frau, der Mord an sechs Millionen Juden habe nicht stattgefunden. Gestern erschoss womöglich derselbe Sniper vom Eulenhof aus einen Mann, von dem ich annehmen muss, dass er ein Agent des Verfassungsschutzes war. Männer wurden halb totgeschlagen, Jugendliche vom Eulenhof stehen hierfür dringend als Täter im Verdacht. Da wütet doch kein Erzfeind der Neonazis, da wütet doch eher jemand aus den Reihen der Neonazis.«

»Glauben Sie das im Ernst?«, fragte er interessiert.

»Ja, das glaube ich.«

»Können Sie das alles auch beweisen?«

»Natürlich nicht, vieles ist Gerede. Aber dieses Gerede ist eindeutig und weist auf nationalsozialistische Überzeugungen hin. Und dieses Gerede ist schmierig, schmutzig wie Brackwasser. Und Ihr Bruder hat mir beibringen wollen, dass bereits unter Karl dem Großen die Deutschen sich formten. Wie kann man so einen geschichtlichen Blödsinn formulieren? Der Eulenhof zertrümmert sich selbst. Und irgendwann werden junge Menschen aus der Eifel vor der Anlage stehen und Schilder in den Händen halten: *Nazis raus!*«

»Vielleicht vergeht es ja wie eine Krankheit«, sagte er, seine Stimme klang mitleidig.

»Wie man diesen Prozess nennt, ist mir eigentlich egal. Solange dieser Hagen Weidemann das Schiff steuert, ist es keine Krankheit, die vergeht, sondern ein ekelhaftes Geschwür, das sich ausbreitet.« Dann merkte ich, dass ich schon ins Schimpfen geraten war. »Tut mir leid, ich will keine Reden halten, aber diese Geschichte regt mich viel mehr auf, als ich zugeben will. Das war jetzt ein Rückfall, also vergessen Sie das.«

»Sie haben eine Meinung und vertreten die. Das ist völlig okay.«

»Eine Frage noch. Sie waren mit Blue angeblich in Tschechien. Stimmt das?«

»Das stimmt. Sogar mehrmals. Wir haben Urlaub gemacht, das Land ist sehr schön, und die Menschen sind freundlich und lachen gern. Spielt das eine Rolle?«

»Das weiß ich nicht. Aber Sie haben Blue gemocht, nicht wahr?«

»Ja, richtig. Aber ich glaube nicht, dass er von Neonazis erschossen wurde. Ich denke, dass jemand ihn erschossen hat, der sich nicht in der Gewalt hatte.«

»War Hass das Motiv?«, fragte ich.

»Das kann gut sein, aber ich weiß es wirklich nicht«, antwortete er. »Und jetzt muss ich wieder an die Arbeit. Es war sehr aufschlussreich. Kann ich Ihre Telefonnummer haben?«

»Aber ja.« Ich gab ihm die Nummer, bedankte mich bei ihm für das Gespräch, das er eingangs gar nicht gewollt hatte, und beendete das Telefonat. Dann holte ich mir einen zweiten Kaffee.

Tessa war verschwunden, ihr Auto war weg. Wahrscheinlich konferierte sie mit der Mordkommission. Aber sie hatte mir in meinem Büro auf dem Teppichboden einen Haufen Textilien hinterlassen, und ich nahm an, sie würde zurückkommen, ehe sie im nächsten Arbeitsmarathon versacken würde. Ich war merkwürdig stolz auf sie, und das war ein ganz neues Gefühl.

* * *

Das war der Tag, an dem die Sache mit Lasse passierte. Es begann wie immer sehr harmlos – mit einem Anruf des Bauern Bodo Lippmann, der offensichtlich seine Augen und Ohren überall hatte.

Anfangs druckste er herum, fragte, wie es mir gehe. Dann sagte er: »Also, da ist vielleicht was passiert. Ich sage gleich, dass das alles Blödsinn sein kann. Aber man weiß ja nie. Und du musst dann bitte nach einem Jungen namens Lasse fragen, obwohl der gar nicht Lasse heißt.«

»Wen soll ich nach Lasse fragen?«

»Den Direktor vom Gymnasium. Also, mein Ältester ruft mich eben an und sagt, dass der Lasse sich erhängt hat. ›Wer ist Lasse?‹, frage ich. ›Das ist einer aus der obersten Klasse‹, sagt er mir. ›Der spielt wahnsinnig gut Gitarre, viel besser als Bruce Springsteen.‹ Oder wie der heißt.«

»Lasse hat sich also erhängt«, wiederholte ich. »Bodo, mach mir das Leben nicht schwer. Du rufst doch an, weil Lasse irgendetwas mit irgendwem zu tun hat. Oder? Oder irre ich mich?«

»Also, Lasse soll mit der Meike zusammen gewesen sein, mit dem Mädchen aus dem Eulenhof, das angeblich geprügelt hat, verstehst du?«

»Woher weiß das dein Sohn?«

»Weil die ganze Schule darüber redet«, antwortete er. »Mein Sohn hat mich eben deswegen angerufen.

»Hast du deinem Sohn gesagt, er soll dir alles erzählen, was mit dem Eulenhof zusammenhängt?«

»Habe ich, jawoll. Ich habe meinem Sohn gesagt: ›Diese Leute können für die Eifel sehr schädlich sein.‹ Aber der Junge ist neun Jahre alt, der kann selbst entscheiden, ob er mich anruft oder nicht. Und die ganze Eifel redet pausenlos über diese Vorgänge. Glaubst du, das geht an den Schülern vorbei?«

»Wie heißt der Direktor der Schule?«

»Das ist der Seewald, Oberstudiendirektor Doktor Ingo Seewald. Kannst du den nicht mal anrufen?«

»Ja, das kann ich tun. Danke für den Tipp.«

»Vielleicht rufe ich selbst auch noch da an, ich weiß noch nicht«, sagte er bedrückt und legte auf.

Da war etwas vollkommen außer Kontrolle geraten. Ich rief also das Gymnasium an und bat um eine Verbindung zu Doktor Seewald. Das sei zurzeit nicht möglich, sagte mir eine Frau. Der habe Unterricht und könne nicht gestört werden. Ob sie denn etwas ausrichten könne.

»Allerdings«, sagte ich. »Ein Schüler, den man Lasse nennt, soll sich erhängt haben. Ich möchte wissen, ob das stimmt.

Ich bin Siggi Baumeister. Ich bin ein Journalist, der das wissen möchte.«

»Aber Herr Baumeister! Lasse ist doch gerettet worden!«, explodierte sie. »Das stimmt doch alles gar nicht. Was wird denn da für Unsinn geredet?«

Ich war es satt, mit den Gerüchten von Gerüchten strapaziert zu werden, ich unterbrach die Verbindung. Es war schon schlimm genug, sich überhaupt mit Neonazis beschäftigen zu müssen, da brauchte ich nicht auch noch einen Selbstmord, der dann doch keiner war. Aber das war schon das nächste Gerücht.

Das war im Augenblick ein wenig zu viel, das schien die Welle zu sein, die mich fortspülen würde. Ich bekam Lust zu flüchten und mich nicht mehr umzudrehen. Ich fackelte nicht lange und setzte mich sofort ins Auto. Ich wollte nach Maria Laach, im hohen Dom sitzen und die Demut der Säulen spüren, ich wollte im Dämmerlicht dieser Kirche zur Ruhe kommen, in die Krypta hinuntersteigen und in der beschützenden Enge der Mauern mit dem alten Mann da oben sprechen. Ich war sauer auf ihn, und im Grunde wollte ich einen Kompromiss finden. Mal wieder.

Aber dann drang über die Freisprechanlage eine gehetzte und atemlose Stimme zu mir – und alles begann wieder von vorne.

»Mein Name ist Ingo Seewald. Ich höre, Sie wollen mich sprechen.«

»Das ist richtig. Danke für den Rückruf. Ich bräuchte eine Empfehlung von Ihnen. Mit welcher Schülerin, mit welchem Schüler kann ich sprechen, der von Cliquen und Klübchen innerhalb der Schülerschaft weiß? Der einigermaßen Strömungen auseinanderhalten kann, der mir sagen kann, was ernst ist und was nicht. Es geht um den Selbstmordversuch von Lasse, der in enger Verbindung stehen soll mit der Schülerin Meike vom Eulenhof.«

»Also zunächst mal: Lasse ist gerettet worden. Das haben mir die Eltern bestätigt. Er wollte sich wohl tatsächlich erhängen. Grauenhaft, diese Vorstellung. Diese Schule, Herr Baumeister, steht nun seit Tagen schon in einer harschen Kritik. Das Ministerium hat sich eingeschaltet und behält sich buchstäblich alles vor. Ich bin darüber enttäuscht und verwirrt. Das ist in etwa so, als wollte ein anderer meine Verdauung übernehmen. Ich weiß, ein schlechter Vergleich, denn komisch ist das alles nun wirklich nicht. Ich kann Ihre Bitte verstehen. Bis wann brauchen Sie einen Kontakt?«

»Sie sind sauer, nicht wahr?«

»Unbeschreiblich sauer. Meine Frau fragte mich gestern Abend, ob ich den Job nicht einfach an den Nagel hängen will. Hier rufen von morgens bis abends Ihre Kolleginnen und Kollegen an. Wir hatten und haben die Staatsanwaltschaft im Haus, Kriminalbeamte geben sich hier die Klinke in die Hand. Und Ihr Anliegen ist nun das erste, das ich sofort begreifen kann. Bis wann brauchen Sie einen Gesprächspartner?«

»Na ja, so schnell es geht natürlich.«

»Und wo?«

»Bei mir zu Hause in Brück.« Ich gab ihm die Adresse und bedankte mich.

Genau dort, wo der Haupteingang der Bundeswehrkaserne in Mayen lag, drehte ich und fuhr zurück. Maria Laach musste warten.

Auf meinem Anrufbeantworter zu Hause war Tessa. »Hallo du. Nur ganz schnell: Ich habe eine frohe Botschaft. Rodenstock ist nicht mehr auf der Intensivstation, sie sagen, sie können ihn jetzt normal weiter behandeln. Aber sie wollen noch eine Weile genau hinschauen, um keine Risiken einzugehen. Angeblich nörgelt er schon wieder rum. Herzliche Grüße von Emma, die vor Glück so geheult hat, dass sie wirklich aussieht wie eine zerknautschte Mohnblüte. Herzliche Grüße auch von Tante Liene, die dich fragen möchte, wieso du Juden verstehst. Und die würden sich sehr freuen, wenn du bei Gelegenheit vorbeikommst. Kuss.«

Ich weiß nicht mehr genau, wie ich reagierte, aber auch mir schossen Tränen in die Augen, als ich an die vor Glück verheulte Emma dachte. Ich glaube, ich habe *Road to hell* gesungen und war so extrem glücklich, dass daraus ein Bossa Nova wurde. Was ausgezeichnet klang.

Dann rollte irgendetwas Schwarzes, Langes auf meinen Hof. Lautlos. Es war ein Sechshunderter der S-Klasse AMG. Eine Frau stieg aus, eine junge Frau. Das Ganze wirkte wie eine Erscheinung.

Bevor sie klingeln konnte, stand ich schon in der Tür und sagte: »Herzlich willkommen!«

»Direktor Seewald schickt mich zu Ihnen«, sagte sie knapp. »Mein Name ist Tina Jax.«

»Danke. Das ist sehr nett. Fahren Sie immer in solchen Autos herum?«

»Mein Kleiner ist zum TÜV, das ist der von meinem Vater.« Sie grinste wie ein Lausejunge, und sie war gefährliche Fracht. Sie trug hellblaue Jeans zu einfachen Leinenschuhen und ein T-Shirt der etwas gehobenen Klasse mit einem blutigen Steak auf dem Bauch. Selbst für eine Schülerin der Oberstufe wirkte sie ungemein erwachsen und fraulich, nicht dünn, mit einem ordentlich dargebotenen Busen. Kein Makeup, kein Chichi. Und sie trug eine Brille mit großen, klaren Gläsern. Ich tippte auf Fensterglas. Die Brille machte sie schön, und ich konnte die jungen Männer hecheln hören.

»Was wollen Sie trinken?«

»Egal, was da ist«, antwortete sie.

Also holte ich Wasser.

»Sollen wir da am Esstisch reden? Wäre gut. Ist sachlich und geht schneller. Ich habe Ihnen da eine Vereinbarung hingelegt, wie ich dieses Treffen bewerte, und was Sie daraus machen können, wenn irgendetwas erscheinen sollte. Sie können sich daran halten, so wie ich mich daran halte.«

Sie setzte sich und las. »Ja«, nickte sie. »So ist mir das auch von Direktor Seewald zugesichert worden. Ich habe allerdings auch eine Bedingung: Ich werde keine Namen nennen, egal von wem.«

»Einverstanden. Aber Sie sagen mir, ob Frau oder Mann?«

»Das schon.«

»Und bei den Schülern des Eulenhofs bleiben wir bei den Zwillingen Oliver und Hannes sowie Meike?«

»Okay, geht klar.«

»Dann fange ich an. Was hat Sie an den angeblichen Äußerungen und Pöbeleien gegen die drei Schüler vom Eulenhof am meisten erstaunt?«

»Überhaupt nix. Also eigentlich. Höchstens, dass der Eulenhof erst jetzt reagiert hat und diese Briefe an die Schule, an die Lehrer und an das Ministerium geschickt hat. Wir wissen seit vielen Monaten, seit einem Jahr, von diesen merkwürdigen Erscheinungen bei den drei Schülern. Wir haben oft – ich meine jetzt: alle! – darüber gesprochen, und wir haben auch versucht, mit denen darüber zu sprechen. Und dann plötzlich diese Briefe!«

»Können Sie mir diese merkwürdigen Erscheinungen, wie Sie das nennen, schildern? Um was geht es da?«

»Wenn ich das so genau wüsste«, antwortete sie erstaunlicherweise. Dann nahm sie ihre Brille ab und spielte damit in sanften Handbewegungen. Das sah aus, als hätte sie sich das irgendwo abgeguckt und dann ein paar Stunden geübt, bis es richtig saß. »Also, die drei gingen vor ungefähr zwei Jahren auf diesen Eulenhof. Zusammen mit ihren Familien. Ich glaube, die kamen aus dem Ruhrgebiet. Und sie kamen dann auf unsere Schule. Anfangs war das okay, weil auch keiner eine Ahnung hatte, was der Eulenhof ist und so, und …«

»Was ist der Eulenhof denn?«, fragte ich schnell.

»Na ja, es heißt dauernd, da wohnen Nazis, also Neonazis. Wir dachten zuerst immer, dass das ja gar nicht sein kann. Ich meine, die Eifel hat doch im Zweiten Weltkrieg ziemlich Schlimmes erlebt. Wir nehmen das in der Schule ja alles durch. Sicher, es gibt immer ein paar Schwachköpfe, aber normalerweise könnte man einem Eifeler doch heute nicht den Krieg erklären. Ich meine, Krieg, das kennt man hier doch – eben Tod und Vernichtung und der ganze Horror. Und dann sitzen in deiner eigenen Klasse plötzlich Leute, die behaupten, der Holocaust sei eine Lüge. Das ist krass, echt krass. Dann sitzt du da und tust genau das, was alle tun: Du redest drüber, hast aber eigentlich keine Ahnung, über was du da redest.«

»Reden Sie im Moment über Hilflosigkeiten?«, fragte ich.

»Ja, genau. Echt krass. Und dann kommen unsere Eltern ins Spiel. Ich hab das zu Hause mal erzählt, dass da so komische Leute bei uns an der Schule sind. Und was passiert? Nichts. Mein Vater hat nur gesagt: ›Warte mal ab, Kind, das wird sich klären.‹«

»Aber was ist mit den Lehrern?«

»Die sind unsicher, glaub ich. Vielleicht sagen sie es dem Direktor, keine Ahnung. Rudolf Heß, Hitlers Stellvertreter bei den Jugendbünden der Nazis, ist plötzlich ein Idol, ein Märtyrer. Das sagt eine Sechzehnjährige! Der Lehrer hört das, ist irritiert und sagt dann so total freundlich: ›Darüber sollten wir zwei nach der Stunde mal in Ruhe sprechen.‹ Das ist alles.«

»Wie alt sind Sie?«

»Achtzehn.«

Ich kannte den Tonfall von Achtzehnjährigen, die über Sechzehnjährige reden, als wären das kleine Kinder, um die man sich sorgen muss. Ich entschied, das Altkluge zu ignorieren und lieber hinzuhören, was Tina zu sagen hatte. Nur wenn ich sie ernst nahm, würde ich etwas in Erfahrung bringen können. »Ich nehme an, die drei haben sich im Laufe der Zeit stark verändert?«, fragte ich.

»Genau das war es ja eben. Anfangs scheue Hühner, dann immer mehr Selbstsicherheit. Und immer dieses Grinsen, als könnten sie alles besser, als wüssten sie viel mehr als wir, als wären wir die Zurückgebliebenen. Das geht einem mit der Zeit echt auf den Keks.«

»Was hat Sie an dieser Meike am meisten aufgeregt?«

Sie überlegte eine Weile. »Dass da eine Sechzehnjährige in der Klasse sitzt und von den Aufgaben der deutschen Frau redet.«

»Was sind das für Aufgaben, laut Meike?«

»Ganz einfach: Heiraten, Kinderkriegen, den Haushalt schmeißen, dem Mann bei der politischen Selbstfindung helfen.«

»Mehr nicht?«

»Mehr nicht.«

»Es heißt, diese Meike habe immer Röcke getragen und immer weiße Blusen. War das so?«

»Ja, das war so. Echt krass. Das war richtig aufdringlich, das wirkte auf mich einfach blöde. Sie hat mir gesagt: ›Eine deutsche Frau kleidet sich so.‹ Wie eine Sekte, wie Leute, die allein den Segen des Allmächtigen haben. Wir haben zuerst alle gedacht, die wären irgendwie nur dumm oder naiv. Aber dann passierte die Sache mit Gunnar vor einem Jahr. Ach so ...« Sie schüttelte sich kurz. »Ähm. Sie vergessen den Namen bitte. Also Gunnar ist das, was wir ein Tretboot nennen – ich bin hier, um mein Abitur zu machen, und alles andere geht mich nichts an. Tretboot halt. Ein Mädchen hatte Geburtstag und hat den ganzen Leistungskurs eingeladen. Nichts Besonderes, einfach nur abhängen, tanzen, so was halt. Oliver und Meike waren dabei. Ein paar Jungs trinken zu viel, ein paar Mädchen auch. Ausgelassene Stimmung. Gunnar ist von der Rolle, einfach leicht betrunken, ein Bier zu viel, was weiß ich. Gunnar läuft im Garten herum und sieht, wie ein Mädchen mit einem Jungen knutscht, der geht dahin und sagt laut: ›Das ist jetzt aber sehr unsittlich.‹ Alle haben natürlich gelacht. Niemand hat sich drum gekümmert, außer Oliver. Der geht zu Gunnar und sagt: ›Lass die beiden in Ruhe!‹ Gunnar dreht sich um und meint: ›Blödmann!‹ Oliver hat ihn mit einem Schlag umgefegt. Gunnar steht wieder auf und sagt: ›Unsittlich ist das trotzdem!‹ Und wieder lachen alle. Aber Oliver schlägt wieder zu, Gunnar fällt ziemlich übel über einen Stuhl. Er blutet im Gesicht. Und wir wissen plötzlich alle: Das ist kein Scherz mehr, das ist ernst. Gunnar steht wieder auf und sagt: ›Du bist doch ein Hosenscheißer!‹ Und dann ist Meike da und sagt: ›Wenn Oliver sagt, er will das nicht, dann will er das nicht!‹ Gunnar lacht blöde. Dann schlägt Oliver wieder zu, diesmal richtig schlimm. Gunnar fällt irgendwie auf Meike zu, und die nimmt Gunnar, zieht seinen Kopf an den Haaren zu sich heran, schießt das Knie hoch. Mannomann. Gunnar lag da wie ein Toter. Wir haben ihn mit einem Taxi ins Krankenhaus gebracht. Schwere Hodenquetschung, Unterkieferbruch. Verstehen Sie? Die meinten das völlig ernst, die hatten keinen Schluck Alkohol getrunken, die hatten auch keine Tüte geraucht – nix. Diese ätzende Brutalität. Das ist unheimlich.« Sie trank von dem Wasser, sah mich an und fragte: »Was glauben Sie? Kommen die drei an unsere Schule zurück?«

»Ich glaube, das ist nicht mehr zu reparieren. Haben Sie den Eindruck, dass der Begriff Schlägertrupp zu Recht verwendet wird? Wirken die trainiert?«

»Ja, die sind irgendwie so geworden. Die sind richtig gut eingespielt. Das sagen alle Jungens und Mädchen, die davon eine Ahnung haben. Die Meike ist am Bahnhof in Gerolstein von so üblen Typen angemacht worden. Vor einem halben Jahr war das. Es waren vier. Richtig schlimme Jungs mit Vorstrafen und Drogenerfahrung. Was sie nicht wussten, war, dass Meike nicht allein da war. Oliver und Hannes hatten in der Stadt was erledigt und kamen gerade zurück. Sie haben die so dermaßen zusammengeschlagen, dass der Notarzt alle vier ins Krankenhaus bringen musste. Brüche und Quetschungen. In einem polizeilichen Protokoll soll angeblich Olivers Bemerkung stehen, es habe sich um Untermenschen gehandelt.«

»Kann ich noch ein paar Informationen zu Lasse haben, der sich umbringen wollte?«

Der Name traf sie, das war sofort zu sehen. Sie zuckte kurz und sagte dann: »Lasse ist ein unheimlich lieber Kerl. Er nennt sich nur Lasse, weil der Name bei Astrid Lindgren auftaucht, er heißt eigentlich anders, aber er war immer schon Lasse. Er hat sich in Meike verliebt. Ich weiß gar nicht, ob das stimmt, dass er sich umbringen wollte, man sagt uns ja nichts.«

»Es stimmt, es ist offiziell, er wollte sich aufhängen.«

»Oh, das tut weh.« Ihre Stimme wurde dünner. »Er war immer so angreifbar und verwirrt. Dabei ist er in fast jedem Fach einsame Spitze. Er ist ein Kind, ich würde den am liebsten in die Arme nehmen und beschützen.« Sie mühte sich um Fassung, sie schniefte. »Ja, er hat sich in Meike verliebt. Er hat ihr das auch gesagt. Irgendwie hilflos. Einmal auch in der großen Pause, als wir zusammenstanden. Er sagte wie ein Kind: ›Ich finde dich einfach unfassbar toll!‹ Ich kann mich an jedes Wort erinnern. Sie drehte sich um und ging weg und sagte: ›Du bist doch nur debiles Unkraut!‹ Wir Frauen haben Meike gefragt, warum sie so fies sein muss. Und sie hat gesagt: ›Es gibt sogenannte Menschen, die sich niemals in die Gemeinschaft einfügen lassen und unserer Nation großen Schaden zufügen.‹ Da habe ich gedacht: Diese Frau ist ein Schwein.«

17. Kapitel

Ich sah ihr nach, wie sie mit dem Schiff ihres Vaters von meinem Hof rollte, und ich dachte an diesen Lasse, den sie wahrscheinlich noch verteidigen würde, wenn er schon längst in der Psychiatrie war. Es gab in dieser chaotischen Geschichte anrührende Momente. Und es gab Menschen, die sich nicht verbiegen ließen.

Ich rief Tessa an und erwischte sie wohl mitten in einer Konferenz. »Kurz, bitte«, sagte sie knapp.

»Wer hat diese Drei trainiert? Es muss jemand geben, der ihnen diese Brutalität beibringt.«

»Also, einer ist wohl mit Sicherheit Glaubrecht. Es besteht auch der Verdacht, dass es auf dem Hof einen alten Mann gibt, der in den sogenannten Kampfkünsten der Asiaten erfahren ist. Aber da fehlt jeder Beweis. Warum?«

»Ich hatte eine Schülerin hier. Sie berichtet Schlimmes.«

»Ja. Es hat viel Schlimmes gegeben. Ich muss übrigens von hier aus heim nach Trier. Meine Kinder sind sauer.«

»Aber du hast hier noch einen ungeordneten Haufen Textilien.«

»Das nächste Mal«, sagte sie und unterdrückte ein Lachen.

Dann rief ich endlich bei Emma an.

»Du untreue Seele«, sagte sie. »Dass du dich meldest, ist ja ein Wunder.«

»Wie geht es deinem Mann?«

»Besser. Und ich kann es noch immer nicht recht glauben. Aber sie sagen, sein Zustand sei stabil, er braucht nicht mehr an diesen Apparaturen zu hängen. Er liest ein Buch. Und er hat kaum noch Schmerzen. Stell dir das vor.«

»Sehr gut. Und Tante Liene?«

»Sie will einen Einbürgerungsantrag stellen.« Sie lachte. »Ich denke, Europa hat ihr gutgetan. Wann sehen wir dich?«

»Ich habe heute Abend Besuch in dieser leidigen Sache mit dem Eulenhof. Ich denke, ich kann morgen in der Frühe reinschneien. Aber ich rufe vorher an.«

»Diese Neonazis schaffen dich, nicht wahr?«

»Ja, das ist so.«

»Magst du reden?«

»Ich glaube, ja. Ich komme da mit einigen Dingen nicht klar.«

»Wenn ich dir helfen kann, helfe ich dir.«

»Danke, es steht zu befürchten, dass ich darauf zurückkomme. Macht es gut, ihr zwei Mädchen. Und grüße mir deinen Macker.«

Ich setzte mich an den Computer und schickte Holger Patt eine Anfrage mit der Bitte, mich aufzuklären. Mir war eingefallen, dass ich über die verwendeten Waffen und ihre Munition überhaupt nichts gehört hatte. Es gab sowieso unglaublich viele Kleinigkeiten in diesem Fall, die vollkommen unklar waren. Ich wusste nicht, wie die Mordkommission Ulrich Hahn einschätzte. Hatte er Einfluss auf Hagen Weidemann? Oder war er eine Puppe? Ein vorgeschobener dienstbarer Geist? Es war auch immer noch unklar, ob der tote Stefan Zorn ein Beamter des Verfassungsschutzes war und ob der tote Blue mit diesem Stefan Zorn etwas zu tun gehabt hatte. Wieso hatte sich Zorn in den Wald hinter dem Eulenhof locken lassen? Oder war da etwas ganz anderes abgelaufen, und wir deuteten die Zusammenhänge falsch, weil wir diese unvermeidbare Brille aufhatten, durch die wir den Eulenhof als Hort alles Bösen sahen? Ich hatte keine annähernde Vorstellung wie mächtig dieser Hagen Weidemann war. Hatte er so etwas wie Kadavergehorsam herangezüchtet? Und dann die Frage: War der Eulenhof einfach explodiert? War die Ermordung Blues der Auftakt zu dieser Explosion gewesen? War die Explosion eine Implosion? Es musste den Unbekannten geben, der die beiden Jäger schwer verwundet und getötet hatte. Wer war das? Konnte es sein, dass auf die beiden geschossen worden war, nur weil sie Jäger waren? Hatte das mit dem Eulenhof vielleicht gar nichts zu tun?

Stündlich schaute ich im Postfach nach, aber es kam keine Antwort von Holger Patt auf meine Mail. Anzunehmen, dass sie alle noch tagten. Gegen Abend aß ich etwas und setzte mich wieder raus auf meine Terrasse. Über meine Grübeleien musste ich eingeschlafen sein, was ich erst bemerkte, als mich das Brummen eines Motors und das Geräusch von langsam rollenden Autoreifen vor meinem Haus aufschrecken ließen.

Sie kamen zu früh. Mutter und Sohn rollten in einem neuen, weißen Twingo auf den Hof. Es war halb neun.

»Herein mit euch«, sagte ich.

»Wir sind viel zu früh«, sagte der Junge verlegen.

»Das macht überhaupt nichts.«

»Grete Kaufmann«, stellte die Frau sich vor. »Wir haben telefoniert, das ist mein Sohn Kevin.«

Wir saßen in der Sitzecke, ich besorgte Getränke und Aschenbecher. Ich sagte: »Ich finde es sehr gut, dass wir miteinander sprechen können. Mir macht diese Geschichte mit dem Eulenhof, gelinde gesagt, Kopfzerbrechen.«

Sie waren beide sehr zurückhaltend gekleidet. Bequeme, praktische Dinge. Blaue Jeans, T-Shirts, einfache Schuhe, nichts, was aus der Reihe tanzte. Die Mutter war hübsch, sie neigte zur Korpulenz und wirkte ein wenig erschöpft. Der Junge hatte ein schmales, ovales Gesicht mit blauen Augen unter einem wirren Haarschopf, in dessen Braun einige helle Strähnen gelegt waren. Er wirkte nachdenklich, scheu, und er war zwei Köpfe größer als seine Mutter. Er trug einen Drei-Tage-Bart.

»Darf man hier rauchen?«, fragte er.

»Deshalb die Aschenbecher«, erwiderte ich.

Seine Mutter holte eine Plastiktasche mit Tabak aus ihrer Jeansjacke und drehte sich eine Zigarette. Das passierte mit unglaublicher Geschwindigkeit, es war wie eine einzige elegante Bewegung ihrer Hände. Der Junge rauchte Filterzigaretten irgendeiner Billigmarke, die ich nicht kannte. Sie hatten beide um Wasser gebeten.

»Darf ich erklären, was ich vorhabe?«, fragte ich. »Ich möchte in diesem traurigen Fall vor allem die Hintergründe der Menschen erklären, die eine Rolle spielen. Also bestimmte Leute aus dem Eulenhof, bestimmte Leute aus der unmittelbaren Umgebung des Bauernhofes, aber auch bestimmte Leute, die versuchen, Klarheit in die Ereignisse zu bringen. Kriminalbeamte, Fahnder, Spurenleute, Einheimische, die sich bedroht fühlen. Ich will schildern, was diese Neonazis mit dieser Landschaft machen. Ich nehme unser Gespräch nicht auf und filme es auch nicht. Ich weiß nicht einmal genau, wann ich zu schreiben beginne, und wie ich diese erschreckenden Formen von Tod und Gewalt darstelle. Wenn ich Sie beschreiben werde, dann können Sie vor Erscheinen die Geschichte lesen, die Sie betrifft. Und Sie haben Einspruchsrechte.«

»Das ist uns recht«, sagte die Frau. Der Junge nickte nur.

Ich wandte mich zuerst an Kevin: »Wie bist du dazu gekommen, dort zu leben?«

»Das war irgendwie komisch, es war so, dass meine Eltern sich trennen wollten …«

»Und da kriegte er Angst«, sagte die Mutter schnell.

»Grundsätzlich!«, sagte ich zu der Mutter. »Hier wird keiner unterbrochen. Das führt zu Missverständnissen. Und noch etwas, Kevin. Heute war auch die Tina Jax hier. Die kennst du ja. Wir haben lange miteinander gesprochen.«

»Die ist okay«, sagte er hastig.

»Also, deine Eltern steckten in einem Trennungsprozess, und dann bist du in den Eulenhof gezogen, weil Meike, Hannes und Oliver dir das angeboten haben. Vorübergehend. Ist das so richtig?«

»Ja klar«, antwortete er. »Aber es stimmt nicht, dass ich ein Jahr da war. Es waren neun Monate genau. Dann bin ich zu meiner Mutter zurück. Das war auch gut so.«

»Mein bester Freund ist halb totgeschlagen worden. Nachts vor seinem Haus. Er sagt, es sei ein Mädchen dabei gewesen. Würdest du der Meike so etwas zutrauen?«

»Ja klar. Sonst geht doch keiner hin und macht so was. Die drei sind Kampfmaschinen, die hält keiner auf.«

»Wie ist deine Meinung heute? Sind sie noch deine Freunde? Fühlst du dich mit ihnen in einer Clique? Was ist da bei dir?«

»Hm, das ist schwierig. Anfangs waren wir eine Clique. Aber nur anfangs. Als dann das Training jeden Tag lief, da habe ich gewusst: Ich muss da weg.«

Frau Kaufmann konnte sich nicht mehr zurückhalten: »Und jetzt wird er in der Schule angepöbelt, weil sie behaupten, er würde zu denen gehören. Und er sagt das Gegenteil. Er kann machen, was er will, sie sagen immer: ›Du bist doch auch ein SS-Schläger.‹« Die Mutter begann zu schluchzen, und sie suchte in ihrer Jacke nach einem Taschentuch. »Das ist ja richtig furchtbar. Keiner hört ihm zu.«

»Das wird sich von selbst regeln«, sagte ich beruhigend. »In der Schule weiß man ja, wer Kevin wirklich ist. Eine

Frage, Kevin: Was glaubst du denn, was auf dem Eulenhof passiert ist?«

»Als Blue erschossen worden ist, da habe ich gleich gedacht: Jetzt vernichten sie sich selbst! Also, nicht sofort, aber später.« Er lauschte seinen Worten nach, dann nickte er.

»Wer könnte denn Blue erschossen haben?«

»Ulrich Hahn, zum Beispiel«, antwortete er schnell. »Der macht immer einen auf gebildeter Manager, vornehm und zurückhaltend und so. Aber wenn es für ihn knapp wird, dann schlägt er zu. Ich wette, er würde auch schießen. Einfach so.«

»Sind das also gefährliche Leute?«

»Ja.«

»Seid ihr richtig trainiert worden? Und wie sah das aus?«

»Also, das fing langsam an. Veit Glaubrecht machte das. Er sagte, manchmal wird man angegriffen, und dann muss man wissen, wie man reagiert. Und man kann nur richtig reagieren, wenn man das lernt. Wir haben alles gemacht. Training auf der Matte, aber auch Geländemärsche über vierzig Kilometer. Schießen mit der Armbrust.«

»Hast du Angst, gegen die auszusagen? Würden die sich rächen? Sie wissen ja, dass du beinahe alles weißt.«

»Ja, darüber habe ich nachgedacht. Sie würden mich wahrscheinlich töten, wenn ich wirklich gegen sie aussagen würde, denke ich mal.«

»Ich habe schon gesagt, dann kann er ja irgendwohin gehen und eine Weile warten, bis sich das gelegt hat«, erklärte die Mutter weinerlich.

»Ach, Mama«, sagte der Junge mit gesenktem Kopf. Dann griff er nach der nächsten Zigarette.

»Du hast eben gesagt, die drei seien Kampfmaschinen. Was bedeutet das?«

»Das ist das Training«, antwortete er. »Anfangs mussten wir im Wald einen Knüppel schneiden. So ungefähr achtzig Zentimeter lang. Dann mussten wir damit auf den anderen losgehen. Oder auch auf zwei. Dann bekamen wir Axtstiele, wie man sie im Baumarkt kriegt. Sie waren härter und leichter. Wir übten damit jeden Tag, überall, im Wald, im Feld, auf dem Hof, in der Schießbahn.«

»Bei dem Wort Schießbahn fällt mir der Hagen Weidemann ein. Wie ist dessen Stand, wer ist der auf dem Eulenhof?«

»Also, der ist der absolute Boss, an dem kommt keiner vorbei. Was der sagt, gilt, er bestimmt. Und er hat das Geld. Er hat uns manchmal abgefragt. Was wir von Adolf Hitler halten, von den Nationalsozialisten, vom Zweiten Weltkrieg. Und wenn du nicht das geantwortet hast, was er hören wollte, dann musstest du einen halben Tag lang die Bücher lesen, in denen genau das stand, was er hören wollte. Also, wie groß Hitler gewesen ist, wie edel der Krieg war, wie toll der deutsche Landser gewesen ist, wie schlimm die jüdische Weltverschwörung war, und wie schlimm sie heute wieder ist.«

»Wann hast du zum ersten Mal gedacht: Ich bin hier am falschen Platz?«

»Och«, er grinste. »Das weiß ich genau. Da war Kirmes in Nohn. Da wollte ich unbedingt hin, da kannte ich ein Mädchen. Also, die sah gut aus und so, und ich konnte gut mit ihr reden. Hannes, Oliver und Meike gingen auch hin. Es wurde brutal spät, die anderen waren längst wieder auf dem Hof. Ich kam morgens um vier Uhr zurück. Da stand Veit Glaubrecht und haute mich um. Ich war ziemlich lange besinnungslos, und als ich aufwachte, lag ich in dem alten Zimmer von Blue. Sie hatten mich gefesselt. Ich durfte nicht zur Schule gehen, kriegte nichts zu essen und zu trinken, hatte am Hals eine stramme Leine. Die war bis zu meinen Füßen gespannt. Ich konnte mich nicht bewegen, musste kacken und pissen. Und sie haben mich da drin liegen lassen bis zum Abend. Da habe ich gedacht: Ich muss hier so schnell wie möglich weg.«

»Ach Junge, das hast du mir ja noch gar nicht erzählt«, presste die Mutter mit einer ganz hohen, weinerlichen Stimme hervor.

»Ich kann nicht alles erzählen«, wehrte er sie ab.

»Und in der Schule warst du genau so isoliert wie Oliver, Hannes und Meike?«

»Ja, klar. Aber jetzt habe ich mit einer Lehrerin verabredet, dass ich über diese Zeit ein Referat halte. Dann werden sie verstehen, wie das auf dem Eulenhof läuft.«

»Und sie werden dich wieder annehmen«, sagte ich.

»Genau«, nickte er. »Deshalb.«

»Kannst du so ein Training mit den Axtstielen schildern?«

»Ja, kann ich. Du stehst deinem Trainingspartner gegenüber, und du weißt genau, wo du ihn treffen musst, um eine bestimmte Wirkung zu erzielen. Du hast natürlich dicke Wattekleidung an. Es gibt die Schmerzpunkte beim Gegner, es gibt die Organpunkte, Nieren und so zum Beispiel, aber auch Magen und Leber. Und dann gibt es noch die chinesischen Druckpunkte. Also in Asien haben sie eine lange Erfahrung, über dreitausend Jahre ist das Wissen alt. Das sind bestimmte Druckpunkte, mit denen du wahnsinnige Schmerzen auslösen kannst. Du musst nur mit Daumen, Zeigefinger und Mittelfinger diese Punkte greifen. Entweder der Gegner schreit vor Schmerz, oder du löst Lähmungserscheinungen aus. Auf jeden Fall ist der andere besiegt, der macht nichts mehr.«

»Ich vermute, die Schläge mit dem Axtstiel sind genau berechnet. Du weißt, wo du treffen musst, um eine bestimmte Wirkung zu erreichen.«

»Da ist gar nichts Zufall!«, nickte er schnell und hart, und es klang für Sekunden so, als wären bestimmte Erinnerungen an die eigene Macht wohltuend. Die Faszination des Schrecklichen. »Es ist so, dass die Schläge eine bestimmte Reihenfolge haben. Erst schlägst du zu, um deinen Gegner zu öffnen. Er macht abwehrende Bewegungen mit beiden Händen und Armen und mit dem Körper. Und genau in diese abwehrenden Bewegungen kannst du deine gezielten Schläge setzen. Das ist eigentlich ganz einfach.«

»Was sind die Eltern von Meike und von den Zwillingen für Leute?«

»Ganz normale Leute, würde ich sagen. Na, sie sind da, weil sie rechtsradikal sind, aber sonst ganz normal. Sie arbeiten da. Und sie sind stolz, dass sie diese Kinder haben.«

»Gab es bei dem Training auch den Punkt, dass man einen Gegner totschlagen kann?«

»Ja, klar. Wenn du einen Gegner töten willst, weil du den Befehl hast, ihn zu töten, dann wechselst du die Handhabung vom Axtstiel. Normalerweise schlägst du. Du weißt, wohin du schlagen musst. Aber wenn du ihn töten willst, dann brauchst du bloß dazu übergehen, den Axtstiel wie eine Lanze, oder wie ein Schwert zu benutzen. Du stößt zu. Und du weißt genau, wohin du stoßen musst. Dann ist der Gegner tot. Also Kehlkopf zum Beispiel. Garantiert.«

»Ist das wie ein Rausch, so etwas zu können?«

»Ja, klar. Anfangs schon. Aber dann fängst du an zu denken, und du weißt, dass das eigentlich scheiße ist. Kein Mensch kann so leben. Ich jedenfalls nicht. Den Türken kaputtmachen, nur weil der ein Türke ist?«

»Was war mit Blue? Was hatte der für einen Stand?«, fragte ich.

»Er sei nicht sauber, haben sie geflüstert.«

»Was heißt das, ›nicht sauber‹?«

»Das heißt, dass er draußen Leute trifft und über den Hof redet.«

»Was wurde gesagt, als man ihn erschossen hat?«

»Man hat alles Mögliche gesagt. Man hat auch gesagt, dass er sich selbst gerichtet hat.«

»Hast du das geglaubt?«

»Das weiß ich nicht mehr genau. Es wurde gesagt, Blue sei ein Verräter gewesen.«

»Wenn du heute überlegst, wer ihn erschossen haben könnte, zu welchem Urteil kommst du da?«

»Also, das könnte Veit Glaubrecht mit seiner Beretta gewesen sein. Der hat eine Beretta. Ulrich Hahn hat eine tschechische Waffe, eine CZ. Der könnte es auch gewesen sein.«

»Könnte es auch Hagen Weidemann gewesen sein?«

»Niemals. Der macht sich die Hände nicht schmutzig.«

»Ich habe gehört, dass er manchmal auf der Schießbahn ist. Hast du das erlebt?«

»Ja. Zweimal. Er ballerte, und Veit reichte ihm die Waffen. Nach einer Stunde hatte er genug und ging wieder.«

»Was ist der Gerhard Hahn für ein Mensch?«

»Also, der ist noch einigermaßen normal. Er macht die Schulungen auch nicht mit. Dauernd sind Schulungen, du musst über alles Bescheid wissen. So von Hitler bis zum deutschen Landser. Und natürlich gegen die Juden, die Deutschland heute schon wieder im Griff haben.«

»Die Schulungen sind Pflicht?«

»Ja, einmal pro Woche. Und du musst die Bücher lesen, die sie vorschreiben.«

»Musst du auch die Musik hören, die sie vorschreiben?«

»Klar, du hörst die Bands, die alle hören.«

»Wie wird es denn begründet, dass der Gerhard Hahn bei den Schulungen nicht mitmacht?«

»Also begründet wird das eigentlich nicht. Er ist eben zuständig für die Außenkontakte, also zu den Geschäften, Metzgereien, Bäckereien und so. Er hat einfach keine Zeit, er macht den ganzen Einkauf, auch den bei der Metro in Köln. Er ist dauernd unterwegs. Man darf ja nicht vergessen, dass die ein Hotelbetrieb sind.«

»Hast du Lesungen am Lagerfeuer erlebt?«

»Ja, im Sommer. Da ist dauernd etwas, und du musst teilnehmen.«

»Was ist mit der Meike? Hat die einen Freund?«

»Das weiß ich nicht. Also, die kam für mich nicht infrage. Auch schon deshalb, weil sie alles bestimmen will, egal, was es betrifft. Anfangs hat sie mal zu mir gesagt: ›Du bist gutes Material.‹ Ich habe gedacht, die macht einen Joke, aber sie meinte das tatsächlich so. Da habe ich gedacht: Die spinnt, so eine kommt für mich nicht infrage.«

»Wir kommen an einen kritischen Punkt«, sagte ich. »Angenommen, es findet eine Gerichtsverhandlung statt. Du bist aufgerufen zu schildern, wie ihr trainiert worden seid. Also, auf Kampf und Zerstörung, sogar auf Tod. Wie reagierst du, wenn ein Rechtsanwalt dich anschreit: Das ist doch eine elende Übertreibung! Dieser Mann lügt!«

»Dann kann ich ja nur sagen, wie es wirklich war. Ich kann mir auch nicht vorstellen, dass ich der Einzige bin, der da aussagt.«

»Aber beweisen kannst du es nicht. Nicht wahr?«

»Nein, also nicht direkt. Kann ich mal an Ihren Fernseher gehen?«

Ich stutzte. »Aber ja, was immer du willst.«

Er stand auf und ging an den Fernseher. Er holte eine DVD aus seiner Lederjacke und legte sie ein. Eine Weile war der

Schirm flimmrig und grau. Dann erschien eine weiße Schrift: *Die Welt, für die wir kämpfen.*

Eine Person baute sich auf. Es war Veit Glaubrecht. Wie üblich ganz in Schwarz. Er wirkte ernst, nicht die Spur eines Lächelns, nicht einmal ein freundliches Gesicht. Er sagte: »Wir stehen an der Front für ein sauberes Europa. Wir wollen die Millionen nicht, die in unsere Länder kommen, unseren Leuten die Jobs nehmen und dann behaupten, sie könnten auch Engländer oder Franzosen werden. Sie werden nicht deutsch oder englisch oder französisch, dafür kämpfen wir. Wir bieten alle unsere Kräfte auf im Kampf gegen diese fremdländischen Rassen, wir wollen sie nicht, sie zerstören unser Europa. Der Kampf wird hart sein und lange dauern. Das macht uns nicht unsicher, denn wir stehen nicht allein. Mit uns kämpfen alle Europäer, mit uns kämpft die europäische Elite. Das sind unsere Waffen. Sie sehen einfach aus, und sie sind auch einfach.«

Das Bild wechselte. Es wurden Knüppel, Axtstiele und Armbruste gezeigt. Dazu Glaubrechts Stimme: »Es sind einfache Waffen, es sind harte Waffen, es sind schnelle Waffen, es sind Waffen, die es überall gibt und die keinen Lärm machen. Mit ihnen können wir viel erreichen, wenn wir uns bemühen, diese Waffen zu verstehen. Und wenn wir uns bemühen, unsere kriecherischen Feinde zu verstehen und ihre Angst zu begreifen. Wir müssen uns ganz sachlich damit auseinandersetzen, dass Schläge auf den Kopf bestimmte Wirkungen erzielen, vor denen unsere Feinde Angst haben. Das gilt auch für Schläge an den Oberkörper, in die Herzgrube, auf die Leber, auf die Milz, auf beide Nieren, auf beide Schultergürtel. Es geht bei diesen Kämpfen nicht darum, ein Publikum oder uns selbst zufriedenzustellen, es geht darum, den Gegner schnell und hart zu treffen und zu verschwinden, als wären wir nie dagewesen …«

»Schalte das mal ganz schnell aus!«, sagte ich etwas panisch.

»Das wusste ich ja gar nicht«, jammerte seine Mutter. Sie drehte sich die zehnte Zigarette.

Kevin schaltete den DVD-Player und den Fernseher aus.

»Woher hast du diesen Film?«, fragte ich.

»Er ist von Glaubrecht«, erklärte er. »Er dauert vierzig Minuten, er zeigt alle Tricks. Beim Schlagen, beim Stoßen, beim Schießen. Wir mussten ihn an jedem Tag ansehen, an dem wir trainierten. Manchmal auch noch an den Wochenenden.«

»Weißt du, warum ich diese Frage stelle?«

»Weiß ich«, nickte er. »Ich darf diesen Film nicht haben.«

»Richtig. Und woher hast du ihn?«

»Ich habe ihn mit rausgenommen und dann bei einem Freund kopiert. Ich wusste, dass ich nicht mehr lange im Eulenhof bleiben würde. Und ich wusste auch, dass mir kein Mensch glauben würde, was da abgelaufen ist.« Dann wurde er plötzlich unsicher und fragte: »Habe ich was falsch gemacht?«

»Nein, du hast nichts falsch gemacht. Das war verdammt gut. Aber es ist lebensgefährlich, diesen Film zu haben. Du bist in einer Welt gewesen, in der alles getan wird, um irgendwelche Beweise zu zerstören, noch ehe sie überhaupt ein Beweis sein können. Frau Kaufmann, Sie haben diesen Film nicht gesehen, und Sie wissen auch nicht, dass es ihn gibt. Sonst ist Ihr Sohn gefährdet. Ist Ihnen das klar?«

»Ja, natürlich«, schnaufte sie aufgeregt. »Junge, das wusste ich ja alles gar nicht, das hast du nie gesagt!« Sie klang jetzt schrill.

»Ich muss telefonieren«, sagte ich. Ich ging in mein Arbeitszimmer und rief Tessa an. Sie war schon zu Hause in Trier und meldete sich verschlafen.

Ich sagte: »Veit Glaubrecht hat einen Vierzig-Minuten-Lehrfilm für die Schlägertruppe gedreht. Ich habe den hier. Du solltest mir einen Boten schicken und den holen lassen. Jetzt sofort. Es ist eine große Chance.«

Tessa war augenblicklich hellwach und begriff sofort die Tragweite der Information. Nachdem sie noch zwei, drei Rückfragen zu dem Film gestellt hatte, beendete sie das kurze Telefonat mit dem Hinweis: »Ich werde sofort alles in die Wege leiten.«

Ich ging wieder hinunter.

Mutter und Sohn stritten sich.

Die Mutter sagte heftig: »Du traust mir einfach nicht, ich weiß alle möglichen Sachen nicht.«

Kevin antwortete leise: »Das ist doch Quatsch.«

»Ich schicke den Film zur Staatsanwaltschaft. Ist das okay?«

»Ja, klar«, sagte der Junge und nickte heftig.

»Dann habe ich noch eine Frage in Bezug auf die Armbruste. Was sind das für Geräte?«

»Modernste Technik, modernste Materialien. Die haben einen Druck von fünfzig Kilopond und mehr. Mit denen schießt du Aluminiumbolzen glatt durch jede Tür. Und du bist auf dreißig bis vierzig Meter zielsicher. Die Dinger sind lautlos und tödlich.«

»Habt ihr damit geschossen?«

»Natürlich. Also, da kriegt man richtig Angst. Wir haben aus zwanzig Metern auf einen Autoreifen geschossen. Glatt durchschlagen. Veit hat immer gesagt: ›Wir müssen lautlos sein wie die Kobras.‹ Und so lief das auch.«

»Ich weiß noch nicht, was ich mir unter einem Geländemarsch über vierzig Kilometer vorstellen soll.«

»Du kriegst ein GPS-Gerät, mit dem du immer deinen Standpunkt bestimmen kannst. Es ist egal, ob es Nacht ist oder Tag. Dann weißt du, du musst von Bongard über Hillesheim und dann runter ins Ahrtal gehen. Vom Ahrtal aus kannst du Stichtouren machen. Also in ein Dorf oder an einen Aussichtspunkt. Zum Beispiel Blankenheim. Dann gehst du aus dem Ahrtal heraus zum Nürburgring. Von da gehst du wieder über Kelberg zurück. Du hast vier Schokoriegel, das Wasser musst du dir suchen. Du darfst mit keinem Menschen reden, und es ist das Beste, wenn keiner dich sieht. Also gehst du immer durch Wälder, du kreuzt höchstens mal Weideflächen oder Anbaugebiete. Und es kann sein, dass Glaubrecht dir eine Falle stellt und dich angreift. Bei mir hat er das zweimal getan. Das war ziemlich schlimm.«

»Wie oft gab es solche Märsche?«

»Bei mir sechs Mal.«

»Und was haben sie dir zum Abschied gesagt?«

»Dass ich alles vergessen soll, oder ich bin tot.«

»Wer hat dir das gesagt?«

»Der Chef. Weidemann.«

»Und er hat wirklich gesagt ›oder du bist tot‹?«

»Ja«, sagte Kevin und hielt meinem Blick stand.

»Dann wollen wir hier erst einmal Schluss machen. Ein Beamter wird sich mit dir in Verbindung setzen. Aber so, dass keiner das merkt. Und wenn ich noch Fragen habe, rufe ich an. Und hier ist meine Visitenkarte mit den Nummern. Du kannst mich jederzeit anrufen. Auch dann, wenn du nicht weißt, was du tun sollst, und wenn du eine Entscheidung treffen musst. Und kein Wort zu niemandem mehr. Auch nicht zu deinen Eltern. Das ist viel zu gefährlich für alle. Auch dieses Treffen hat nicht stattgefunden. Kannst du das verstehen?«

»Ja«, nickte er.

Dreißig Minuten nach Mitternacht röhrte ein schweres Motorrad auf meinen Hof. Die vermummte Gestalt darauf erklärte, er sei Mitglied der Mordkommission und im Auftrag von Frau Doktor Tessa Brokmann gekommen, um eine Unterlage abzuholen. Er zeigte mir seinen Dienstausweis. Und er gab mir ein Briefkuvert.

Ich hatte die Disc in ein großes, steifes Kuvert eingepackt, das ich ihm in die Hand drückte, und das er in einer Satteltasche verschwinden ließ.

In dem Kuvert lag ein Zettel: *Ich liebe dich! T.* stand da. In der Mitte der Nacht war das eine sehr schöne Botschaft.

18. Kapitel

Aus den Vernehmungen konnten wir das Ereignis folgendermaßen rekonstruieren: Doktor Hagen Weidemann, 64 Jahre alt, starb mittags gegen 12.15 Uhr auf dem Parkplatz der Kreissparkasse in Daun. Es waren mindestens acht Zeugen dabei, die entweder gerade angekommen waren und aus ihren Autos stiegen oder die dabei waren, in ihre Vehikel einzusteigen und wieder loszufahren.

Niemand registrierte auf Anhieb, dass irgendetwas nicht stimmte, niemand hörte den Schuss. Eine ältere Frau, die gerade am Automaten Geld gezogen hatte und wieder auf den Hof zwischen *Forum* und Bank trat, sah den Anwalt neben seinem Range Rover. Sie sagte kurze Zeit später zittrig und totenblass wörtlich: »Und plötzlich platzte der Kopf des Mannes! Also, ich weiß nicht.« Sie konnte nicht einmal sagen, ob der Mann ankam oder wieder wegfahren wollte, ob er ein- oder ausstieg. Später musste ein Arzt der Frau ein Beruhigungsmittel spritzen.

Ein junger Angestellter der Bank, der aus einem benachbarten Geschäft kam und wieder an seinen Arbeitsplatz zurückkehrte, sah den Mann zusammenbrechen, rannte dorthin, sah den zerschmetterten Kopf, rannte weiter in die Bank und rief laut in die Schalterhalle hinein: »Da ist jemand an seinem Auto erschossen worden!«

Die Bank löste einen entsprechenden Alarm aus. Dieser Alarm versperrte sämtliche Türen des Bankgebäudes nach außen und wurde automatisch an die Polizeidienststelle weitergeleitet. Von dort machten sich drei Beamte in ihren privaten Fahrzeugen auf den kurzen Weg, da alle Streifenwagen unterwegs waren und nicht schnell genug an Ort und Stelle sein konnten.

Acht Minuten später wurde der Leiter der Mordkommission Kischkewitz durch eine Funkleitstelle verständigt. Er besichtigte gerade in Zeltingen an der Mosel in einer Scheune die Leiche eines Erhängten und ließ sich erzählen, der Mann habe in der letzten Zeit häufiger geäußert, er wolle nicht mehr leben. Kischkewitz war es, der dann die Beamten der Kriminaltechnik unterrichtete, die weitere sechs Minuten später in der Kreisstadt Wittlich mit ihrem Kleinlaster losfuhren.

Ein Arzt war schon fünf Minuten später zur Stelle, weil er in unmittelbarer Nähe seine Praxis betrieb und zu Fuß zur Bank lief, um dann sehr schnell festzustellen, dass dem Opfer nicht mehr zu helfen war.

Etwa gegen 12.30 Uhr stand die Identität des Toten fest, und der Pegel der Aufregung stieg rasant, sagte mir Kischkewitz später, weil wieder einmal der Eulenhof in Bongard höchst unangenehm von sich reden machte. Weidemann war der Chef gewesen, ohne Weidemann war der Eulenhof gar nicht denkbar. Die Kette der tragischen Ereignisse musste jetzt endlich abreißen. Das allgemeine Urteil lautete wütend: »Schluss! Aus! Jetzt reicht's!« Und eine gewisse Erleichterung war deutlich zu spüren, wenngleich sofort Skeptiker auf den Plan traten und mit schmalen Augen äußerten: »Mal sehen, was da noch kommt.«

Erleichterung?

Das vortreffliche Mitglied der Mordkommission, der Spurenspezialist Holger Patt, wies auf das hin, was seiner Ansicht nach ausschlaggebend war: »Ich weiß nicht, wie die Leute dazu kommen aufzuatmen. Der, der geschossen hat, läuft immer noch frei herum. Wieso also Erleichterung? Wir sollten froh sein, dass wir auf dem Eulenhof dem Sniper immer noch einige Überlebende aus Käfighaltung anbieten können.« Gleich darauf wurde er für sein loses Maul gerügt, zeigte aber angeblich keine Reue. Das wunderte mich nicht: Patt war grundsätzlich stinksauer, wenn keine Lösung in Sicht war und die Situation immer konfuser wurde.

Ich selbst wurde gegen 12.45 Uhr von dem Mann angerufen, der in der Bank für den Buchstaben B zuständig war. Ich war um dreizehn Uhr an Ort und Stelle. Ich musste weitab auf dem Hof von *Minninger* parken. Mittlerweile hatte man das Bankgebäude problemlos evakuiert und entschieden, die Bank für diesen Tag zu schließen.

Es war auch schnell abgeklärt, was Weidemann vor seinem Tod in der Bank erledigt hatte. Wie üblich hatte er Konten geprüft, Bargeld auf ein Konto des Eulenhofs eingezahlt, sich Bargeld von einem seiner Konten auszahlen lassen sowie Zahlungsanweisungen an eine spanische Bank in Madrid durchgegeben. All das – mit Ausnahme der Bargeldgeschäfte – hätte er auch am Computer zu Hause erledigen können, aber es war ihm eine liebe Angewohnheit geworden, zweimal in der Woche, am Dienstag und am Freitag, in der Sparkasse in Daun zu erscheinen. Er galt als ein ruhiger, sehr höflicher Typ, niemand konnte sich daran erinnern, dass es jemals zu Unsicherheiten oder gar Streitigkeiten gekommen wäre. Der Mann wurde als souverän, gelassen und freundlich beschrieben. Außerdem wurde festgestellt, dass er immer schon ein reicher Mann gewesen war.

Ich fing mein Tagwerk mit der Fotografie an. Ich fotografierte den Toten aus allen Richtungen, ich fotografierte sein Fahrzeug, den Platz, den hübschen Brunnen in der Mitte, die Eingänge der Bank, die Eingänge des *Forums*. Ich fotografierte auch alle Herumstehenden.

Ich sah Holger Patt, wie er versuchte, herauszufinden, wo sich der Schütze befunden haben könnte. Patt war sich sofort sicher: Es handelte sich um die gleiche Langwaffe wie im Fall des Doktor Richard Voigt und im Fall des Jägers Marburg und im Fall des Stefan Zorn hinter dem Eulenhof. Er sagte wütend: »Es ist auch immer die gleiche Munition. Sie zerreißt und zerfetzt, sie macht ein Gesicht unkenntlich, so etwas wie einen Durchschuss wirst du nie erleben.«

»Und wie bekommt man diese Munition?«

»Sie ist zu kaufen, wenn du einen Waffenschein hast. Und du kannst sie selbst herstellen. Dafür reicht schon eine gute Nagelfeile. Ich nehme an, es hat ihn erwischt, als er neben seinem Auto stand und die Tür mit der linken Hand geöffnet hatte. In der rechten Hand hielt er die braune Aktenmappe mit den Unterlagen. Er drehte sich in das Auto hinein. In dieser Position wurde er getroffen und in den Winkel zwischen Tür und Auto getrieben. Die Mappe fiel auf das Pflaster und rutschte dann unter das Auto, als er fiel.«

»Wo stand der Schütze?«, fragte ich.

»Ich nehme an, er stand am Fuß der kleinen Rampe, die von der Straße herunterführt. Es ist der einzige Weg auf diesen Platz. Er war hier und wartete auf Weidemann. Er sah, wo Weidemann parkte, und suchte sich dann eine sichere Position für sein Auto und sich selbst. Er positionierte sich so, dass er Weidemann in dem Winkel zwischen Autotür und Auto klar sehen konnte. Es war ganz einfach. Weidemann kam aus der Bank, ging zu seinem Auto. Der Schütze stand ungefähr dreißig Meter entfernt. Er stand und besorgte sich eine gute Körperstütze, er lehnte sich gegen die offene Fahrertür seines Wagens. Wahrscheinlich stand er zwischen den drei Autos da, die mit der Schnauze zur Ausfahrt stehen. Dann hat er geschossen. Er stieg sofort danach in seinen Wagen ein und war weg. Eine ganz sichere Sache.«

»Ist das nicht ein Wahnsinnsrisiko?«

»Ist es nicht, Junge. Man hat Versuche gemacht, man hat Frauen und Männer, obenrum nur bekleidet mit Hose und T-Shirt durch Fußgängerzonen laufen lassen. Sie trugen offen schwere Neun-Millimeter-Waffen am Gürtel, manche von ihnen zwei. Die wurden nicht gesehen, nicht begriffen, weil kein Mensch sie da erwartete. Hör mir auf mit Risiko! Dieser Täter hat eine Aufgabe, und er erledigt sie. Und wir dürfen hinter ihm aufräumen.«

Als der Arzt die Leiche am Tatort lange betrachtet und mit Pinzetten in beiden Händen Quadratzentimeter um Quadratzentimeter abgesucht hatte, kam der Bestattungsunternehmer mit der Wanne und lud die Leiche ein, um sie in die Rechtsmedizin nach Mainz zu bringen.

Kriminalrat Kischkewitz saß auf den Treppenstufen zum *Forum*, neben ihm der Fotograf der Kommission Fritz Dengen. Sie sprachen nicht miteinander, sie wirkten desinteressiert, als hätten sie mit dem Ganzen nichts zu tun.

Kischkewitz sagte plötzlich laut: »Alle Damen und Herren, die ihre Autos hier stehen haben, können jetzt wegfahren. Ich danke für die Zusammenarbeit.«

Ich war im Weg, schleppte meinen Kamerakoffer auf die Treppe, setzte mich und starrte auf die Bank.

»Hast du irgendeine Idee?«, fragte Fritz Dengen.

»Keine«, sagte ich. »Wem bringt sein Tod etwas? Vielleicht seinen Erben. Irgendjemand hat entschieden, ihn zu töten. Dann hat er ihn getötet. Und jetzt?«

»Ich bin müde, richtig müde«, murmelte Dengen. »Meine Frau hat gesagt, ich sehe aus wie das Leiden Christi zu Pferde. Richtig übel. Das hier ist ein Scheißjob. Du kannst nicht einmal unterscheiden, ob der Täter was gegen den Eulenhof hat oder was gegen Jäger oder was gegen Neonazis – oder ob er einfach würfelt.«

Dann kam Tessa. Sie ließ ihren Wagen auf den Platz rollen, stieg aus und ging zu Kischkewitz. Sie sah sehr hübsch aus, wie ich fand, trug blaue Jeans zu weißen Sneakers und darüber eine blaue, luftige Bluse, auf die große, weiße Blumen aufgedruckt waren. Sie wirkte damit wie ein Mädchen.

Tessa setzte sich neben Kischkewitz; sie begannen, miteinander zu sprechen. Sie sah mich mit einem schnellen Lächeln und hob die Hand zu einem Gruß. Dann wandte sie sich wieder dem Kriminalrat zu.

Ein Kamerateam rückte den beiden auf die Pelle, und Kischkewitz hob bittend die Hand und maulte: »Nicht auf uns, Leute. Wir sind nicht so wichtig.«

Es war die Szenerie, die sich meistens ergibt, wenn ein Tatort freigegeben wird, wenn die Profis ihre Sachen einpacken, wenn jedermann ein wenig zur Ruhe kommt und darüber nachsinnt, ob es so etwas wie eine Antwort auf viele Fragen gibt. Warum dieser Mann, warum ausgerechnet er? Es ist eine vollkommen nutzlose Frage, aber man stellt sie sich immer wieder, wenngleich es niemals eine Antwort gibt.

Kischkewitz und Tessa standen auf. Tessa kam zu mir, sie hatte scharfe Linien unter den Augen, auf der Stirn lagen tiefe Falten. Sie fragte: »Kann ich heute bei dir Asyl beantragen?«

»Aber sehr gern. Was denkst du über Weidemanns Tod?«

»Das weiß ich gar nicht. Ich denke nur: Wann wird dieses Elend endlich aufhören? Ich denke manchmal, da läuft ein Irrer frei herum. Wo ist da die Linie? Wir machen gleich im Behördenhaus eine Konferenz. Dann fahre ich auf den Eulenhof. Wir wollen einen neuen Versuch mit den drei Jugendlichen starten. Wir wollen mit ihnen noch einmal ein

Gespräch führen. Aber ich glaube selbst nicht so recht daran, dass wir da weiterkommen. Warum sollten sie sich auf uns einlassen? Warum jetzt, wo der wichtigste Mann gerade getötet wurde? Die haben jetzt wirklich andere Sorgen. Glaubst du, die Serie geht weiter?«

»Ich weiß nicht, was ich glaube. Haben wir eine Ahnung, wie das Geschoss bei Weidemann aussah?«

»Der Mediziner sagte, es sei die gleiche Wirkung gewesen wie bei allen anderen Opfern vorher. Das Geschoss ist beim Aufprall zerrissen. Also auch derselbe Täter, so sieht es zumindest aus. Ist es von besonderer Bedeutung, dass ausgerechnet der Oberboss getötet wurde? Hört es jetzt auf? Ist jetzt der Eulenhof am Ende, geben sie auf?«

»Warum sollten sie aufgeben? Sie brauchen doch nur ein Jahr lang im Stillen leben, nicht auffallen, das Geschäft lautlos und emsig weiterführen. Dann werden sie aus dem Bewusstsein der Öffentlichkeit verschwinden und können wieder Treffen mit den Burschenschaftern veranstalten und die erste Strophe des Deutschlandliedes singen.«

»Danke übrigens für diesen Lehrfilm mit Glaubrecht. Das war erstklassige Arbeit.«

»Das war überhaupt keine Arbeit, da habe ich nur abgesahnt.«

»Du bist gereizt, nicht wahr?«

»Ja, bin ich. Die ganze Sache geht mir auf die Eier. Vier Tote, ein Schwerverletzter, zwei Prügelopfer. Das ist ein bisschen viel für die brave deutsche Provinz. Also dann, ich seh dich zu Hause bei mir. Gibst du eine Pressekonferenz?«

»Muss ich wohl. Das ist die Regel. Morgen früh, denke ich. Aber ich habe wenig mitzuteilen.«

»Bis später. Möchtest du etwas Spezielles essen oder trinken?«

»Nein danke, einfach das, was im Haus ist. Ich habe sowieso keinen Hunger.«

Ich packte meinen Kamerakoffer und verschwand.

Mir stand dieser reiche, mächtige Mann vor Augen, den ich nie lebend erlebt hatte: Fast zwei Meter groß, schlank, silbernes Haar, höflich und gelassen, der absolute Herrscher über ein ehemaliges Bauerngehöft, auf dem Neonazis lebten und arbeiteten. Er war Zeit seines Lebens eng gebunden an die NPD, verwoben mit politischen Freunden überall auf der Welt. Vielleicht hatte er in seinem Leben von morgens bis abends Netze installiert, Verbindungen aufgebaut, an die Zukunft gedacht. Mit Sicherheit ein großer Verehrer Hitlers und seiner Adepten. Angetrieben von der Idee, Elite zu sein und Elite zu schaffen. Dann die erschreckende Banalität des Todes: Mit präparierter Hochgeschwindigkeitsmunition erschossen auf kurze Distanz am helllichten Tag – mitten in einer kleinen, sauberen Stadt. Das Gesicht zerplatzt in einem Meer von Blut. Nicht einmal zu Boden fallen kann er. Das einzige lebendige Zeugnis, das ich von ihm hatte, war die Aussage einer Prostituierten: »Dann habe ich ihn geritten und musste ihn peitschen.« Und: »... das passiert mit einer deutschen Frau, die keine Selbstachtung hat.«

Ausgelöscht.

Ich fuhr heim, ich aß ein Stück Brot und trank dazu einen Earl Grey. Dann wanderte ich durch meinen kleinen Garten, und eine der Amseln landete so dicht bei mir, dass sie auch meine Schultern hätte ansteuern können. Es war still, die Sonne schien, im Süden über der Mosel türmten sich Wolken. Vielleicht würde es gegen Abend ein Gewitter geben.

Ich telefonierte mit der Redaktion in Hamburg und erklärte, ich würde eine vorläufige Geschichte in der kommenden Nacht schreiben. Es habe einen weiteren Toten gegeben, diesmal sei es der Chef gewesen, alles sei nach wie vor fraglich und nicht entschieden. Die Frau, mit der ich sprach, sagte alle zehn Sekunden »ja, ja« oder »nein, nein«, und sie hörte garantiert nicht zu und hatte auch keine Ahnung von dem Thema. Redaktionen sind manchmal so.

Dann rief Tessa an und erklärte atemlos: »Ich bin jetzt auf dem Parkplatz vor dem Eulenhof. Ulrich Hahn ist verschwunden. Glaubrecht behauptet, keine Ahnung davon zu haben, wohin er gefahren ist. Hahn habe gesagt, er müsse kurz etwas erledigen. Ja, die Nachricht vom Tod Weidemanns sei inzwischen bekannt, aber man habe nicht die geringste Ahnung, was da abgelaufen sein könnte. Es sei alles ganz furchtbar, und Weidemann sei sowieso unersetzlich. Ulrich Hahn hätte darüber hinaus verfügt, dass der Eulenhof ab sofort für drei Wochen geschlossen sei. Allen Gästen, die sich angekündigt hatten, habe er inzwischen persönlich abgesagt, so Glaubrecht. Alle Bediensteten auf dem Hof seien für die drei Wochen freigestellt, bei voller Bezahlung natürlich. Wegen Weidemann. Ulrich Hahn würde sicher bald wieder auftauchen, es könnte sich nur um Stunden handeln. Hahn ist auf seinem Handy nicht zu erreichen. Was sagst du dazu?«

»Ich denke sehr einfach«, erwiderte ich. »Der Eulenhof hat vollkommen richtig reagiert. Ulrich Hahn ist meines Erachtens schlicht abgehauen, als er erfuhr, dass Weidemann erschossen worden ist. Hahn schindet einfach Zeit, und er ist bestimmt total verunsichert. Er nimmt wahrscheinlich an, dass er das nächste Opfer sein könnte. Ist er mit seinem eigenen Auto weggefahren?«

»Ja, behauptet Glaubrecht.«

»Habt ihr schon eine Fahndung rausgegeben?«

»Natürlich. Nach dem Auto und nach Hahn, höchste Dringlichkeitsstufe. Wo würdest du ihn suchen?«

»Im Osten. Dresden, Leipzig, Jena und so weiter. Dort, wo in gewissen Zirkeln eine stark rechte Gesinnung herrscht. Die Burschenschafter werden ihm helfen, sie achten ihn. Und sie haben die notwendigen finanziellen Mittel. Was machst du jetzt mit dem Eulenhof?«

»Ich habe zusammen mit Kischkewitz kurz die drei Jugendlichen getroffen, also Meike, Hannes und Oliver. Sie machten einen völlig deprimierten Eindruck, sie waren total durch den Wind. Weidemanns Tod hat ihnen schwer zugesetzt, das sieht man ihnen an. Sie sagen, sie hätten keine Ahnung, wer so etwas Furchtbares getan haben könnte. Und dann bemerkte die clevere Meike, Weidemann sei ja ihr Anwalt gewesen. Sie müssten sich jetzt einen neuen Anwalt suchen und den in ihren Fall einarbeiten. Und da bräuchten sie ausreichend Zeit, denn das sei schwierig. Ich werde ihnen also keine Ladung zum Gespräch zustellen können, denn ohne Weidemann würden die ohnehin nichts sagen. Das war sehr geschickt gemacht. Ich werde auf diesem Sektor für Wochen kaltgestellt. Jetzt stehe ich hier vor dem elenden Gehöft und weiß nicht, wie es weitergehen soll.«

»Gibt es bisher irgendeinen handfesten Hinweis im Mordfall Weidemann?«

»Gibt es nicht. Höchstens die Tatsache, dass der Schütze genau gewusst haben muss, dass Weidemann bei der Bank auftauchen würde. Aber das werden viele Leute gewusst haben. Immer dienstags und freitags. Seit Jahren. Aber ansonsten gibt es nicht die Spur einer Spur.«

»Vielleicht sollten wir nach jemandem suchen, der Weidemann hasste?«

»Auf dem Eulenhof?«, fragte sie etwas schrill. »Ist das ernst gemeint?«

»Hast du eine bessere Idee?«

»Nein, leider nicht. Ich habe jetzt noch eine Besprechung mit der Mordkommission in Daun, und dann komme ich zu dir.«

»Das glaube ich erst, wenn du hier auf den Hof rollst.«

»Lass mich nur machen«, sagte sie zuversichtlich und beendete unser Gespräch.

19. Kapitel

Ich trödelte mit einem neuen Kaffee durch meinen Garten und erlebte ein schlechtes Karma. Ich sah die Bäume und Sträucher nicht, wahrscheinlich suchte ich mich selbst, wahrscheinlich war ich mir abhanden gekommen. Ich konnte mich auf keinen Gedanken konzentrieren und stopfte mir im Minutenabstand zwei Pfeifen, zündete sie an und legte sie dann einfach irgendwo im Garten ab. Zum Beispiel auf dem Brett, das mein Kater Satchmo früher benutzt hatte, um in das Haus zu kommen. Oder auf dem Deckel der großen Regenwassertonne. Ich war fahrig und nervös, und ich hoffte, dass Tessa eintrudelte und mir ein wenig Ruhe mitbrachte.

Dann meldete sich das Telefon, und ich hoffte, dass es nicht Bodo Lippmann war, der eine neue Katastrophe ablieferte.

Es war Kischkewitz, der betont harmlos formulierte: »Ich kann ja verstehen, dass du ein massives Interesse an meiner Staatsanwältin hast. Aber könntest du in Betracht ziehen, mich mit ihr zu verbinden?«

»Wieso denn das?«, fragte ich. »Sie ist nicht hier.«

Er stutzte. »Das verstehe ich jetzt nicht«, meinte er.

In diesem Augenblick schon begann ich zu zittern. Irgendetwas stimmte nicht. »Ich denke, du warst mit Tessa im Eulenhof. Ihr habt mit Glaubrecht gesprochen, der euch sagte, Ulrich Hahn habe sich abgesetzt. Dann ein kurzes Gespräch mit den drei Jugendlichen.«

»Richtig«, sagte er. »Aber Ruhe, Baumeister! Immer mit der Ruhe!«

»Kann es sein, dass sie nach Trier gefahren ist, weil irgendetwas mit den Kindern war?«, fragte ich.

»Nein«, sagte er. »Da habe ich schon angerufen.«

»Wann hast du sie denn zuletzt gesehen?«

»Wir sind aus dem Eulenhof herausgekommen und zu unseren Autos gegangen. Ich habe gesehen, wie sie sich reinsetzte und dann sofort mit dem Handy am Ohr hinter dem Steuer saß. Ich übrigens auch, man telefoniert pausenlos. Dann bin ich losgefahren.«

Ich legte einfach auf, wortlos, nahm meine Weste und die Autoschlüssel und fuhr sofort los. Ich habe kaum eine Erinnerung an die Fahrt, ich weiß nur noch, dass ich die Haarnadelkurve unten am Bach auf dem Weg nach Bongard nur mit Mühe und quietschenden Reifen schaffte. Vor der Einfahrt auf Bongards Dorfstraße in Richtung Kelberg bremste ich nicht einmal ab und bekam auch die Kurve nur mit Mühe.

Dann die schmale Auffahrt zum Eulenhof. Ich sah von Weitem, dass sechs Fahrzeuge auf dem Parkplatz standen, zwei davon waren schwarz. Tessa fuhr einen schwarzen Audi. Ich fuhr die Auffahrt wie ein Verrückter hoch, als könnte ich durch Schnelligkeit irgendetwas erreichen.

Tessas Audi stand da, und ich atmete durch, parkte neben ihr und stieg aus. Ich war nicht wütend, ich war einfach eiskalt. Ich wusste, dass ich nicht mehr viel Zeit hatte.

Sie war natürlich nicht in ihrem Auto, aber es war verblüffend, dass der Schlüssel steckte und alle Türen offen waren. Sicherheitshalber zog ich sogar den Kofferraumdeckel hoch. Nichts.

Dann rief ich Kischkewitz an. »Ich habe ihr Fahrzeug«, sagte ich. »Aber sie selbst nicht.«

»Geh nicht rein!«, schrie er. »Wir sind schon auf dem Weg, wir kommen.«

»Das ist doch idiotisch, was du da sagst«, murmelte ich und unterbrach die Verbindung.

Ich ging durch den Torbogen aus rotem Sandstein, blieb stehen und wählte Tessas Handynummer. *Die von Ihnen gewählte Rufnummer ist derzeit nicht zu erreichen. Falls Sie eine Rückrufbitte per SMS ...*

Der Hof wirkte aus dieser Sicht imponierend, ganz gepflastert mit Katzenkopfsteinen. Rechts saßen Leute in einer großen Sitzgruppe unter Sonnenschirmen vor Eisbechern und Getränken. Ein Kellner wieselte herum. In der umgebauten Scheune daneben lagen Gäste in Sommerkleidung in Liegestühlen und machten einen sehr entspannten Eindruck. Links von mir war der Außenbezirk eines Restaurants. Auch da saßen Besucher und aßen und tranken etwas. Zwei Kellnerinnen trugen auf. Es machte den Eindruck, als sähe ich auf den kleinen Marktplatz einer uralten Gemeinde in der Eifel. Viele der Besucher trugen die klassische Kleidung der Wanderer.

Was war hier los? Ich dachte: Gib mir ein Zeichen, Tessa.

Wo war der Eingang zu dem hallenartigen Raum, in dem ich Ulrich Hahn und Veit Glaubrecht zum ersten Mal gesehen hatte? Jenseits des Restaurants? Oder drei Eingänge weiter?

Ich musste es einfach versuchen. Ich öffnete jede Tür zu meiner Linken und schloss sie wieder, wenn dahinter kein Mensch war oder nichts anderes als eine Treppe, die aufwärts oder abwärts führte.

Bei der vierten Tür hatte ich Glück. Es war der Raum mit dem riesigen Kamin und dem langen Tisch aus einem mächtigen Baumstamm.

Ich brüllte ziemlich laut: »Glaubrecht!« Es kam kein Echo, kein Geräusch.

Ich rief noch einmal – ohne Erfolg.

Wieder wählte ich Tessas Handynummer. Wieder die automatische Ansage, sie sei nicht zu erreichen.

Dann sah ich links neben dem Kamin eine schmale Tür. Ich ging hin und öffnete sie. Dahinter lag ein Büro mit mehreren Schreibtischen und Computern. Es sah nach Arbeit aus, aber es war niemand da.

»Glaubrecht!«, schrie ich so laut ich konnte.

Irgendwo hinter mir war ein Geräusch, dann kam Glaubrecht auf mich zu und sagte verblüfft: »Was machen Sie denn hier?«

»Setzen Sie sich!«, sagte ich. »Gucken Sie nicht so dämlich und setzen Sie sich. Ich dachte, Sie haben den Laden geschlossen.«

Er kniff die Augen zu Schlitzen zusammen. Er hätte mich jetzt ohne Weiteres angreifen können, aber er setzte sich auf einen der Stühle an dem großen Tisch. »Die Schließung gilt ab morgen früh«, sagte er müde. »Wir können nicht einfach tagsüber schließen, wenn wir noch Gäste haben.«

»Hören Sie mir gut zu«, sagte ich. »Die Staatsanwältin Tessa Brokmann hat ihren Audi draußen auf dem Parkplatz stehen. Der Wagen ist offen, der Schlüssel steckt, die Staatsanwältin fehlt. Wo ist sie?«

»Ich denke, sie ist weg!«, sagte er matt. »Ich weiß nicht.«

»Was Sie denken, interessiert mich nicht. Wo ist die Frau?«

»Ich weiß es nicht. Sie ist vor Stunden vom Hof gegangen. Und ob ihr Auto da draußen steht, weiß ich nicht. Es ist mir auch scheißegal.«

»Wenn das so ist, dann helfen Sie mir«, sagte ich so ruhig wie möglich. »Sie sollten das schnell tun. Und riskieren Sie keinen Angriff auf mich. Ich würde Ihnen die Eier mit Freuden abschießen, und das tut lebenslang verdammt weh.«

»Was soll das? Wie soll ich Ihnen helfen?«, fragte er und ließ den rechten Zeigefinger und den Mittelfinger auf der Tischplatte spazieren gehen. Er wirkte wie ein trotziges Kind.

Er hatte ganz schmale Lippen, und es war deutlich, dass ihm die Sache überhaupt nicht in den Kram passte. Er hatte ein Problem, und dieses Problem hieß Baumeister. Er war nervös, seine hellen Augen waren ständig in Bewegung, und er konnte mich nicht anschauen. »Also, die Frau ist weg, sagen Sie. Davon habe ich aber keine Ahnung. Glauben Sie, ich bin so blöd und halte eine Staatsanwältin hier fest?«

»Wie blöd Sie genau sind, weiß ich nicht. Wir machen es so, dass wir beide herumgehen und jede Tür öffnen, auf die wir treffen. Einfach jede.«

»Unmöglich«, sagte er schnell. »Das geht überhaupt nicht, wir haben immer noch viele Gäste im Haus. Kommen Sie morgen wieder, dann sind die Gäste alle weg.«

»Bei Ihrem Intelligenzquotienten ist gespart worden. Wir gehen jetzt«, bestimmte ich. »Sie gehen vor mir her.«

»Und dann?«

»Dann öffnen wir Türen, mein Freund. Jede Tür. Und Sie halten jetzt den Mund und gehen vor mir her. Zuerst will ich in Weidemanns Appartement.«

»Ganz unmöglich«, sagte er schnell. »Die Frau Staatsanwältin ist nicht hier in der Anlage. Das wüsste ich!«

»Wir gehen jetzt«, sagte ich. »Dahin, wo Weidemann gewohnt hat.« Ich ging an die Tür zum Hof und drückte sie auf.

Er seufzte und kam zu mir. »Weidemanns Appartement ist da drüben!« Er zeigte quer über den großen Hof. »Er hatte aber das Appartement immer abgeschlossen, der Generalschlüssel hängt im Empfang. Die Herren von der Kriminalpolizei haben sich das längst schon alles angesehen.«

»Sie haben die Hosen voll, nicht wahr?«

»Ich weiß nicht, was hier läuft«, entgegnete er erstaunlich beherrscht.

»Sie kommen aus dieser Nummer nie mehr raus«, murmelte ich. »Vielleicht ist es Ihre letzte Nummer auf diesem Bauernhof. Also, zum Empfang.«

»Dann nach links«, sagte er. »Die fünfte Tür. Steht drüber.«

»Sie gehen vor mir her«, sagte ich. »Wenn Sie tricksen, schieße ich ihnen ins Kreuz, darauf können Sie Gift nehmen.« Das war eine dieser furchtbaren Übertreibungen, die ich immer schon gehasst hatte. Jetzt fiel sie mir nur auf, weil sie nach allem klang, was ich bei Typen wie Glaubrecht erwartete.

Er ging vor mir her.

»Waren Sie dabei, als Weidemann umgelegt wurde?«, fragte ich.

Er drehte sich empört zu mir um. »Ach, Sie haben doch keine Ahnung!«, stieß er hervor.

Ein Kunstschmied hatte das Wort *Empfang* in Rundeisen geformt und mit Lack übertüncht. Es war über der Tür an einer Eisenfahne festgemacht. Das wirkte ein wenig, als wäre es aus dem Mittelalter übernommen worden, wenngleich es das Wort damals noch nicht gegeben haben dürfte.

Glaubrecht öffnete die Tür, ging die drei Schritte bis zu einem hohen Tresen und sagte: »Den Generalschlüssel Weidemann, bitte.« Die junge Frau hinter dem Tresen reichte ihm einen Schlüsselbund, er sagte nichts, drehte sich um und ging wieder an mir vorbei zur Tür.

Wir querten den Hof, dann blieben wir plötzlich stehen, weil ein Streifenwagen mit hoher Geschwindigkeit und Blaulicht die Straße hochfegte, durch das Tor schoss, scharf an uns vorbeifuhr und den Hof an der anderen Seite zum Wald wieder verließ.

Dieses Manöver kannte ich bereits: Das Anwesen war jetzt im Rücken gesichert. Sollte jemand versuchen, von hier zu flüchten, hätte er nun die Seiten und damit die offenen Felder wählen müssen. Ein aussichtsloses Unterfangen.

Dann kam ein zweiter Streifenwagen mit Blaulicht und stellte sich unmittelbar neben die Einfahrt. Es folgten vier PKW, die gleich in den Hof fuhren. Beamte der Mordkommission stiegen aus, unter ihnen Kischkewitz und Holger Patt. Sie fackelten nicht lange, näherten sich freundlich den Gästen im Café und im Restaurant. Die Beamten würden sich Personalausweise zeigen lassen und Namen abgleichen.

»Meine Damen und Herren«, röhrte Kischkewitz freundlich. »Das ist eine von der Staatsanwaltschaft angeordnete Durchsuchung, die auch Ihrer Sicherheit dient. Sie können nach der kurzen Kontrolle selbstverständlich ungehindert zu ihren Fahrzeugen gehen und wegfahren, wenn Sie das möchten. Ich danke Ihnen für Ihr Verständnis.«

»Ach du Scheiße«, raunte Veit Glaubrecht. »Was soll das denn jetzt schon wieder?«

»Sie haben es doch gerne lebhaft, mein Freund«, erwiderte ich. »Sie sollten sich ganz schnell an alles erinnern, was die Herren wissen wollen. Sonst haben Sie ein Problem. Nein, nein, gehen Sie nicht weg.«

»Ich muss aber doch meine Gäste beruhigen«, wandte er ein.

»Sie bleiben hier in der Sonne stehen und tun was für Ihren Teint!«, sagte ich.

Dann kam Kischkewitz zu uns herüber und erklärte gemütlich: »Herr Glaubrecht, wir haben einen richterlichen Durchsuchungsbeschluss für die gesamte Anlage. Und wir würden den gern sofort vollstrecken. Hier ist der Befehl.« Er hielt Glaubrecht das Papier vor die Nase und fuhr fort: »Das bedeutet, dass wir Ihre Hotelgäste auffordern werden, in ihren Zimmern zu bleiben und diese Zimmer nicht zu verlassen. Und weil ich Sie als einen linken Vogel bezeichnen möchte, glaube ich, dass es gut ist, wenn Sie sich nicht von der Stelle rühren, nicht telefonieren, mit keinem Menschen hier sprechen und am besten nicht einmal blinzeln. Ist das klar?« Dann drehte er sich herum und bestimmte: »Sehen Sie den kleinen, freien Tisch da vor dem Café? Da setzen Sie sich hin und warten, bis wir an Sie herantreten. Wenn ich bitten darf ...?«

Glaubrecht nickte muffig und trottete los.

»Langsam, langsam«, bemerkte Kischkewitz freundlich. »Geben Sie mir zuerst Ihr Handy.«

Glaubrecht holte es aus der Brusttasche seines Hemdes und gab es Kischkewitz. Er ging zu dem Tisch und setzte sich. Wahrscheinlich verlor er gerade seine positive Sicht der Dinge.

»Glaubst du, er weiß irgendetwas über Tessas Verschwinden?«, fragte Kischkewitz, als Glaubrecht außer Hörweite war.

»Ich glaube, nein. Er wirkte richtig verstört, als ich ihm sagte, Tessa sei hier vom Parkplatz verschwunden. Aber das heißt nicht, dass ich Recht habe. Es ist so ein Gefühl. Er hat den obersten Boss verloren, er hat seinen Chef verloren, also hat er auch keine Zuversicht. Aus soziologischer Sicht ist er im Augenblick völlig vereinsamt. Ohne Kompass.«

»Könnte er eine Ahnung haben?«

»Das glaube ich durchaus.«

»Dann lassen wir ihn braten«, stellte Kischkewitz fest. »Hast du irgendeine Vorstellung, was mit Tessa passiert sein könnte?«

»Habe ich nicht. Aber irgendjemand muss sie aus ihrem Auto herausgeholt haben. Oder? Habt Ihr schon versucht, ihr Handy zu orten?«

»Das versuchen wir pausenlos. Wir nehmen an, es ist zerstört.«

»Sie kann unmöglich über den Innenhof der Anlage gegangen sein. Dann wäre sie den Besuchern aufgefallen. Habt Ihr gefragt?«

»Sicher haben wir gefragt. Jeden«, erwiderte er. »Gibst du mir dein Wort, dass du keinen Alleingang machst?«

»Das kann ich nicht, und du weißt das. Es wäre gelogen.«

»Ja«, sagte er knapp. »Dann hoffen wir mal, dass du das überlebst. Wo bist du zu finden, wenn wir dich brauchen?«

»Irgendwo da, wo Glaubrecht sitzt. Ich bestelle mir einen Eisbecher, das habe ich schon den ganzen Sommer über vor.«

Eine junge Beamtin kam aus dem Empfang und steuerte uns an. Sie sagte hastig zu Kischkewitz: »Chef, wir haben da ein Problem mit dem Zimmer Nummer 18. Es ist ein Doppelzimmer, das zwei Männer belegt haben. Ich nehme an, sie werden mit Haftbefehl gesucht.«

»Woher weißt du das, du Wunderkind?«, fragte Kischkewitz.

Jetzt fiel es mir ein, ich kannte die blonde Frau mit dem Pferdeschwanz. Sie hieß Miriam Keil und galt in Polizeikreisen als Intelligenzbestie. Sie war ungefähr Mitte zwanzig und hatte ein besseres Gedächtnis als ein durchschnittlicher Computer. Sie trug Jeans, weiße Laufschuhe, ein grünes Top, eine kurze Jeansjacke. Außerdem eine Glock 19, neun Millimeter, in einem Holster an der rechten Seite ihres Gürtels. Und sie sah so aus, als könnte sie damit umgehen. Gleichzeitig wirkte sie herzlich.

Miriam Keil antwortete: »Ich habe vor zehn Tagen eine Fahndungsliste gesehen. Da standen deren Namen drauf. Ich bin ganz sicher. Sie stammen aus dem Rockermilieu, aber sie haben auch Verbindungen zu Neonazis. Wenn sie abtauchen wollen oder müssen, dann ist das hier die beste und sicherste Adresse.«

»Warum ist das denn noch keinem aufgefallen?«, schimpfte Kischkewitz.

»Weil sie hier Aliasnamen benutzen. Der Kollege vorhin
wird lediglich die Liste gecheckt haben.«

»Und du? Woher nimmst du jetzt ihre Gesichter?«

»Die haben hier im Hotelempfang eine Überwachungska-
mera. Ich habe die letzten Tage schnell durchlaufen lassen
und habe die beiden erkannt.«

»Die Namen?«, fragte Kischkewitz.

»Dröwer und Lettin, Chef. Beide achtundzwanzig Jahre alt,
beide vorbestraft wegen Gewaltdelikten, beide aus Limburg
an der Lahn. Die Fahndungsersuche sind aus dem Frühjahr
2011. Sie sind bewaffnet, nehme ich an. Hier sind sie.« Sie
zeigte Kischkewitz ihren Tablet-PC.

»Was willst du machen, Mädchen?«

»Isolieren und festnehmen, Chef. Das wäre das Einfachste.
Und geht auch am schnellsten.«

»Und wie genau?«

»Tür mit der Ramme, dann rein«, sagte sie.

»Genehmigt. Ihr macht das zu viert. In wenigen Augenbli-
cken kommt ein Einsatzwagen der Kollegen. Such dir drei
Helfer aus«, sagte Kischkewitz sehr stolz und sehr väterlich.

»Ich gehe dann mal zu meinem Eisbecher«, bemerkte ich.

»Wir finden Tessa schon«, murmelte Kischkewitz.

»Das wäre schön«, sagte ich. »Wissen wir eigentlich, wo
alle die Leute wohnen, die hier arbeiten?«

»Ja, natürlich, wir haben längst mit allen gesprochen. Das
sind Leute aus den umliegenden Gemeinden. Also Nohn,
Kelberg, Zermüllen, Adenau und so weiter«, antwortete er.

»Und wo genau wohnen die Eltern von Meike, Oliver und
Hannes?«

»Wir haben eine Liste«, sagte er.

Dann wandte er sich ab, weil ein kleiner Bus durch das Tor in den Innenhof rollte. Zehn Polizeibeamte in dunkler Kleidung stiegen aus. Sie machten einen gelassenen Eindruck. Kischkewitz sprach mit einem von ihnen. Dann verteilten sie sich.

Ich ging zu dem Café hinüber und setzte mich an einen kleinen, runden Tisch, von dem aus ich Glaubrecht sehen konnte. Er war vielleicht acht Meter entfernt, und er starrte verbissen vor sich hin.

Plötzlich gab es einen explosionsartigen Knall. Er klang dumpf und sehr kurz. Miriams Ramme, dachte ich.

Kurz darauf kamen zwei junge Männer aus einer Tür. Sie wurden von hinten gestoßen und stolperten auf den Hof. Sie trugen Handschellen. Hinter ihnen folgte Miriam Keil, die ihre Waffe nicht mehr in den Händen hatte.

Sie befahl: »Zu dem Streifenwagen da!«

Zu diesem Zeitpunkt hatten die meisten Besucher schon das Weite gesucht und waren wahrscheinlich sehr verwirrt gegangen, weil sie sich gefragt hatten, was die Polizei wollte, wen sie suchte, und was die Razzia bedeutete. Immer noch lag die Anlage extrem still unter der Sonne. Ein Idyll.

Der Streifenwagen mit den zwei Festgenommenen verließ den Eulenhof und verschwand durch das Tor.

Eine sehr dicke, kleine Frau mit einem grellgelben Haarbusch auf dem Kopf und einer dunkelroten Kellnerschürze kam auf mich zu und erklärte leicht verlegen: »Ich kann Sie leider nicht mehr bedienen, der Betrieb ist schon geschlossen worden. Hier geht ja alles durcheinander jetzt.«

»Haben Sie denn einen Eisbecher für mich? Und haben Sie einen Kaffee für den Herrn Glaubrecht, der da so allein und traurig sitzt?«

»Ich kann aber nichts mehr buchen. Diese Polizeibeamten haben alles dichtgemacht.«

»Schauen Sie, ich gebe Ihnen diese zwanzig Euro. Die können Sie behalten, davon können Sie sich ein hübsches Wasserschloss am Niederrhein kaufen.«

Sie grinste, spürte das Absurde der Szenerie und entgegnete: »Könnte ich auch die Burg Eltz in der Eifel haben?«

»Wenn Sie die mögen, gerne«, sagte ich.

»Gut, dann mache ich das so«, sagte sie und verschwand ins Innere.

Miriam Keil kam mit weißem Papier angesegelt, das sie mir auf den Tisch legte. »Das ist vom Chef. Die Liste mit den Wohnadressen.« Danach eilte sie wieder in Richtung Empfang.

Ich warf einen Blick auf die Liste und holte mein Handy hervor. Ich rief die Eltern von Meike an. Sie wohnten in Kelberg.

»Ja, Meier hier.« Eine Frau.

»Kann ich Meike kurz sprechen?«

»Die ist nicht hier.«

Ich unterbrach die Verbindung ohne Erklärungen. Danach versuchte ich es bei den Eltern von Oliver und Hannes. Ein Mann erwiderte auf meine Frage nach den beiden leicht empört, dass seine Söhne sich auf dem Eulenhof befinden würden.

Die kleine, dicke Frau mit der roten Kellnerschürze kam aus dem Café direkt auf mich zu und stellte einen sehr großen Eisbecher vor mich hin, der aus einer sehr freundlichen Welt zu kommen schien, eine Fata Morgana. Vor allem aber ein Gebirge aus Sahne.

Glaubrecht bekam einen großen Kaffeebecher. Er zeigte keine Reaktion, kein Blick in meine Richtung, kein Wort an die kleine, dicke Kellnerin.

Ich rief Kischkewitz an, der irgendwo in diesem Durcheinander stecken musste.

»Habt ihr einen Raum entdeckt, der unserem jugendlichen Trio zugeschrieben werden könnte?«, fragte ich ihn.

»Ja, haben wir. Es geht um eine Kammer, die von dir aus gesehen an der äußersten linken Ecke der Anlage liegt.«

»Was ist da zu sehen?«

»Wenig«, antwortete er. »Unnatürlich gut aufgeräumt. Bleistifte und Kugelschreiber liegen parallel aufgereiht. Wahrscheinlich sind sie gedrillt worden wie Soldaten vor zweihundert Jahren. Drei Schreibtische mit Schulsachen, ein Poolbillard, eine kleine Dartscheibe. Nicht der Hauch von Unordnung. Sieht eher so aus, als müsste alles seinen Platz haben, als dürften sie erst dann den Raum verlassen, wenn alles sauber und geordnet ist. So schafft man Abhängigkeiten, würde ich sagen.«

»Keine Armbruste, Axtstiele, Aluminium- und Messingbolzen für die Armbruste? Oder Tarnkleidung, kleine Zelte, in die man sich im Wald verkriechen kann? Ich beziehe mich auf den Schulungsfilm von Glaubrecht, Tessa wird dir davon berichtet haben.«

»Ja, das ist mir schon klar«, sagte er. »Wir haben noch nicht alles gesehen.« Er machte eine Pause. »Jetzt verstehe ich, auf was du hinauswillst. Hat Glaubrecht dazu etwas gesagt?«

»Kein Wort«, sagte ich. »Aber ich habe auch nicht nachgefragt.«

»Ich schicke dir die Miriam. Sie kann sich kümmern.«

Nach ein paar Minuten kam Miriam Keil über den Hof, ging direkt auf Glaubrecht zu und sagte: »Wir nehmen Sie vorläufig fest. Sie stehen unter dem Verdacht der Teilnahme an einer kriminellen Vereinigung. Geben Sie mir Ihre Hände. Eine Hand rechts, eine Hand links vom Schirmständer. Danke.« Die Handschellen klickten leise.

Glaubrecht saß jetzt sehr unbequem, weit vornübergeneigt mit den Händen rechts und links vom Sonnenschirmständer in der Mitte. Und er konnte nicht mehr von seinem Kaffee trinken.

»Ich gehe mal suchen«, bemerkte Miriam in meine Richtung.

Ich aß weiter an meinem Sahne- und Eisgebirge und sagte schmatzend: »Es wäre besser, Sie arbeiten mit uns zusammen.«

Er antwortete nicht.

»Ihr Ansehen bei den Kriminalbeamten wird sich erheblich verbessern, wenn Sie uns helfen«, sagte ich.

Er schwieg.

»Die drei haben sich Frau Doktor Brokmann geschnappt. Das ist mir schon klar. Aber wo sind sie?«

»Du gehst mir auf den Geist«, sagte er nur. Er schien sich gut zu fühlen, er war jetzt auch Elite, auch ein Märtyrer der Bewegung.

Es vergingen ungefähr zwanzig Minuten, bis Kischkewitz kam und verkündete: »Ich glaube, wir haben da was. Das solltest du dir ansehen.«

Er ging vor mir her in die äußerste rechte Ecke der Anlage. Dort war eine Autowerkstatt eingerichtet. Ich erinnerte mich daran, dass die Gäste ihre Autos zur Pflege und Reinigung abgeben konnten. Der Raum war langgestreckt und hoch, an der rechten Seite führte eine hölzerne Treppe auf ein Podest.

»Hier oben«, sagte Miriam Keil.

Ich ging die Treppe hinauf.

Es war eine sehr große, solide Holzkiste, sicher zwei mal anderthalb Meter groß, etwa 1,30 Meter hoch. Nicht verschlossen.

Die junge Beamtin erklärte: »Wir haben hier Zielscheiben aus Pappe. Darauf ist geschossen worden. Offenbar mit einer Armbrust. Dann haben wir hier zwei Zelte. Für jeweils zwei, drei Leute. Dann starke Halogenlampen aus dem Bereich KFZ. Arbeitshandschuhe in mehreren Größen. Es ist aber auffällig, dass vieles fehlen muss. Die Kiste ist nur zu einem Viertel voll. Das legt die Vermutung nah, dass sie Material herausgenommen haben, als sie verschwanden. Es sind auch merkwürdigerweise keine Taschen und keine Rucksäcke da, in denen man etwas mitnehmen könnte. Und hier ist eine Pappverpackung von einhundert Schokoriegeln. Sie ist leer. Und es fehlt alles, was auf ihre Kleidung schließen lässt. Du brauchst im Wald solide Kleidung, hier ist aber gar keine. Ich nehme an, sie haben die Waffen und die Axtstiele mitgenommen, die Bolzen auch. Es ist nur noch ein kleiner Rest Aluminiumbolzen da, drei Stück, stark zerschrammt, wahrscheinlich nicht mehr zielsicher. Dann zwei Axtstiele noch, die aber schon zertrümmert sind. Wir sind zu spät gekommen. Aber hier ist noch etwas, was uns Sorgen macht. In dieser Kiste liegen drei Handys, die haben sie zurückgelassen. Das tut jemand, der nicht geortet werden will. Tut mir leid.«

»Ja, danke«, sagte ich, nur um etwas zu sagen.

»Ich glaube aber nicht, dass Glaubrecht weiß, wo sie sind«, bemerkte Kischkewitz. »Er hat sie zwar gedrillt und trainiert, aber sie bewegen sich im Wald wohl auf den Wegen, die sie selbst aussuchen und für gut halten. Wir werden ihn natürlich trotzdem befragen.«

»Ja, ja, macht mal«, sagte ich müde. Ich hatte keinen Mut mehr. Und dann merkte ich erstaunt, dass meine Stirn nass von Schweiß war. Das passierte mir sonst nie.

Aber ich blieb auf dem Eulenhof. Ich hatte eine panische Angst vor dem Alleinsein in meinem Haus, und vor dem

Alleinsein mit mir. Ich kam mir wie jemand vor, den ich nicht kannte und der versagt hat.

Dann wählte ich wieder Tessas Handynummer.

Die von Ihnen gewählte Rufnummer ...

20. Kapitel

»Wo ist eigentlich der Bruder vom Ulrich, der Gerhard Hahn?«, fragte ich Kischkewitz, als der geschäftig an mir vorbeiging.

»Unterwegs. Wir haben ihn angerufen, als wir heute Nachmittag zum ersten Mal hier auf dem Hof waren. Er war unterwegs in Köln. Er sei bei IKEA, hat er gesagt, Regale für den Betrieb einkaufen. Es stellte sich heraus, dass er schon mit mehreren seiner Angestellten hier gesprochen hat, auch mit Glaubrecht. Da haben sie entschieden, den Eulenhof vorübergehend zu schließen. Gerhard Hahn hat zu dem Zeitpunkt angeblich keine Ahnung davon gehabt, dass wir nach seinem Bruder suchen. Er wollte seinen Einkauf trotz des Mordes an Weidemann fortsetzen, ich denke, er ist mittlerweile auf dem Rückweg hierher. Aber der ist für uns nicht interessant.«

Da war ich anderer Meinung und rief ihn an. Er meldete sich sofort.

»Ihr Unternehmen wurde gerade konfisziert«, sagte ich.

Er war mehr als gereizt, was ich gut nachvollziehen konnte. »Was heißt das denn jetzt? Drehen jetzt eigentlich alle durch? Seit Stunden telefoniere ich nur mit hysterischen Leuten!«

»Jede Menge Bullen, Glaubrecht festgenommen, alle Gäste verscheucht. Zwei Pensionsgäste verhaftet, die gesucht wurden.«

»Machen Sie sich jetzt einen Spaß daraus, mich zu verunsichern?«

»Es ist wahr«, sagte ich. »Haben Sie eine Idee, wohin sich Ihr Bruder abgesetzt hat?«

»Nein, habe ich nicht! Und was heißt ›abgesetzt‹, mein Gott?! Vielleicht ist er ja nur … bei einer Weinprobe an der Mosel! Was weiß ich?!« Gerhard Hahn war bedient. Jetzt schrie er fast, als er fortfuhr: »Viel lieber möchte ich von Ihnen etwas wissen: Haben Sie eine Vorstellung, wer Weidemann getötet hat?«

»Niemand hat die«, antwortete ich. »Was werden Sie jetzt tun? Bleiben Sie, gehen Sie? Was ist der Eulenhof ohne Weidemann?«

»Ein verdammt professioneller Hotelbetrieb«, erwiderte er schnell. »Darauf bin ich stolz, dafür habe ich verdammt hart gearbeitet. Dass ich gehen könnte, müssen Sie ganz schnell vergessen.«

»Wo sind Sie denn jetzt?«, fragte ich.

»Kurz hinter Nohn, ich hatte dringende Einkäufe in Köln. Aber ich habe nichts erledigen können, weil offenbar alle durchdrehen. Ich bin in ein paar Minuten zu Hause«, antwortete er.

»Na schön, dann sehen wir uns.«

»Was heißt das jetzt? Sind Sie etwa auf dem Eulenhof?«

»Aber ja«, bestätigte ich. »Bis gleich.«

Glaubrecht saß immer noch in der erzwungenen, unwürdigen Haltung an seinem kleinen Tisch. Er hielt die Augen geschlossen, und ich vermutete, er erwürgte in Gedanken gerade lustvoll jeden der anwesenden Polizisten mit bloßen Händen.

Wenn ich an meinen kleinen Tisch stieß, schwappte das Eis in dem Becher herum, es war geschmolzen. Die ganze Herrlichkeit hatte einen matschigen Zustand erreicht und schmeckte nicht mehr. Ich versuchte mit mäßigem Erfolg die Ananasstückchen herauszufischen. Aber auch die schmeckten nicht mehr nach Ananas.

Dann rollte Gerhard Hahn mit einem weißen Transporter von Renault auf den Hof. Er hielt an, stieg aus und ging auf einen uniformierten Polizisten zu.

Ich hörte deutlich, wie er sich vorstellte und dann fragte: »Darf ich wissen, was hier los ist? Ich wohne hier, ich möchte informiert werden.«

»Ich frage einen Beamten«, sagte der Polizist höflich. »Bitte ein wenig Geduld.«

Gerhard Hahn nickte und sah sich aufmerksam um. Der Polizist telefonierte und sagte: »Einen Augenblick, bitte.«

Kischkewitz kam eilig heran, nahm Gerhard Hahn ein wenig zur Seite, zeigte wohl wieder den Durchsuchungsbeschluss, redete auf ihn ein, war sichtbar freundlich.

Hahn stieg wieder in sein Auto und fuhr es in den äußersten linken Winkel des großen Platzes. Wahrscheinlich wohnte er dort. Dann verschwand er in das Gebäude.

Was wollte ich eigentlich von ihm? Konnte er mir sagen, wo Tessa war? Mit Sicherheit nein. Hatte er Ahnung von dieser kleinen Schlägertruppe? Wahrscheinlich nicht, er hielt sich aus den krassen politischen Dingen raus. Aber er war der Einzige der Eulenhof-Bewohner, von dem ich mir überhaupt verlässliche Einschätzungen versprach.

Ich versuchte es zum x-ten Mal auf Tessas Handy und wurde gleichzeitig sauer auf mich, weil ich wie ein Roboter agierte.

Ein Kriminalpolizist kam zu Glaubrecht, schloss die Handschellen auf und ging mit ihm davon. Wahrscheinlich brachten sie ihn in die U-Haft nach Wittlich.

Ich wählte die Nummer von Gerhard Hahn, und er meldete sich sofort.

»Haben Sie gesehen, was man aus dem Eulenhof macht?«, fragte ich ihn.

»Irgendwann musste das passieren«, sagte er gelassen. »Und dass es nach Weidemanns Ermordung passiert, ist nur logisch. Wo sitzen Sie denn?«

»Fünfzig Meter von Ihnen entfernt. Glauben Sie, Sie können mir helfen?«

»Wobei?«

»Die federführende Staatsanwältin ist verschwunden. Ihr Auto steht auf dem Parkplatz vor dieser Anlage. Das Auto ist offen, der Schlüssel steckt, aber Tessa Brokmann ist seit Stunden verschwunden. Wir können sie nicht orten, ihr Handy scheint zerstört. Die drei Prügelkinder des Hauses sind ebenfalls verschwunden. Ihre Handys haben sie zurückgelassen. Ich nehme also einen einfachen Zusammenhang an.«

»Was soll ich tun?«

»Können Sie mit irgendjemand reden? Mit irgendjemand, der Einfluss auf diese drei hat?«

»Das werde ich nicht können. Das ist wohl eine Folge der Politik in diesem Haus. Und in die mische ich mich nicht ein, und …«

»Moment, es kann um ein Menschenleben gehen!«, unterbrach ich ihn scharf.

»Herr Baumeister«, sagte er ruhig, »der heutige Zustand der Auflösung hier musste ja irgendwann eintreten. Es tut mir leid, aber mich überrascht das nicht. Ich habe Ihnen schon gesagt, dass ich mich nie eingemischt habe. Dieser Hof ist aber dennoch meine Zukunft. Und jetzt möchte ich in Ruhe duschen.«

»Sie sind doch einfach nur feige!«, brüllte ich und unterbrach die Verbindung.

Ich erschrak über mich selbst: Es war vollkommen falsch, sich so zu benehmen.

Das Licht schwand langsam, der Tag ging zur Neige, ich saß seit über drei Stunden in diesem elenden Innenhof fest. Es wurde Zeit, dass ich das änderte, ich musste etwas tun.

Ich sah Kischkewitz im Hof stehen, er machte einen erschöpften Eindruck. Er starrte vor sich hin auf das Kopfsteinpflaster. Dann kam er langsam zu mir und setzte sich.

»Wir müssen davon ausgehen, dass diese Kinder Tessa haben. Wir wissen zwar nicht, was sie wollen, aber wir nehmen an, dass sie versuchen werden, diesen Zustand so lange wie möglich aufrechtzuerhalten. Wir nehmen außerdem an, dass sie ständig nervöser werden.«

»Weiß denn Glaubrecht ungefähr, wo sie sich aufhalten?«, fragte ich.

»Bisher schweigt er. Ich habe eben mit Kevin Kaufmann gesprochen, er ist auf dem Weg hierher. Es kann sein, dass er eine Ahnung hat, wo sie sich aufhalten könnten. Und selbst wenn das so ist: Wir können nicht einfach in diese Wälder eintauchen. Diese Kinder haben tödliche Waffen bei sich, und sie sind in einem Ausnahmezustand. Wir müssen damit rechnen, dass sie töten werden.«

»Wie willst du vorgehen?«

»Morgen früh gegen fünf Uhr sind zwei Hundertschaften hier. Wir schicken sie in den Wald. Das BKA hat so entschieden, und ich selbst sehe keine Alternative. Wir kriegen zusätzlich vier Hubschrauber mit Wärmebildkameras.«

»Das ist lebensgefährlich für Tessa!«

»Ja«, nickte er müde. »Alles ist lebensgefährlich für Tessa, ich weiß das, glaub mir. Aber wir müssen sie in Bewegung halten.«

»Bist du verrückt?«, fragte ich scharf. »Weißt du, was das für ein Gebiet ist?«

»Das weiß ich!«, nickte er.

»Das weißt du nicht!«, brüllte ich. »Das beginnt in Ahrweiler, läuft nach Südwesten zum Aremberg. Und von Blankenheim über Dahlem nach Süden bis Gerolstein. Wälder, Wälder, Wälder! Die nächste Linie Ahrweiler, Adenau, Daun. Weiter südlich über Manderscheid bis nach Wittlich. Was willst denn du da mit zwei Hundertschaften? Seid ihr verrückt? Es sind Hunderte von Quadratkilometern. Wollt ihr Verstecken spielen?«

»Bitte schrei nicht so!«, murmelte er und schloss die Augen. Sein Gesicht war grau. »Es wäre gut, wenn du endlich deinen Arsch hebst und dich bewegst. Du sitzt hier leblos wie ein Tattergreis, weißt alles besser und machst meine Leute nervös. Du störst, wenn ich das einmal deutlich formulieren darf. Was immer du tun willst: Hau ab hier und raube uns nicht die Nerven.«

»Heh, ich bin immer noch Baumeister!«, sagte ich scharf.

»Das bist du längst nicht mehr«, murmelte er.

»Seht euch das an!«, sagte Holger Patt plötzlich neben mir und legte etwas auf den Tisch. »Es lag hinter dem Nordflügel der Anlage.« Es waren die Einzelteile eines zerbrochenen Handys.

Ich erkannte es sofort. »Ja, das gehört Tessa.« Es war zu sehen, dass das Fach für die SIM-Karte leer war. »Okay«, sagte ich wütend. »Ich verschwinde.«

»Das ist gut«, murmelte Holger Patt. »Du kannst hier sowieso nichts tun. Wir schicken die Angestellten und Arbeiter jetzt nach Hause«, erklärte er Kischkewitz weiter. »Wir lassen über Nacht vier Leute hier, das dürfte reichen.«

»Gut«, gab Kischkewitz zurück. »Willst du ein paar Schlaftabletten vom Doc?«, fragte er mich. Dann versuchte er es noch einmal auf die sanfte Tour. »Sieh mal, Baumeister: Wir zählen vier Tote, drei krankenhausreif verwundete Männer.

Wir haben immer noch keine Ahnung, wer dafür verantwortlich sein könnte. Wie viele Täter haben wir? Wir wissen es nicht. Junge, ich kann mir gut vorstellen, wie beschissen das für dich ist. Ich kann mir auch sehr gut vorstellen, dass deine Nerven verrückt spielen. Ich mag die Tessa auch, sehr sogar. Jetzt hau endlich ab, Junge. Du bist hier im Weg. Nimm eine kalte Dusche, oder tu sonst was. Lass uns arbeiten.«

Ich antwortete nicht, ich stand auf und ging.

Auf dem Parkplatz stand ich vor Tessas Audi, als könnte der mir etwas erzählen. Ich stieg in mein Auto, starrte vor mich hin und wusste, dass ich mich antreiben sollte. Aber wozu, wohin? Dieser Stillstand in mir war wie eine bedrückende, schmerzende Klammer. Es gab kein Mittel dagegen.

Irgendwo da draußen in den Wäldern war Tessa. Wahrscheinlich hatte sie Angst um ihr Leben, wahrscheinlich zitterte sie, wahrscheinlich konnte sie keine Brücke bauen zu diesen Kindern. Aber das war falsch, das waren keine Kinder! Das waren überaus gefährliche Menschen. Sie würden gejagt werden. Niemand konnte sie berechnen.

Ich fuhr von Bongard hinüber nach Brück, dann weiter in Richtung Daun. Ich wollte zum Krankenhaus, um Rodenstock zu sehen und mit ihm zu sprechen. Dabei versuchte ich, mich auf das Auto zu konzentrieren, fand das sofort lächerlich, parkte und stopfte mir wütend eine Pfeife. Ich zündete sie an, sie brannte nicht. Die Pfeife brannte niemals, wenn ich sie zu hastig stopfte. Ich versuchte es erneut. Diesmal war es besser, sie ging an.

Rodenstock lag im Bett und las. Er legte das Buch beiseite, richtete sich auf und murmelte: »Ich habe mit dir gerechnet. Setz dich.«

»Tessa ist weg«, sagte ich und ließ mich auf den Stuhl fallen.

»Das weiß ich«, sagte er. »Sie haben mich angerufen. Emma war bis eben hier. Kischkewitz hat dich weggejagt, nicht wahr?«

»Hat er. Ich habe mich wie ein Idiot benommen, habe da auf dem Eulenhof herumgesessen und alle verrückt gemacht. Was treibe ich da bloß?«

»Du liebst diese Frau«, sagte er ganz einfach.

»Du siehst übrigens gut aus«, erwiderte ich.

Er sah mich an und begann zu lachen. Dann schüttelte er den Kopf und murmelte: »Du bist ein Narr, ein richtiger Narr.«

»Ja«, nickte ich.

Dann schwiegen wir eine Weile.

»Ich will versuchen, dir die Situation zu erklären«, bemerkte er. »Diese Kommission hat es schwer. Sie haben es mit einer schnellen Folge von Verbrechen zu tun, die in einem so hohen Takt auf sie einprasseln, dass sie die einzelnen Komponenten nicht lange genug hin und her wälzen können. Der ganze Vorgang verschwimmt, eine Gesamtübersicht gelingt zunächst nicht. Jetzt Tessas Verschwinden. Ist das nun eine logische Folge der vorherigen Ereignisse, oder hat es damit nichts zu tun? Nein, unterbrich mich jetzt nicht, lass es dir erklären. Dann die Entscheidung, dass sie zwei Hundertschaften in die Wälder schicken. Ist das nur, um Tessa herauszuholen? Oder geschieht das auch, damit andere Spuren klarer werden? Du weißt selbst, wie schwierig und fragwürdig große Suchaktionen sind. Du musst als Verantwortlicher die Waage halten zwischen Gründlichkeit und Bewegung. Jagst du die Polizisten zu schnell durch den Wald, entsteht bei den Menschen, die du finden willst, entweder eine hohe Nervosität, und sie reagieren mit Gewalt, oder aber sie fragen sich verblüfft, wo denn die Polizei bleibt. Es kommen noch Kleinigkeiten hinzu: Sie kriegen die Hilfe von Hubschraubern mit Wärmebildkameras. Für den Laien ist das wie das Karnickel, das aus dem Hut gezaubert wird. Wir beide wissen, dass die Wärmebildkameras auch Wild erfassen. Rotwild, Rehwild, Schwarzwild. Noch viel schwieriger: Sonne, die den Waldboden aufheizt, beeinflusst auch die Kameras und kann zu krassen Fehlern führen. Kischkewitz steht also mit seinen Leuten vor einer schwierigen Situation.« Er lachte leise. »Ich liege hier in meinem Bett und erhole mich. Ich sehe möglicherweise Lösungen oder Teile von Lösungen und stelle vergnügt fest, dass sie mich anrufen und meine Erfahrungen brauchen.« Dann griff er ein Wasserglas und trank genüsslich.

»Was, zum Teufel, soll ich tun?«, fragte ich und dachte im gleichen Atemzug: Du bist ein Narr, so etwas zu fragen.

»Arbeiten«, antwortete er. »Das kannst du besonders gut. Hast du jemals von der Pension *Aurora* in Dresden gehört?«

»Was soll das jetzt?«, fragte ich erstaunt.

»Ganz einfach«, antwortete er. »Die spielt eine Rolle bei den Bewegungsmustern dieses Falles.«

»Nie gehört«, sagte ich lahm.

»Das glaube ich«, nickte er. »Die junge Kollegin Miriam Keil ist darauf gestoßen. Helles Mädchen. Kümmert sich scheinbar um Nebensächlichkeiten und stößt dann auf eine mögliche Goldader. Da ist eine Merkwürdigkeit in diesem Fall. Du erinnerst dich, dass wir wissen, dass Gerhard Hahn und Paul Henrici, genannt Blue, mehrere Male im Urlaub in Tschechien waren. Die mögen das Land. Und sie haben auf dem Hinweg und auf dem Rückweg jeweils eine Nacht in Dresden eingelegt. In der Pension *Aurora*. Die Kollegin Keil ist nun auf die Idee gekommen, diese Bewegungsmuster auszudehnen auf die übrigen Leute im Eulenhof. Und siehe da: Zweimal sind Leute vom Eulenhof in der Pension *Aurora* gewesen. Genauer gesagt: Zweimal nach jeweils der Nacht, in der Blue und Gerhard Hahn dort waren. Einmal auf der Hinreise, dann auf der Rückreise. Da wird man fragen müssen, oder?«

»Gibt es eine Antwort?«

»Gibt es noch nicht. Aber du wirst eine Antwort bekommen, wenn du dich darum kümmerst.«

»Wie lange wirst du noch hier im Krankenhaus sein?«

»Übermorgen ist der Termin. Ich komme nur kurz nach Hause, dann geht es in die Reha. Gehirntraining.«

»Wohin gehst du?«

»Bad Wiessee. Sie sagen, es sei dort allererste Sahne für aussichtslose Fälle wie mich.«

»Dann sehe ich dich noch?«

»Natürlich«, sagte er und nickte. »Und jetzt hau ab und arbeite. Und denk nicht, du hast dich blamiert oder einen Fehler gemacht. Das wäre jedem von uns auch passiert. Mir auch.«

* * *

Es war zehn Uhr am Abend, der Tag war unglaublich schleppend an mir vorbeigegangen, als wäre ich in einer extremen Slowmotion gefangen gewesen. Als ich zu Hause ankam, dachte ich, es sei das Beste, keine Zeit mehr zu verlieren.

Pension *Aurora* Dresden.

Ich besorgte mir die Telefonnummer, ich suchte bei Google, bei Facebook, ich fand Werbesprüche wie *Hier bist du zu Hause* oder *Wir sind ein irrer Haufen*, aber nichts Klärendes. Ich rief dort an.

Jemand sagte mit einer sehr tiefen Stimme: »Mein Süßer! Was kann ich für dich tun?«

»Das weiß ich noch nicht. Aber wir können es vielleicht miteinander versuchen. Es geht um zwei Knaben, die auf dem Weg nach Tschechien bei euch eingekehrt sind und dann auf dem Rückweg wiederkamen. Für jeweils eine Nacht. Ihre Namen sind Paul Henrici und Gerhard Hahn. Sagt dir das was?«

»Nicht die Spur, Süßer«, sagte die tiefe Stimme. »Wann soll denn das gewesen sein?«

»November, denke ich mal. Und sie haben als Adresse wahrscheinlich einen Bauernhof angegeben. Eulenhof heißt der, Eulenhof in der Eifel. Und jeweils eine Nacht später kamen erneut Leute von diesem Eulenhof zu euch.«

»Sag mal, bist du etwa von den Bullen? Na? Naah?«

Ich musste einen Transsexuellen vor mir haben, jemanden mit einer turmhohen Frisur und sündigen Lippen, und einem Busen wie eine Kletterwand. Vielleicht turnte er auch nackt herum und machte aus dem Telefonat eine Show vor seinen Freunden.

»Ja, ich bin von den Bullen«, log ich. »Und es wäre schön, wenn du mir behilflich bist. Jeweils viermal die Adresse Eulenhof in zwei aufeinanderfolgenden Nächten, das muss euch doch aufgefallen sein.«

»Waren die denn irgendwie komisch?«, fragte die Stimme.

»Was ist denn bei dir komisch?«, fragte ich dagegen.

»Na ja, komisch wäre es, wenn bei mir ein schwitzender Schlipsträger auftaucht, der beichten möchte, dass er bisexuell ist, das aber in sechzig Lebensjahren nicht gemerkt hat. Also, so was wäre schon sehr komisch.« Dann lachte er unbändig über zwei Oktaven.

Ich musste einsehen, dass hier noch nichts zu holen war. Ich sagte: »Ich rufe noch einmal an, wenn ich etwas mehr weiß. Okay?« Dann legte ich auf.

Ich hatte keine genauen Daten, aber ich hatte Miriam Keil, das polizeiliche Superhirn. Ich rief sie auf ihrem Handy an und entschuldigte mich erst einmal für die späte Störung.

»Das macht wirklich nichts«, sagte sie hell und freundlich. »Geht es Ihnen denn jetzt besser?«

»Ja, Gott sei Dank. Sie haben Bewegungsmuster verglichen, Miriam. Und zwar bei Gerhard Hahn und Paul Henrici mit denen anderer Bewohner des Eulenhofs. Ist das richtig?«

Sie lachte kurz. »Ja, das stimmt. Aber ich hatte noch keine Zeit, dem nachzugehen. Ich habe noch nicht einmal in der Pension in Dresden nachgefragt, was das denn bedeuten kann. Das war so ein komischer Name. *Aurora*. Also, wenn der Hahn und der Henrici dort waren, dann kamen am nächsten Abend der Marburg aus Trier und der Schönheitschirurg Voigt aus dem Sauerland in der Pension vorbei und blieben dort auch eine Nacht. Das wäre für mich viel zu viel Zufall. Merkwürdig ist das auf alle Fälle.«

»Der Jäger Marburg ist wohl immer noch im Krankenhaus?«

»Ja, ist er. Ich glaube, in der Uniklinik in Köln. Aber die Ehefrau weiß das ja. Haben Sie deren Nummer?«

»Die habe ich, ja. Danke für Ihre Hilfe. Das bringt mich wieder einen Schritt weiter.«

Die Frau des Jägers mit dem Spitznamen Alfie, die Frau, die Rodenstock und mir verzweifelt mitgeteilt hatte, wie ihr Mann ihr entglitt, wie er auf dem Eulenhof eingefangen wurde von neonazistischem Gedankengut, wie er gesagt hatte, der Mord an sechs Millionen Juden habe niemals stattgefunden – diese Frau musste ich auftreiben. So schnell wie möglich.

Es war mittlerweile fast elf Uhr in der Nacht, aber ich hatte keine Skrupel, sie anzurufen.

»Moment mal!«, meldete sie sich verschlafen. »Ich bin noch nicht da, Moment noch. Ja, bitte?«

»Bitte entschuldigen Sie meine späte Störung. Mein Name ist Baumeister. Sie hatten mir und meinem Freund Rodenstock erzählt, wie Ihr Mann in den Sumpf des Eulenhofs geraten ist. Erinnern Sie sich?«

»Ja. Ja, klar. Und Ihr Kumpel ist ins Krankenhaus geprügelt worden, habe ich gelesen. Wie geht es ihm denn? Moment mal, ich brauche eine Zigarette.« Es wurde ein bisschen gekramt, man hörte ein Feuerzeug. »So, jetzt!«

»Inzwischen besser, Gott sei Dank. Wie geht es Ihrem Mann?«

»Der Arme ist inzwischen fünf Mal operiert worden. Dem geht es richtig schlimm. Und weitere Operationen sollen folgen. Aber er ist ganz tapfer, das muss ich sagen.« Sie hustete heftig, das dauerte eine Weile. »Also, was kann ich für Sie tun?«

»Es ist Nacht, ich weiß. Aber ich suche dringend Antworten in einer Sache, die unmittelbar Ihren Mann betrifft. Hat er jemals den Namen Pension *Aurora* in Dresden erwähnt?«

»Hm. Was soll da gelaufen sein?«

»Das weiß ich noch nicht. Aber er muss zweimal dort gewesen sein. Im Spätherbst des vergangenen Jahres, nehme ich an. Er war zusammen mit dem Schönheitschirurgen Doktor Richard Voigt dort. Das ist der Arzt aus dem Eulenhof, der erschossen wurde. Der Abstand zwischen den zwei Besuchen muss etwa zwei bis zweieinhalb Wochen betragen haben.«

»Und wie war der Name des Lokals, äh, der Pension?«

»*Aurora*, wie die Göttin der Morgenröte.«

»Warten Sie mal, warten Sie mal … Ist das so ein Schwulen- und Lesbenschuppen? Kann das sein?«

»Könnte gut sein. Die Frage ist: Was machten die beiden Männer da?«

»Oh verdammt!« Glas klirrte. »Jetzt habe ich einen Scherbenhaufen.«

»Ja, ich muss mich auch entschuldigen …«, sagte ich vage.

»Quatsch! Ist schon in Ordnung. Kann das mit Gottvater, also mit Weidemann zu tun haben? Moment mal, Moment mal. Ja, da war was mit Weidemann, mit diesem schrecklichen Menschen, den sie da gestern oder wann erschossen haben. Das kam im Fernsehen. Haben Sie bestimmt auch gesehen? Hagen mit Vornamen. Das stimmt, oder? Es ging um zwei junge Männer, die auf dem Eulenhof gelebt haben. Oder? Ist das so?«

Sie schien nicht ganz bei Sinnen. Wahrscheinlich hatte sie einen oder zwei über den Durst getrunken, und ich hatte sie gerade in dem Moment gestört, als der Schlaf sich gnädig ihrer annehmen wollte.

»Das weiß ich eben nicht so genau«, murmelte ich vorsichtig. »Ich weiß aber, dass Ihr Mann und dieser Chirurg in der Pension in Dresden waren. Aber weshalb genau, weiß ich noch nicht.«

»Aber ich«, sagte sie plötzlich ganz klar. »Also, da hat Gottvater den Befehl gegeben, dass die zwei dahinfahren. Und zwar deswegen, weil die beiden jungen Männer vom Eulenhof in einen schrecklichen Verdacht geraten waren: Sie sollten schwul sein. Und schwul geht gar nicht in diesen Kreisen. Adolf hat schwule Freunde erschießen lassen, wie wir wissen, einfach so. Und mein Mann sollte mit dem Richard den beiden jungen Männern folgen, um zu beweisen, dass sie ein schwules Verhältnis hatten. Alfie war ganz stolz, dass er so einen wichtigen Auftrag von dem Weidemann bekam. Stimmt, sie waren zweimal da. Einmal, als die beiden Jungens hinfuhren und einmal, als sie zurückkamen. Aus Polen oder

Tschechien oder so. Kann das sein? Oh Gott, ich hasse diesen Bauernhof. Er macht mein Leben kaputt.« Sie hustete wieder.

Ich hörte, wie ein paar Glasscherben bewegt wurden und dachte: Ich muss angreifen. Ich fragte: »Ist Ihr Mann denn inzwischen mit diesen Neonazis fertig?«

»Nicht die Spur«, antwortete sie. »Er ist sogar damit einverstanden, dass wir uns nach einer angemessenen Schamfrist scheiden lassen. Und ich freue mich darauf. Er hängt da immer noch drin. Ich habe die Schnauze total voll.«

»Also sind Ihr Mann und der Chirurg mit einem Auftrag Weidemanns den beiden jungen Männern nachgefahren?«

»Ja, ich weiß noch, wie ich Alfie angeschrien habe. Wie ich geschrien habe, dass er ein Schwein sei, wenn er solche Aufträge annimmt. ›Warum kannst du denn nicht diese beiden Jungens in Ruhe lassen?‹, hab ich ihn angeschrien. Da hat er geantwortet, Weidemann hätte entschieden, dass der Hof es sich nicht erlauben könne, Menschen mit so abartigen Neigungen in seinen Mauern zu dulden. Das sei ein Verrat an der Idee. Diese jungen Männer wären pervers. ›Du bist wahnsinnig!‹, habe ich gebrüllt. Und wir wissen ja, dass Adolf Schwule in die Konzentrationslager schickte. Oder?«

»Ja, das war so«, murmelte ich.

»Und wissen Sie, was die beiden in der Pension in Dresden wollten?« Ihre Stimme war ganz hoch.

»Sagen Sie es mir«, antwortete ich.

»Sie wollten die Bettlaken aus dem Doppelzimmer der Jungens haben, sie wollten sie kaufen. Als Beweis. Für Weidemann.«

»Haben sie die Laken bekommen?«

»Das weiß ich gar nicht. Ist das wichtig?«

»Wahrscheinlich nicht«, sagte ich. »Kann ich Sie anrufen, wenn ich weitere Fragen dazu habe?«

»Aber immer«, sagte sie. Dann musste sie wieder husten.

Ich bedankte mich für das Telefonat und wünschte ihr eine gute Nacht. Dann ging ich hinaus in den Garten, wanderte herum und sah nach meinem Igel, entdeckte ihn aber nicht. Es war zu wenig Licht da. Ich dachte an Tessa und fragte mich, was ich ihr jetzt sagen könnte. Es war nicht viel, es war nur ein sehr Hilfloses: »Halte durch, Tessa! Wir holen dich da raus, wir kommen ganz bestimmt!«

Der Wald war jetzt mein Feind. Ich erschrak bei dem Gedanken.

21. Kapitel

Ich hatte erwartet, dass ich die ganze Nacht kein Auge zumachen würde. Weil ich aber die Erschöpfung des Tages in den Knochen spürte, legte ich mich trotzdem ins Bett. Bisweilen schlagen wir uns Schnippchen, die wir uns selbst niemals zutrauen würden. Ich konnte es kaum fassen, als ich aufwachte und der Wecker schon den nächsten Morgen vermeldete. Es war schon halb sieben, ich musste gut sieben Stunden tief und fest geschlafen haben. Ich hatte von Tessa geträumt, sehr intensiv. Mir war, als hätte sie mir zugerufen: »Es wird alles gut.« Mit diesem Lächeln in den Augen.

Ich setzte mich an den Computer und versuchte eine erste Version dieser Geschichte. Ich überdachte dies und jenes, Querverbindungen und ihre möglichen Bedeutungen, gab aber schnell auf und machte mir einen Kaffee. Ich warf die Geschichte in den virtuellen Papierkorb. Es war einfach noch zu früh, ich hatte noch zu viele Fragen – und vor allem noch keinen Täter mit einer glaubwürdigen Motivation.

Gegen sieben verließ ich das Haus und fuhr nach Bongard hinüber zum Eulenhof. Sie waren schon wieder dort – oder immer noch, das war nicht zu erkennen. Sie standen zusammen, diskutierten, rauchten, tranken Kaffee. Dann kamen die Busse. Es waren nur zwei mit jeweils fünfzig Polizeibeamten.

Kischkewitz war der Einsatzleiter. Er stellte sich vor sie hin und machte es kurz: »Ihre Chefs wissen, auf was es ankommt. Sie werden fächerförmig vorgehen. Ihre Kollegen kommen mit einem gleichen Fächer von der anderen Seite dieser Waldungen auf Sie zu. Sie haben Fotos von den Jugendlichen, Sie haben Fotos von Frau Doktor Tessa Brokmann. Ich möchte Sie nur auf einen wichtigen Punkt aufmerksam machen. Diese Jugendlichen sind nach unserer Überzeugung gewaltbereit und Profis im Umgang mit ihren Waffen. Und sie bewegen sich im Wald, als wären sie dort zu Hause. Sie *sind* dort zu Hause. Sie sind dazu in der Lage, sich überlaufen zu lassen. Das heißt, Sie werden diese Jugendlichen erst dann sehen, wenn Sie auf sie treten. Und noch etwas: Sie haben es mit Guerillatechniken zu tun. Es kann auch sein, dass diese jungen Leute in den Bäumen über Ihnen sind, oder in irgendwelchen Aushöhlungen unter Ihnen. Seien Sie ruhig und besonnen. Ich danke Ihnen schon jetzt für diesen Einsatz.«

Es entstand eine nervöse Unruhe, die aber schnell vorbei war, als die Reihen der Frauen und Männer den Eulenhof nach hinten in den Wald verließen.

Ich ging zu Kischkewitz, der auf einem Stuhl vor dem Restaurant saß und ein sehr erschöpftes, lebloses Gesicht hatte. Vor ihm auf dem Tisch standen zwei kleine, schwarze Boxen, aus denen unentwegt menschliche Stimmen zu hören waren. Es war seine Verbindung mit den Beamten, die den Wald durchkämmten.

»Ich entschuldige mich für das Trampeltier von gestern«, sagte ich.

»In Ordnung.« Er nickte. »Du warst bei Rodenstock. Ich habe mit ihm telefoniert. Ist passiert, ist vergessen.«

»Du solltest von einer Pension *Aurora* in Dresden wissen. Das ist eine merkwürdige Spur. Die Kollegin Miriam Keil hat das entdeckt.«

Ich berichtete ihm von meinen nächtlichen Gesprächen, von Voigt und Marburg, die im Auftrag des Hagen Weidemann zweimal nach Dresden gefahren waren.

Sein Gesicht veränderte sich, auf die Wangen trat eine kräftige Röte. In die Augen schien Leben zu kommen. Seine

Hände auf dem Tisch bewegten sich, als wäre er eine Puppe, der jemand Leben einflößt. Er reagierte mit keinem Wort, er fragte nur: »Und was machst du jetzt?«

»Ich fahre zu einem alten Mann namens Häh in Nohn, der sein ganzes Leben im Wald verbracht hat. Er heißt eigentlich Hyeronimus, aber das kann kein Mensch aussprechen.«

»Komm uns nicht in die Quere«, warnte er. »Ruf mich an, wenn etwas passiert.«

* * *

Ich rollte in Richtung Nohn, ich hatte keine Eile, ich sprach mit Tessa und sagte ihr, alles werde in Ordnung kommen. Der tiefe, erholsame Schlaf und der realistische Traum hatten mich auf merkwürdige Weise beruhigt. Ich fühlte eine Verbindung zu ihr. Ich versprach ihr auch, den drei Jugendlichen ausgiebig den Arsch zu versohlen, sobald wir sie gefasst hätten. Die letzte Bemerkung nahm ich sofort zurück, sie war entschieden zu niedlich.

Häh und seine Frau waren natürlich schon auf den Beinen.

»Alte Menschen brauchen nicht mehr viel Schlaf vor dem großen Schlaf«, erklärte er mit einem schiefen Grinsen. »Da waren Leute am Telefon. Sie haben gesagt, ihr sucht wen im Wald. Seit sieben Uhr schon. Verdorri, hoffentlich haben die Ahnung vom Wald.«

»Ich glaube, die machen das gut«, sagte ich.

»Und da ist eine erwachsene Frau dabei?«, fragte er. »Wie kommt das?«

»Sie ist Staatsanwältin«, sagte ich. »Und sie ist meine Freundin. Wir denken, die drei haben sie eingefangen und mitgenommen.«

»Sieh mal an!«, sagte seine freundliche Frau. Sie hatte in der Küchentür ihre Position bezogen.

»Als Geisel«, fügte ich hinzu.

»So was hat mir Mannes Loh schon am Telefon gesagt«, meinte Häh. »Das ist ja wohl unangenehm.«

»So könnte man das nennen«, bestätigte ich. »Häh, du musst mir noch mal helfen. Wald ist nicht Wald, weißt du.«

»Ja, Jung, dat kann man wohl sagen. Wieso ist die deine Freundin? Also, ich meine …«

»Wir sind zusammen«, sagte ich.

»Ach so.« Er kratzte sich am Kopf.

Plötzlich waren Hubschrauber über dem Haus, das Dröhnen war ziemlich laut, sie flogen sehr tief.

»Die gehören auch dazu«, sagte ich.

»Ja, das wurde auch gesagt.« Er hob wieder die Kappe auf seinem Haar an und kratzte sich. »Also, Jung, wat willste denn wissen?«

»Es sind ein Mädchen und zwei Jungens. Sie sind siebzehn Jahre alt. Sie sind trainiert worden. Nachtmärsche haben sie gemacht. Lange Märsche tagsüber. Sich verstecken haben sie geübt und solche Sachen. Sie sind bewaffnet. Sie können mit Axtstielen zuschlagen. Sie können so zuschlagen, dass es weh tut. Sie wissen genau, wohin sie schlagen müssen. Sie können auch totschlagen, wenn sie wollen. Sie haben Armbruste. Sie schießen mit Leichtmetallbolzen, sie können Menschen erschießen. Praktisch lautlos. Sie sind sehr gefährlich. Ich nehme mal an, sie können sich schlecht in Fichten verstecken. Zu dunkel da, sie fallen auf. Mischwälder gehen besser. Bei Buchen weiß ich es nicht. Was ist mit Waldrändern, Häh?«

»Waldränder sind immer gut. Da ist viel Licht, aber auch viel Schatten. Büsche sind am besten.«

»Was heißt Büsche?«

»Brachflächen«, antwortete er. »Also Flächen, wo einmal Wald war. Den Wald hat man geerntet, oder ein Sturm hat ihn umgelegt. Die Stämme nimmt man raus, wenn es sich lohnt. Möbelbau und solche Dinge. Dann lässt man die Flächen ein paar Jahre atmen. Da schießt dann alles hoch, was du dir vorstellen kannst. Vogelbeere, Haselnuss, Eschen, Fichten, Kiefern, Buchen, Ulmen. Da kannst du erkennen, wie viele Samen in der Erde waren und gewartet haben. Du weißt ja, kleine Bäume können lange warten.«

»Was heißt das jetzt?«

»Sieh dir alten Buchenbestand an. Fünfzig bis siebzig Jahre. Und unten auf dem Boden stehen junge Buchen. Zwei bis fünf Jahre alt, ganz kleine, krumme Kerlchen. Nicht mal so hoch wie du. Also, sie warten darauf, dass die alten Stämme kippen, sie haben eine sehr große Geduld. Du kannst nicht einmal sehen, dass sie wachsen, ein paar Zentimeter pro Jahr, sage ich mal. Dann kippt ein alter Stamm, und sie schießen in die Sonne hoch, weil sie jetzt das Licht kriegen, der alte Stamm mit seinem Schatten behindert sie nicht mehr.«

»Wo würdest du dich verstecken?«

»Auf Buschflächen«, antwortete er sofort. »Du kannst auf zwei Meter an mir vorbeigehen, du siehst mich nicht.«

»Wo kann ich so etwas sehen?«

»Zwei Kilometer von hier. Wir nehmen aber den Schlepper.«

Ein Hubschrauber kam zurück, flog einen Bogen und verschwand dann wieder.

»Und wenn wir den Suchtrupps in die Quere kommen?«, fragte ich.

»Die sind noch kilometerweit weg. So schnell können die gar nicht laufen«, entgegnete Häh souverän.

Ich bekam meinen Platz auf dem Kotflügel, und Häh gab seinem Gaul die Sporen. Es ging wieder auf die Straße nach

Bongard und Kelberg. Diesmal allerdings fuhr er nach ungefähr zwei Kilometern rechts von der Straße ab in einen gut ausgebauten Waldweg, der mit Splitt versiegelt war.

»Hier sind zwei Holzplätze«, rief er mir über den Lärm des Motors hinweg zu. »Hier wird Holz abgefahren. Brennholz auch.« Irgendwann hielt er an und zeigte nach rechts.

Die Fläche war überwältigend grün, vielleicht dreihundert Meter tief und vierhundert Meter in der Breite. Sie fiel sanft bergab auf uns zu und wirkte unter der Sonne wie ein Teich, der ganz mit Entengrütze bedeckt ist. Erst als ich mir die Mühe machte genau hinzusehen, einzelne, kleine Büsche herauspickte und ihre Struktur begriff, verstand ich, weshalb sich Häh auf dieser Fläche verstecken würde.

Häh schaltete die Maschine ab. »Hier kannst du sehen, was ich meine. Die Fläche ist ungefähr fünf Jahre alt. Hier standen Fichten, am Rand auch viele Kiefern, sehr gutes Möbelholz, sehr gutes Zirbelholz.« Er kletterte von seinem Schlepper hinunter und machte mir Platz, damit auch ich Boden unter die Füße bekam.

»Du siehst ja meinen Blaumann, Jung. Ich zeig dir jetzt mal, was wir gemacht haben, als wir jung und knusprig waren.«

Er ging ein paar Schritte in die Büsche hinein, sodass die Büsche der ersten Reihe ihn verdeckten. Dann war er plötzlich nicht mehr zu sehen, hatte sich in Luft aufgelöst.

»Du musst nach Blau gucken«, sagte er gemütlich von irgendwoher.

Ich guckte also nach Blau, ich sah kein Blau.

»Du kannst ruhig ein paar Schritte machen«, gab er Anweisung.

Ich machte ein paar Schritte. Es war sehr verwirrend.

»Wenn du jetzt den rechten Fuß heben würdest, dann trittst du mich nicht mehr. Also, meinen Blaumann, meine ich.«

Er hatte sich unter einer üppig wuchernden Vogelbeere rund um den kleinen Stamm ins hohe Gras gelegt und kicherte ganz hoch. Er rappelte sich hoch. »Also, es gab in meiner Jugend welche, die nahmen sich ihr Mädchen und gingen auf solche Flächen. Niemand suchte sie, weil alle wussten: Die findest du nie mehr wieder, wenn sie nicht wollen.«

Ich rief sofort Kischkewitz an.

»Ich bin hier bei meinem Waldflüsterer. Du kannst vielleicht an die Chefs der Suchenden weitergeben, dass sie besonders in Gebieten mit vielen Büschen aufpassen müssen. Diese furchtbaren Kinder können sich dort beliebig in Luft auflösen.« Ich beschrieb ihm so genau wie möglich, welche Art von Bewuchs Häh mir gerade gezeigt hatte.

»Glaubst du das im Ernst?«, fragte Kischkewitz.

»Ich habe gerade beinahe meinen Flüsterer getreten, ich stand über ihm.«

»Ja, ist gut, ich gebe das weiter.«

»Aber ihr habt noch nichts?«

»Richtig«, sagte er.

Häh stand in der Sonne und hatte ein Problem. »Sag mal, Jung, die da gelten ja nun als Neonazis, also, da weiß man ungefähr, auf was man da trifft. Aber was ist mit diesen jungen Menschen? Ich meine, die leben doch heute, die haben doch gar keine Ahnung von den schlimmen Sachen damals. Wieso machen die das mit?«

»Weil man ihnen sagt: ›Die schlimmen Dinge damals gab es nicht. Das ist alles erstunken und erlogen. Ihr seid die neue Wahrheit. Ihr seid die Elite von heute, ihr schafft die neuen Menschen, eure Kinder sind die Helden von morgen.‹ Und dann werden sie gedrillt. Sie lernen, Menschen zu verprügeln, sie lernen auch, Menschen zu zerstören, zu töten. Sie fühlen sich als Kämpfer, und sie denken: Ich bin etwas ganz

Besonderes, ich bin ein neuer Mensch. Sie denken auch, dass sie andere davon überzeugen müssen, etwas ganz Besonderes zu sein.«

Er nickte, nahm die Kappe vom Kopf und kratzte sich. »In einem Nachbarort war so ein Parteibonze. Der hat so geredet. Der musste auch nicht an die Front, der wurde als unabkömmlich gestellt, *UK* wie man damals sagte. Der erzählte den Leuten: ›Ich bin die Heimatfront.‹ Nach dem Krieg hat er sich ganz schnell zu Tode gesoffen. Kein Mensch hat den noch mit dem Arsch angeguckt. Ja, ja.«

Dann kletterten wir auf sein Dieselross, und er fügte an: »Meine Enkelin, die Tanja, erlaubt ihren beiden kleinen Kindern nicht mehr, auf den Spielplatz zu gehen. Sie sagt: ›Das ist mir nicht mehr sicher genug mit allen diesen komischen Leuten da im Wald.‹ Da habe ich gedacht: Sieh mal an, soweit ist es schon wieder!«

Wir knatterten zu seinem Haus zurück. Ich bot ihm dieses Mal kein Geld an, ich wusste, es würde ihn verlegen machen. Er würde es nicht nehmen, weil es um meine Freundin ging.

Ich fuhr über Ahütte, Kerpen und Walsdorf in einem weiten Bogen zurück, ich wollte nicht in die Kontrollen fahren und den Hubschrauberbesatzungen unnötige Verwirrungen zumuten.

Ich sagte zu Tessa: Ich glaube nicht, dass du noch lange warten musst. Ich hätte dir gern den Häh geschickt, aber der darf nicht, der ist keiner mit dem offiziellen, staatlichen Blick. Hoffentlich haben sie dir nicht den Mund zugeklebt, damit du nicht schreist. Ich weiß, dass du das nicht ertragen kannst.

Zu Hause sah ich nach, ob jemand mich angerufen hatte und ob etwas in der Post war. Dann rief ich Holger Patt an.

»Hast du zehn Minuten Zeit, wenn ich nach Bongard komme? Ich brauche Einzelheiten über mögliche Waffen des Snipers, falls du überhaupt Einzelheiten hast.«

»Ich habe ein paar, aber alles in allem ist es dürftig. Ich bin da, falls nicht irgendetwas Verrücktes passiert.«

Ich nahm den direkten Weg nach Bongard, weil ich dachte, sie müssten schon durchgelaufen sein. Ich sah niemanden, nur dreimal kam ein Hubschrauber in niedriger Höhe über die Bäume gefegt.

Sie hatten das Café geöffnet, um etwas zu essen und zu trinken zu haben. Ich nahm einen Becher Kaffee.

Miriam Keil, die die Bedienung spielte, lächelte mich an. »Ich nehme an, Sie haben eine ernsthafte Hemmung«, sagte sie ohne jede Erklärung. »Frau Doktor Brokmann ist eine sehr erwachsene Frau, und das macht diese Kinder unsicher. Sie haben sich da auf etwas eingelassen, was sie nicht mehr in den Griff kriegen. Ein bisschen ist das so wie bei der Zahncreme, die man nicht mehr in die Tube kriegt.«

»Sie sind aber keine Kinder mehr«, sagte ich. »Das sind sehr gefährliche Jugendliche.«

»Das ist wohl richtig. Das gilt aber nur für einen ganz bestimmten Anteil in ihnen. Das Kind in ihnen ist immer noch sehr mächtig.«

»Und was wird dann passieren?«, fragte ich.

»Sie werden sie zurücklassen«, erklärte sie einfach.

Ich war verblüfft. Sie schien restlos überzeugt von ihrer Theorie. »Wo lernt man so etwas?«, fragte ich.

»In meinem Beruf«, sagte sie lächelnd.

Plötzlich war ich nahe dran, sie anzubrüllen, die Wut kochte rasend schnell hoch, ich dachte: Mädchen, du weißt nicht, was du sagst, du redest Schrott! Aber sie lächelte mich immer noch an, und ich begriff: Sie glaubte das wirklich.

Tessa, sagte ich, ich bin verdammt dünnhäutig und nervös. Also, zier dich nicht so und komm endlich aus deinen Büschen. Die Keil sagt: Sie haben dich zurückgelassen.

Ich sah Holger Patt mit zwei Mitgliedern der Mordkommission an einem Tisch vor dem Restaurant des Hofes sitzen. Natürlich hielt er mit wilden Handbewegungen eine seiner großen Reden, und wahrscheinlich ging es um den nächsten Weltuntergang oder ähnlich Banales.

In meinem äußersten rechten Blickwinkel bemerkte ich Erstaunliches: Kischkewitz saß vor seinen kleinen Lautsprechern und schlief, der Mund halboffen, das Gesicht vollkommen gelöst. Ein Mann quäkte über den Lautsprecher: »Gruppe sechs wechselt jetzt über in das Planquadrat zwölf.«

Gegenüber kam Gerhard Hahn aus dem Haus und wechselte vier Türen weiter in den Nachbarbau. Es fiel mir auf, dass er sich nicht im Geringsten um die Mordkommission, die vielen uniformierten Polizisten und die vielen Autos auf dem Hof kümmerte. Das wirkte vorsätzlich, fast künstlich: Er wollte sich raushalten, er hatte sich immer rausgehalten. Das war seine Rettung.

Ich hob zwei Meter von Holger Patt entfernt die Hand und hoffte, dass er mich sah. Er bemerkte mich, schickte die beiden Kollegen weg, mit denen er gesprochen hatte, und deutete auf den Stuhl neben sich.

»Wie geht es denn deiner Seele?«, fragte Patt.

»Beschissen«, sagte ich und setzte mich. »Alles ist so eng, ich kann nicht mehr gut atmen. Das ist kein Zustand, das ist krank.«

»Sie fehlt dir«, nickte er. »Sie ist ja auch eine gute Type. Wir hatten so was Gutes auch noch nicht. Aber sie wird wiederkommen.«

»Glaubst du das im Ernst?«

»Ja«, sagte er sehr bestimmt.

»Warum?«

Er beugte sich nach vorn über den Tisch, stützte beide Ellenbogen auf und schloss die Augen. »Sie haben sich über-

326

fressen«, sagte er. »Der Happen ist zu groß. Was sollen sie jetzt machen? Sie haben Waffen, Armbrust und Axtstiel, sie können damit töten. Sie sind schnell, sie sind garantiert wieselflink. Aber die Tessa ist nicht schnell. Mit Tessa sind sie zu langsam, mit Tessa kommen sie nicht weit. Tessa ist auch nicht gewohnt, schnell durch einen Wald zu laufen.«

»Und sie töten sie«, sagte ich. Das war ein schwerer Satz.

»Nein«, sagte er ganz sanft und schüttelte den Kopf. »Sie töten sie nicht. Das Mädchen wird das nicht zulassen, das Mädchen denkt weiter als die Jungs.«

Hastig sagte ich: »Lass uns über Waffen reden.« Ich hatte einen trockenen Mund.

Er sah mich aufmerksam an und fragte sicherheitshalber: »Kannst du überhaupt zuhören?«

»Das kann ich, ja.«

»Okay. Ich habe mit unserem ehemaligen Kollegen Robert Honnacker in Gotha gesprochen, du erinnerst dich, der Mann ist eine Koryphäe auf seinem Gebiet. Ich habe das Problem mit Paul Henrici, den du gefunden hast, auf den Tisch gepackt. Wir sind uns einig, dass es eine tschechische CZ war, Kaliber neun Millimeter. Wir haben hier in der Waffenkammer eine CZ gefunden, aber es war nicht die Tatwaffe. Es hat, nach einem Zeugen zu urteilen, eine zweite CZ gegeben, die aber verschwunden ist. Wir nehmen an, dass sie benutzt wurde, um Blue zu erschießen. Und wir glauben, dass Weidemann Ulrich Hahn gezwungen hat, die Tötung von Blue zu erledigen. Wir nehmen das an, weil Zeugen inzwischen zugegeben haben, dass zwischen Doktor Hagen Weidemann und Ulrich Hahn erhebliche Spannungen herrschten. Hahn soll Weidemann wiederholt vorgeworfen haben, den Eulenhof wie ein absolutistischer Herrscher zu strangulieren und gute Anlagen bei den Leuten durch blödsinnige Anordnungen und Befehle abzuwürgen. Wir sind sicher, dass Weidemann von Hahn so eine Tat verlangt hat, um damit zu demonstrieren, dass allein sein Wort gilt – und das von Hahn eben nicht. Wir brauchen also Ulrich Hahn, um die tschechische CZ zu finden. Das ist nur eine Frage der Zeit. Jetzt zu den Langwaffen, die benutzt wurden. Du musst wissen, dass man Gewehre im freien Handel kaum noch bekommt. So etwas klappt manchmal noch in der Türkei und in Polen oder Tschechien. Aber nur sehr, sehr selten. Kasachstan ist auch möglich, aber du kriegst die Waffe nicht aus dem Land heraus. Robert Honnacker sagt aber auch, dass man sowohl in Polen wie auch in Tschechien Gewehre auf bestimmten Trödelmärkten kaufen kann. Aber nicht als Gewehr, sondern als eine Summe von Ersatzteilen. Du kannst dir buchstäblich ein Gewehr zusammenkaufen, du hast dann eine Waffe, die in der Zusammensetzung garantiert noch nirgendwo in Erscheinung getreten ist. Der Schütze hier bei uns hat mit hoher Sicherheit ein Gewehr mit optischer Visierung benutzt, also ein Zielfernrohr. Es dürfte sechzehnfache Vergrößerung haben. Das ermöglicht einen gezielten Schuss über fünfhundert Meter. Immer vorausgesetzt, du kannst damit umgehen. Aber das lässt sich ja lernen. Der Schütze benutzte immer dieselbe Munition, deren Kopf präpariert war. Das brachte diese entsetzlichen Wunden mit sich. Honnacker sagt, dass möglicherweise ein Gewehr wie das berühmte Tokarew der Russen verwendet wurde. Es ist ein offenes Geheimnis, dass diese Waffen immer noch in den Schlafzimmerschränken der Leute in Thüringen stehen, weil russische Soldaten sie für kleines Geld verkauften. Infrage kommt aber durchaus auch eine Waffe wie das G 36, das die Bundeswehr in Afghanistan benutzt. Und jetzt kommt es, mein Freund: Beide Waffen sind auf bestimmten Märkten sowohl in Polen wie in Tschechien in Form von Einzelteilen zu haben. Du kannst dir so ein Ding also zusammenkaufen. Wir müssen die Waffe oder die Waffen nur finden. Wahrscheinlich redet jemand, irgendeiner redet immer.«

»Vorausgesetzt, er tötet nicht weiter und verschwindet«, sagte ich.

»Warum sollte er das tun?«, fragte Patt erstaunt. »Ich glaube fest daran, dass er so krank ist, dass er nicht daran denkt zu verschwinden.«

Dann brüllte jemand: »Sie haben Reh! Sie haben Reh!«

Kischkewitz' Kopf schnellte hoch, er lehnte sich weit vornüber und kroch fast in seine Lautsprecher hinein. Dieser quäkte irgendetwas, es klang sehr angestrengt. Es war nicht zu verstehen, was gesagt wurde.

»Sie haben Tessa!«, sagte Kischkewitz fassungslos.

Es herrschte eine unnatürliche Stille.

Kischkewitz griff zu den Kopfhörern und setzte sie auf. Er hob eine Hand und forderte Stille. »Nördlich von Üxheim«, sagte er. »Sie ist okay, sie legen sie auf eine Trage, sie ist okay. Aber sie kann nicht reden, sie hat Schmerzen. Wieso hat sie Schmerzen? Nach Adenau, sagen sie, nach Adenau.« Das Gesicht von Kischkewitz war tränenüberströmt. »Alles okay«, sagte er heiser.

»Sie heißt bei uns Reh«, murmelte Patt. »Das wusstest du nicht, oder?« Er schniefte und flüsterte: »Das war verdammt knapp, sage ich, verdammt, verdammt knapp.«

Dann war da die Miriam Keil neben uns und hatte in der rechten Hand eine Schnapsflasche. *Birne aus der Eifel* stand drauf. Sie machte mit dem ganzen Leib zuckende Bewegungen wie eine Bauchtänzerin, grinste wie ein Honigkuchenpferd und gurrte: »Was für die Nerven! Was für die Nerven!«

Es gab Leute, die sich klatschend die Hand gaben, die sich gegenseitig umarmten. Es wurden Schultern geklopft, Arme in den Himmel gereckt. Es gab Frauen, die quietschten, und Männer, die einfach »Wow, Wow!« riefen. Eine ganze Mordkommission albern vor Glück.

»Ich muss jetzt nach Adenau«, bemerkte ich etwas blöde.

»Du fährst jetzt kein Auto!«, fuhr Holger Patt mich an. »Dir würde ich jetzt noch nicht mal ein Obstmesser anvertrauen.«

Kischkewitz kam zu uns und sagte: »Wir fahren sofort zu ihr und schauen sie uns an. Mann, Junge, hast du ein Glück. Kannst du Rodenstock anrufen? Damit er schlafen kann?«

»Haben wir jetzt auch die Kinder?«, fragte Patt.

Kischkewitz schüttelte den Kopf. »Noch nicht. Aber sie sind eingekreist. Wir haben drei Scharfschützen mit Betäubungsgewehren dabei.«

Ich rief Rodenstock an. »Alles in Ordnung«, sagte ich. »Ich habe sie wieder.«

Wir wurden mit einem Streifenwagen nach Adenau gefahren. Kischkewitz saß im Fond neben mir und telefonierte die ganze Zeit, sagte dauernd »So, so« oder »Ja, ja«, beendete eine Verbindung, steckte das Handy ein, um es sofort wieder herauszufummeln und erneut zu sprechen. Schließlich legte er es zwischen uns auf den Sitz. Dann friemelte er die Schachtel mit den Stumpen aus den Niederlanden aus seinem Jackett und zündete sich einen dieser fürchterlichen Dinger an.

»In einem Streifenwagen darf nicht geraucht werden«, sagte einer der Uniformierten vor uns.

»Bitte sehr, ihr könnt mich anzeigen«, murmelte Kischkewitz. Dann beugte er sich zu mir und murmelte: »Diese Kinder sind einfach schrecklich, wahrscheinlich werden sie lebenslang einen Therapeuten brauchen. Sie haben Tessa die Hände und die Füße mit Tape zusammengeklebt. Dann haben sie den Hals und die Füße mit einem kurzen Seil in ihrem Rücken verbunden. Sie lag krumm wie ein Fötus.

Wenn sie sich bewegte, strangulierte sie sich selbst. Sie haben ihr den Mund mit Tape verklebt, sie konnte nicht frei atmen. Verstehst du das, ist das nicht unfassbar? Sag selbst, wie kann man so vorgehen?«

»Der Eulenhof hat ganze Arbeit geleistet«, sagte ich und starrte hinaus in das Grün der Landschaft.

Tessa, ich habe dir gesagt, dass du freikommst. Mir war das nicht immer klar, ich hatte sehr viel Furcht, ich war manchmal sprachlos vor Furcht. Jetzt ruh dich aus, nimm dir Zeit. Und mach dich darauf gefasst, ein öffentlicher Mensch zu sein. Ich meine, wann ist jemals eine Staatsanwältin, die zudem Mutter von zwei Kindern ist, durch den Wald geschleppt worden? Nein, ich will kein Interview mit dir, ich halte mich da vollkommen raus. Du bist jetzt eine berühmte Person, und vor einem Treffen werde ich dich fragen müssen, ob du es überhaupt einrichten kannst.

Wir stiegen aus und gingen in das Krankenhaus. Es waren schon Fernsehteams da, die uns erwarteten.

Kischkewitz flüsterte: »Ich brauche nur ein paar Minuten.«

Ich nickte und hatte das Gefühl, auf einem verdammt schnell kreisenden Karussell zu sitzen. Ich blieb wortlos, stapfte hinter ihm her, und zuweilen hatte ich ein paar Schritte lang das Gefühl: Gleich kippe ich um, und sie können mich in eine Ecke fegen.

Vor dem Zimmer saßen zwei uniformierte Polizisten und erhoben sich von den Stühlen. Der junge Arzt, der uns begleitete, sagte freundlich: »Nicht lange, meine Herren! Sie braucht Ruhe.« Kischkewitz ging hinein, blieb eine Ewigkeit bei ihr, kam dann heraus, grinste breit wie ein zufriedener Clown und flüsterte: »Kein bisschen beschädigt diese Frau, kein bisschen.«

Nun ging ich hinein, schloss die Tür hinter mir und sah sie an.

Sie sah ramponiert aus. Sie trug eines dieser OP-Hemdchen, die den Eindruck machen, als hätte der Stoff nicht gereicht. Sie hatte beide Arme für eine Infusion hergeben müssen und machte so den Eindruck einer Gekreuzigten. Die Haut um ihren Mund war sehr rot und rissig. Natürlich, das Tape.

Ich sagte: »Hallo!«, war mir aber nicht sicher, ob sie das hören konnte.

In ihren Augen war ein Funkeln, kein Zweifel.

Das Blond ihrer Haare schien mir etwas strähnig und verschwitzt. Alles in allem war sie gut erhalten, sehr sehenswert. Ich atmete ein paar Mal tief durch. Dann sagte ich noch einmal: »Hallo.«

Sie schien es gehört zu haben, sie nickte.

Ich wollte zu ihr kommen, aber sie hob den rechten Arm und streckte den Zeigefinger aus. Sie krächzte: »Wer hat diesen Satz gesagt: *In den Wäldern sind Dinge, über die nachzudenken man jahrelang im Moos liegen könnte. Wer war das?«

Ein Quiz am Ende der langen Nacht? »Weiß ich nicht.«

»Franz Kafka«, sagte sie mit einem Lächeln. »Und jetzt komm her zu mir und gib dir viel Mühe.«

22. Kapitel

Tessa hatte beim BKA angefragt, ob mir die Erlaubnis erteilt werde, die Befragungen der Täter mitzuverfolgen. Nicht offiziell, nur durch den Einwegspiegel. Ja, ich würde mich verpflichten, niemanden zu zitieren, weder Kriminalbeamte noch Staatsanwälte noch Zeugen noch Sachverständige oder Angeklagte. Ich würde keine Erkenntnis verwerten, ich würde nur stillsitzen und zuschauen. Ich hatte drei Erklärungen zu unterschreiben und bekam den Eindruck, als wäre es mir für die kommenden Stunden nur beschränkt möglich, Luft zu holen oder mich gar laut zu räuspern. Hamburg konnte zur Abwechslung mal auf seine Story verzichten. Oder ich würde später eine Geschichte nur über den Eulenhof und seine parasitäre Gegenwart inmitten der Eifel machen. Eine Geschichte über den Eifel-Krieg, von dem sie träumten, in dem mit primitiver Gewalt für Sauberkeit in unserem Landstrich gesorgt werden sollte.

Der Raum, in dem das Theater des Wirklichen stattfand, war trostlos. Es war ein fast quadratischer, fensterloser Raum, erhellt nur von vier Neonröhren an der Decke – ein elendes, graublaues, kaltes Licht.

Tessa und Kischkewitz verhörten Ulrich Hahn, den man nach drei Tagen auf der Flucht südlich von Jena in einem winzigen Dorf festnahm, als er an einem Kiosk eine Currywurst mit Fritten bestellte. Die Fahndung war erfolgreich gewesen, der entscheidende Hinweis war vom Club *Aurora* in Dresden gekommen. Von einer sehr tiefen Stimme.

»Herr Hahn«, sagte Tessa sehr reserviert. »Sie haben uns gesagt, dass Ihrer Meinung nach Veit Glaubrecht Paul Henrici im Ahbachtal erschossen hat. Wie kommen Sie zu dieser Auffassung?«

»Weil Glaubrecht immer schon für die dreckigen Aufgaben auf dem Eulenhof zuständig war. Er tat alles, was Weidemann von ihm verlangte, er ist im Grunde ein Dreckschwein.«

»Aber Sie haben Herrn Glaubrecht doch auch mit irgendwelchen Befehlen dauernd irgendwohin geschickt, Herr Hahn«, sagte Kischkewitz bedrohlich leise. »Sie haben ihm doch befohlen, er solle die Jugendlichen zu brauchbaren Kriegern erziehen. Ist das nicht auch eine dreckige Aufgabe gewesen? Brauchbare Krieger aus Menschen zu machen, die eigentlich noch Kinder sind?«

»Ich war nicht persönlich damit befasst. Das lag im Interesse der Idee«, antwortete er seufzend, als hätte er es mit Idioten zu tun.

»Sie machen mich ernstlich sauer, Herr Hahn«, sagte Tessa. »Wenn prügelnde Kinder im Interesse der Idee sind, was halten Sie denn von den Sechzehnjährigen, die gegen Ende des Zweiten Weltkrieges beim Kampf um Berlin gegen die angreifenden Russen standen?«

»Das waren Helden!«, sagte Hahn scharf. »Sie wollten das Vaterland retten. Mein Vaterland. Ich bete sie an.«

»Können Sie sich vorstellen«, fragte Tessa ganz gelassen, »dass Weidemann Ihnen befohlen hat, Blue zu erschießen, weil Blue nicht nur homosexuell war, sondern angeblich auch noch mit einem Agenten des Verfassungsschutzes paktierte, weil Weidemann gesagt hat: Töte diesen Abtrünnigen! Ist Ihnen das vorstellbar?«

»Das wird jetzt behauptet«, erklärte Hahn ungeduldig. »Glaubrecht behauptet das. Aber er lügt, er lügt wie immer.« Er wirkte sehr glatt.

»Aber wie erklären Sie sich dann«, sagte Tessa schneidend, »dass Glaubrecht an dem Tag, an dem Blue im Ahbachtal erschossen wurde, nachweisbar gar nicht im Eulenhof war? Er war noch nicht mal in der Nähe. Veit Glaubrecht war, von sechs Zeugen bestätigt, bei einer befreundeten Gruppe Neonazis in Kassel. Er war nicht im Eulenhof, er war in Kassel. Verstehen Sie mich, Herr Hahn?«

Ulrich Hahn versteifte sich noch mehr: »Das sind Lügen, alles nur Lügen!«

Kischkewitz hatte den Mann satt, das konnte man deutlich spüren. Seine Stimme kam leise daher, aber voller Wut. Er schilderte den Fortgang der großen Suchaktion im Wald. Er referierte, wie die zwei Hundertschaften nach dem Auffinden der Zielperson »Reh« den Ring um die jugendlichen Entführer immer enger gezogen hatten. Wie sie sich alle sicher gewesen waren, dass man sich Zeit lassen konnte. Wie die drei nach weniger als zwei Tagen einfach aufgegeben hatten. Weil ihnen trotz des ganzen Drills klar wurde, dass sie keine Chance hatten. Kischkewitz berichtete, wie sie bei den Gesprächen danach einfach zusammengebrochen waren, jeder für sich, jeder auf seine Weise.

»Wir haben von Oliver und Hannes Ebing sowie von Meike Meier drei unabhängige Aussagen, die sich bis ins Letzte decken, Herr Hahn. Alle drei sagen aus, dass Sie es waren, der ihnen die Entführung der Staatsanwältin Tessa Brokmann befohlen hat, bevor Sie selbst vom Eulenhof flohen. Und dass Sie es waren, der Paul Henrici tötete. Sie waren so dumm, mit Ihrer Tat vor den dreien geprahlt zu haben. Sie wollten die Jugendlichen einschüchtern, um sie noch mehr an den Eulenhof binden zu können. Sie sind ein Idiot, Herr Hahn, ein eloquenter, stilbewusster Idiot. Hören Sie uns überhaupt zu? Begreifen Sie, was das bedeutet, Herr

Hahn? Wo haben Sie die Waffe entsorgt, die Sie benutzten? Die CZ?«

Hahn straffte sich, saß sehr aufrecht. »Ich sage nichts mehr, ich möchte meinen Anwalt sprechen.«

»Feige sind Sie also auch noch«, blaffte Kischkewitz verächtlich.

* * *

Das nächste Verhör leitete Kischkewitz zusammen mit dem Leiter der Kommission vom BKA. Tessa hatte sich hinter mich gestellt und ihre Hände auf meine Schultern gelegt. Gemeinsam verfolgten wir die Erklärungen eines Menschen, der uns alle getäuscht hatte.

Der BKA-Mann sagt ins Mikro: »Sechstes Verhör des Angeklagten Nummer zwei. Uhrzeit 14.27 Uhr.«

Ein Kriminalbeamter führte Gerhard »Wotan« Hahn in das Verhörzimmer. Er nahm ihm die Handschellen ab und führte ihn zu dem Stuhl, auf dem kurz vorher sein Bruder gesessen hatte. Hahn setzte sich, rückte mit dem Stuhl nahe an den Tisch, stützte die Ellenbogen darauf, legte sein Kinn in die Hände und sah seine Gesprächspartner an.

»Herr Hahn«, begann Kischkewitz, »ich gebe zu: Es hat gedauert, bis unsere Spezialisten Ihnen draufgekommen sind. Sie halten sich für schlau, weil Sie die Waffen im tschechischen Selbstbaukasten erworben haben. Keine Registrierung, kein belegbares Kaufgeschäft. Das dachten Sie. Sie wähnten sich in Sicherheit – und wurden leichtsinnig. Aber wir kennen uns aus mit Waffen, mein Lieber, wir wissen genau, wo man welche Art von Waffe bekommen kann. Und deswegen wussten wir auch, wonach wir suchen mussten, als wir den Durchsuchungsbeschluss für den Eulenhof in

Händen hielten.« Er lehnte sich zurück und gab sich nicht mal die Mühe, seine Genugtuung zu verbergen: »Sie hätten die Gewehre in die Mosel werfen sollen, Herr Hahn, aber Sie haben sie fein säuberlich auseinandergebaut und alle Einzelteile auf dem Eulenhof versteckt. Hier ein Abzug, da ein Bolzen. Sie dachten, wir würden eine Hülsenbrücke oder einen Kolbenhals nicht erkennen, wenn wir die Sachen zwischen all den Autoteilen in ihrer Werkstatt finden. Falsch gedacht, Herr Hahn. Wir konnten ein Sturmgewehr G 36 und eine Tukarew 9 mm zusammensetzen und eindeutig als diejenigen Waffen identifizieren, mit denen auf Marburg, Voigt, Zorn und Weidemann geschossen wurde. Das G 36 benutzen die Bundeswehrsoldaten in Afghanistan, das Tukarew stammt aus russischer Produktion. Wir kennen solche Waffen sehr gut. Und wir konnten die Beschaffung rekonstruieren. Wir wissen wann, wo und bei wem Sie die Geräte in Begleitung Ihres Freundes Blue gekauft haben. Wir kennen sogar den Verkäufer, Herr Hahn, er hat Sie identifiziert. Glauben Sie mir, wir kennen viele solcher Leute. Es gehört zu unserem Job, solche Leute zu kennen.«

Gerhard Hahn zeigte keine Regung. Er sagte nur: »Ich habe mir nichts vorzuwerfen. Es war richtig, diese Menschen zu töten.«

Jetzt lehnte sich der Kommissionsleiter über den Tisch zu Hahn hinüber und sagte: »Als Ihnen klar wurde, dass Ihr Bruder im Auftrag von Weidemann Paul Henrici erschossen hatte, da haben Sie Ihre Waffen in Stellung gebracht. Ihr Motiv war Rache. Das leuchtet ein. Aber warum haben Sie dann nicht sofort Weidemann erschossen oder Ihren Bruder? Erklären Sie mir das!«

Gerhard Hahn lachte kurz auf, das war ein Kieksen, er verschluckte sich fast. Dann sagte er: »Mein Bruder wäre schon noch an die Reihe gekommen, keine Angst. Mein Bruder ist ein charakterloser Kriecher und Speichellecker. Ich hatte nur noch nicht die passende Gelegenheit. Auf die musste ich auch bei Weidemann warten. Das sollte Ihnen einleuchten, Herr Schutzmann, man kann nicht einfach so einen Menschen erschießen, wenn man als Urheber der Tat lieber nicht in Erscheinung treten möchte. Es musste ja alles so aussehen, dass einer der verrückten Nazis der Täter war. Glaubrecht bot sich doch nun wirklich an. Verstehen Sie, Herr Schutzmann?« Seine Stimme war ganz hoch, wieder kiekste er irre, als wäre es eine unschlagbare Pointe, die er da servierte.

»Warum haben Sie diese Waffen überhaupt gekauft? Zu jenem Zeitpunkt lebte Blue doch noch, und niemand ahnte seinen Tod. Was wollten Sie mit den Waffen?«

»Das ist eine gute Frage«, sagte er lächelnd. »Sie denken mit. Wir haben uns einen Spaß daraus gemacht, wir haben gesagt: Die auf dem Eulenhof reden dauernd von Waffen, wollen dauernd Waffen, aber wir sind unbewaffnet. Das müssen wir ändern. Dann haben wir in Tschechien in einer wilden Kneipe diesen ehemaligen russischen Major kennengelernt, offenbar kennen Sie ihn ja auch. Der Mann sagte: ›Gewehre kauft man sich zusammen. Im Trödel.‹ Wir dachten, der würde fantasieren. Aber er sagte die Wahrheit, er half uns sogar. Nach einer Woche hatten wir zwei Gewehre, und ich kann mich noch gut erinnern, dass Blue zu mir sagte: ›Im Notfall können wir jetzt auch schießen.‹ Wir haben uns königlich amüsiert.« Seine Stimme war jetzt leise geworden, als er von Blue erzählte. Und ganz unvermittelt fing er an zu weinen und verbarg sein Gesicht. Das dauerte sehr lange.

Der Beamte des BKA reichte ihm ein Paket Papiertaschentücher über den Tisch und fragte: »Haben Sie denn beim

Kauf der Waffen ernsthaft daran gedacht, diese Gewehre einmal zu benutzen?«

»Ich nicht, Blue sehr wohl. Er sagte, diese Typen auf dem Eulenhof seien in ihren Gedanken dermaßen brutal, dass der Fall eintreten könne, dass wir schießen müssen. Ich habe geantwortet: ›Niemals.‹ Aber Blue behielt recht, wie Sie wissen. Blue bezahlte dafür mit seinem Leben.« Er lächelte jetzt entrückt, er war sehr weit von jeder Realität entfernt.

»Wir verstehen da etwas nicht«, sagte Kischkewitz. »Wir verstehen nicht, dass Sie und Blue den Eulenhof nicht einfach verlassen haben. Sie hätten zusammen irgendwo leben und arbeiten können.«

»Ja«, er nickte sehr langsam. »Aber Blue hatte sich in den Eulenhof verliebt, es kam für ihn gar nicht infrage wegzugehen. Der Hof war sein Zuhause. Und bei mir ist es ja ähnlich. Die ganze Zeit war ich überzeugt davon, dass Weidemann die Anlage in ein Inferno steuert, dass der Hof einfach explodiert. Und dass der Hof dann Leute braucht, wie wir es sind. Eben keine geisteskranken Nazis, sondern gute Geschäftsleute, die es verstehen, eine so große und außergewöhnliche Pension zu leiten. Der Zusammenbruch des Hofes war doch nur eine Frage der Zeit. Blue und ich haben nächtelang diesen schönen Traum geträumt.«

»Sie haben Blue aufrichtig geliebt«, sagte Kischkewitz freundlich und zugewandt. »Und wie Sie berichtet haben, hat Blue Sie geliebt. Sie hatten beide vorher nur heterosexuelle Erfahrungen, sie waren beide vollkommen überrascht, als Sie Ihre gegenseitige Zuneigung bemerkten. Das hat uns sehr überzeugt. Als Sie aber feststellten, dass Weidemann Ihnen zwei Spione nach Dresden hinterherschickte, die von Ihrem angeblich sündigen Leben berichten sollten, warum haben Sie da nicht die Reißleine gezogen und sind einfach irgendwohin getürmt? Irgendwohin! Was hatten Sie denn noch mit diesen unglaublich arroganten und weltfern selbstsicheren Neonazis auf dem Eulenhof zu tun?«

»Oh«, erwiderte er mit einem kleinen, ironischen Lachen, »wir hatten natürlich nichts mehr mit ihnen zu tun. Aber wir wollten unbedingt zusehen, wie sie in ihrem eigenen Dreck erstickten. Wissen Sie, im Angesicht einer unvermeidlichen Katastrophe erkennt man die Gesichter seiner Mitmenschen besonders klar.«

»Aber das war lebensgefährlich!«

»Das war es wohl«, sagte Gerhard Hahn mit einer kindlichen Stimme. »Ich habe deshalb Blue gesagt: ›Wir müssen vermeiden, dass einer von uns irgendwann einmal allein mit diesen Schweinen ist.‹ Er hat mir versprochen, niemals mehr allein irgendwo hinzugehen. Aber er ging allein ins Ahbachtal, und mein Bruder fuhr ihm nach und tötete ihn.«

»Hierin erkennen wir Ihr Motiv für den Mord an Weidemann, der die Tötung von Blue in Auftrag gegeben hat. Aber warum haben Sie vorher auf den Jäger Marburg angelegt und den Chirurgen Voigt erschossen?«

Gerhard Hahn gluckste, als läge ein Grund zur Freude vor. »Wie sagt man so schön: Gelegenheit macht Mörder, nicht wahr? Natürlich hatte ich vor allem Weidemann im Visier. Aber ich musste auch vorsichtig sein. Nach Blues Tod war die Kriminalpolizei auf den Eulenhof aufmerksam geworden. Das war eine Chance für mich. Weitere Mordfälle konnten den Druck im Kessel nur erhöhen. Der Eulenhof wäre zwar irgendwann von ganz alleine explodiert, aber warum nicht nachhelfen?, dachte ich. Warum sollte ich länger darauf warten, dass Marburg und Voigt und all die anderen sich gegenseitig umbringen, wenn ich mit dieser Steilvorlage die Dinge entscheidend forcieren konnte?«

»Aber warum haben Sie denn dann auch noch den Agenten des Verfassungsschutzes Stefan Zorn erschossen? Das war doch vollkommen sinnlos.«

»Das würde ich so nicht sagen«, antwortete Gerhard Hahn etwas geziert. »Gewiss, dieser Mann war nicht sonderlich klug. Wenn ich so darüber nachdenke, war er dumm und eitel. Blue hat ihm über viele Monate jeweils das gesagt, was er hören wollte. Und Zorn hat Blue dafür bezahlt. Nach Blues Tod hat er sich an mich herangemacht: Wenn ich bereit sei, Blue zu ersetzen, könne er mir 1500 Euro im Monat garantieren. Für sechs Monate. Geld der Steuerzahler. Für Infos über das nationalsozialistische Treiben auf dem Eulenhof. Da habe ich ganz heiter geantwortet: ›Wunderbar, das tun wir!‹ Etwas Besseres konnte mir gar nicht passieren. Ein erschossener Beamter des Verfassungsschutzes – damit musste Ihnen klar sein, dass einer der Nazis hinter den Morden steckt. Ich habe ihn einfach zur Übergabe einer wichtigen Unterlage hinter den Eulenhof bestellt, und er kam ja auch.«

»Zu Doktor Hagen Weidemann«, sagte Kischkewitz. »Sie haben mehrfach erwähnt, dass Sie diesen Mann gehasst haben. Sie haben berichtet, wie er Sie zu sich in sein Büro rief und Ihnen vorwarf, Sie seien pervers und würden die grandiosen Ideen der großen Deutschen schamlos verraten. Was haben Sie ihm da geantwortet?«

»Nun ja, ich habe ihm geantwortet, dass die deutsche Geschichte ihn nicht einmal in einer Anmerkung zur Kenntnis nehmen werde. Der Doktor Hagen Weidemann sei eine Null. Er sei einfach ein Wurm mit einem zu kleinen Gehirn.«

»Und warum hat Weidemann Sie nicht auf der Stelle erschossen? Was glauben Sie?«, fragte der Kommissionsleiter schnell.

»Weil er so etwas nicht konnte. Er war wie Hitler, er hatte für so was seine Leute. Er machte sich die Hände nicht schmutzig. Diese Hände krallten sich in jedes andere Leben auf dem Eulenhof. Weidemann war unersättlich. Er hat den Tod von Voigt wahrgenommen wie etwas, das ihn nicht betraf. Den Schuss auf Marburg ebenfalls. Das passte ihm alles nicht, aber die Leute waren ersetzbar. Wissen Sie, Weidemann hielt sich für kostbar. Und da habe ich ihn bestraft. Wie die anderen auch. Für Blue, wissen Sie.« Er lächelte ganz versunken, dann weinte er plötzlich wieder. Es dauerte lange, der Kommissionsleiter und Kischkewitz warteten ab. Dann nahm Hahn die Schultern zurück und setzte hinzu: »Die Welt wird uns doch dankbar sein, oder? Blue und ich haben die Welt von dem Natterngezücht befreit. Das war unsere Bestimmung.«

Er breitete die Arme leicht aus und lächelte seine Gesprächspartner an. Er war ein blasser, gut aussehender Typ, sechsundzwanzig Jahre alt, der niemals vor einem Gericht stehen würde. Er würde früh eine Glatze haben, weil sein langes, blondes Haar schon jetzt sehr schütter auf seine Schultern fiel. Er würde immer kleine, mattfarbene Tücher um den Hals tragen. Und wenn er könnte, würde er Kinder streicheln. Und natürlich würde man ihn sicherheitshalber wegsperren. Die Gutachter würden sagen: Er ist nicht therapierbar.

»Hört auf, Leute«, sagte Tessa hinter mir drängend. »Das macht alles keinen Sinn mehr.«

»Glaubst du, er weiß, was er tat?«, fragte ich sie.

»Ich habe darauf keine Antwort«, erwiderte sie. »Wir haben den Kindern versprochen, heute Abend mit ihnen in den Zirkus zu gehen, und wir sind spät dran. Du solltest nicht immer diese Pullover tragen. Wie wäre es mit einer modischen Krawatte?«

»Eine Krawatte? Ich?«, fragte ich entgeistert.